アーティフ・アブー・サイフ
中野真紀子 訳

ガザ日記

ジェノサイドの記録

地平社

ビラールに

First published in Great Britain in the English language by Comma Press, 2023

序文

忘れない者の痛み

クリス・ヘッジズ
（ジャーナリスト。元『ニューヨークタイムズ』戦争報道記者）

数多くのパレスチナ人の作家やジャーナリストや写真家が、イスラエルによるガザ侵攻の中で、少なくない犠牲者を出しながらも決然と、このジェノサイドの恐怖を私たちに伝えようと行動している。彼らは、最後には、殺人者たちのつむぎ出す虚構を打ち破るだろう。

戦時下で文章を書いたり写真を撮ったりすることは、抵抗であり、信念の行為である。彼らが確信するのは、いつの日か――その日を彼らが見ることはないかもしれないが――言葉や映像が、同情や、理解や、義憤を呼び覚まし、知恵を授けるときが来ることだ。彼らは事実を列挙するだけでなく（もちろん事実は重要だが）、失われた人々やコミュニティのたたずまい、神聖さや悲嘆までも記録にとどめる。彼らが世界に伝えるのは、戦争とはどんなものか、その貪欲な殺戮への渇望に捕らわれた者たちを襲う苦痛、他者のために自己を犠牲にする者と、そうでない者がいること、飢えや恐怖はどんなものか、死はどんなものかだ。子どもたちの泣き声、母親たちの慟哭、野蛮な産業暴力に対する日々の闘い、泥や汚物や病気や屈辱にまみれた勝利などを伝達する。だからこそ、作家や写真家やジャーナリストたちは、イスラエルのような戦争を仕掛ける侵略者たちの標的となり、抹殺される。彼らは、侵略者が葬り去り、忘れ去りたい悪事の証人だからだ。彼らは嘘を暴く。墓の中からでさえ、殺人者を糾弾する。それゆえ、イスラエルは一〇月七日以降にガザで、少なくとも一三人のパレスチナの詩人や作家、少なくとも六八一人のジャーナリストを殺したのだ。

私はかつて、戦争報道の記者として中央アメリカ、ガザを含む中東、アフリカ、旧ユーゴスラビアを二〇年にわたり取材した。徒労感と義憤という、慣れっこになった感情も経験した。自分は十分な仕事をしているのだろうか、あるいは危険を冒す値打ちがあるのかとさえ疑ったこともある。それでも続けてきたのは、何もしないことは加担することになるからだ。報道するのは、関心を持つからだ。少なくとも、殺人者が自分の罪を否定するのを難しくすることができる。

ガザで活動するジャーナリスト、作家、写真家たちは、多くがイスラエルによって意図的な標的にされ、ハエのように死んでいく。彼らの死は、かつての同僚の死と同じように、私に取り憑いている。私は自分自身の死に語りかける。よく夢の中で、時には悪夢の中で、生きている人に語りかけるのと同じように。もう戦争を取材することはなくなったが、私はパレスチナ人たちの記憶と勇気に敬意を表したいと思う。彼らの声に耳を傾け、彼らの姿を心に刻む。決して忘れないと誓う。彼らは私を取り囲んでいる。そうしたパレスチナ人の中にあるとき、今は亡き、かつての同僚たちの姿を私は見る。

ギリシャの詩人イオルゴス・セフェリスは、自分の国がナチスに占領されたとき、「最後の停車駅」という詩の中でこう書いた。

私たちの心は、殺された友人たちの原生林だ
私がおとぎ話やたとえ話で語りかけるとすれば
それは、君にはそのほうが聞きやすいからだ
そして恐怖は語られない
あまりにも生々しいからだ
無言で、はかないものだからだ
忘れない者の痛みは
日ごと眠りの中に滴り落ちる

アーティフがイスラエルの暴力に遭遇したのはこれが初めてではない。彼が生後二カ月のとき、一九七三年の戦争（第四次中東戦争）が起こった。「それ以来ずっと、私の人生は戦争の連続だ。人生というものは二つの死の間の保留状態であり、それと同じように、パレスチナという存在は、幾多の戦争の間の一時的な保留の状態なのだ」と彼は書いている。二〇〇八年から

二〇〇九年にかけてのイスラエルのガザ侵攻の間、彼は妻のハンナと二人の子どもと一緒に自宅の廊下で二二日間にわたって寝泊まりした。イスラエルの爆撃と砲弾から身を守るためだ。「戦争の記憶というのは妙にポジティブだったりする。何しろ記憶があるということは、生き延びたということだから」と彼は記す。

彼は作家のする仕事をしていた。同じガザ出身のリファアト・アル＝アルイールもそうだったが、彼は一二月七日に兄弟姉妹や四人の子どももろとも殺された。ガザの彼らのアパートが空爆されたからだ。欧州地中海人権監視団（Euro-Med Monitor）によれば、リファアトは故意に狙われており、「ビル全体の中で正確にそこを選んで爆撃された」。その数週間前から、リファアトは「複数のイスラエル人のアカウントからオンラインや電話で殺人予告を受け取っていた」。

リファアトは、ジョン・ダン［一六～一七世紀のイングランドの詩人］の研究で博士号を取った作家で、この一一月に公開した「もし私が死なねばならぬのなら」という詩が、彼の最後の証言となり、遺言となった。この詩は三〇以上の言語に翻訳され、三〇〇〇万回も読まれた。

もし私が死なねばならぬのなら
君は生きなければならない
私のことを語るためだ
そして私のものを売って

一片の布と
糸を買ってほしい
（長い尾のついた白い凧を作るためだ）
ガザのどこかで子どもが
天を仰いで父親を待つ
炎の中で旅立った父親は
誰にも別れを告げなかった
自分の肉体にさえも
自分自身にさえも
君の作った私の凧が
空に舞い上がるのを見て
その子は一瞬、そこに天使がいる
愛を戻してくれると思うだろう

もし私が死なねばならぬのなら
それが希望を生み出すように
それを物語にしてほしい

アーティフは彼の観察や省察を、イスラエルによるインターネットや電話サービスの遮断のために送信が困難なことも多い中で断固として、ワシントンポスト紙やニューヨークタイムズ紙やネイション誌などの媒体で発表し続けた。

イスラエルによる砲撃が始まった最初の日に、オマル・アブー・シャーウィーシュという若い詩人・ミュージシャンが、イスラエル軍の砲撃で殺された。アーティフは、「赤外線レンズと衛星写真」によって彼とその家族を監視するイスラエル兵たちは、「私のバスケットの中のパンの数や、皿に載ったファラフェル団子を数えられるのだろうか」と疑ってみる。彼は、呆然として行き惑う大勢の家族の群れを眺める。この人々は住む家が瓦礫と化し、「マットレスから衣服を詰めたバッグ、食べ物や飲み物にいたるまで」を抱えてさ迷っている。「スーパーマーケット、両替所、ファラフェルの売店、果物屋台、香水パーラ、菓子屋、おもちゃ屋……すべてが消失し」焦土と化した光景に、言葉もなく立ちつくす。

「そこらじゅう血の海だ。子どものおもちゃの破片、スーパーの缶詰、つぶれた果物、壊れた自転車、粉々になった香水の瓶」と彼は書く。「そこはまるでドラゴンの吐く火焔に焼き焦がされた町を描いた、黒っぽい木炭画のようだった」

彼は一〇代の息子を親族の家に預けた。「パレスチナの理屈では、戦争になったら、家族はばらばらに分かれて泊まるべきだということになっている。そうすれば、たとえ家族の一部が殺されても残りの者が生き残るからだ」と彼は書く。「国連の学校は、避難民や家をなくした家族が身を寄せてどんどん混み合ってきた。国連の旗が自分たちを救ってくれると考えているためだが、近年の侵攻では、国連の学校といえども被害を免れるわけではない」

一〇月一七日の火曜日、彼は救援活動を手伝っていた。義理の姉フダーの家がイスラエルのミサイルに直撃され、一家のほぼ全員が死亡したのだ。ただ一人救出された二三歳の姪ウィサームは、両足と右手を切断する緊急手術が必要だった。

イスラエルのヘリコプターが投下するアラビア語のビラが空から降ってくる。そこには、ワーディー・ガザよりも北側にとどまる者は誰でもテロリストの協力者とみなされると告知されており、「イスラエル軍は見つけ次第、射殺してよいという意味だろう」とアーティフは書く。電気は止められ、食料も燃料も水も底をつき始める。負傷者は麻酔なしで手術される。鎮痛剤も鎮静剤もない。空爆の後で、彼は救援チームに参加する。コオロギのような絶え間ないドローンの音は聞こえるが、その姿を空に見つけることはできない。T・S・エリオットの詩の「壊れた心象の積み重なり」という一節が彼の頭をよぎる。負傷者や死者は「三輪車で運ぶか、動物に牽《ひ》かせた荷車に載せて運ばなければならなかった」。

一一月二一日に、彼はガザ北部のジャバリア難民キャンプから脱出し、南部に向かうことを決意する。息子と車椅子に乗せた義理の母親を連れた旅だ。彼らの一行はイスラエルの検問所を通過せねばならないが、そこでは列をつくる人々の間から兵士が無作為に男性や少年を選び出して拘禁する。

「道路の両側に沿っていくつもの死体が転がっている。腐乱して、地面に溶けつつあるようだ。すさまじい臭気だ。焼け焦げた車の窓から、一本の手がこちらに伸びている。まるで何かを求めているかのようだ――はっきりと、私から何かを。こちらには首のない死体、あちらには切断された頭部が転がっている。手や足や大切な身体部分がただ投げ捨てられ、腐敗するに任されている」。彼は息子のヤーセルに言う、「見るな。そのまま歩き続けろ」

彼の生まれ育った実家は空爆で破壊された。

「作家が育った家は、素材を汲みだす井戸である。私のどの小説でも、キャンプ内の典型的な家を描きたいときは、私たちの家を思い浮かべた。家具の配置を少し変えたり、通りの名前を変えたりしたが、ごまかしはよそう。それはいつだって、私たちの家だったんだ」と彼は書く。

イギリスでこの日記の第一版が電子書籍として出版された二〇二三年一二月二六日の時点で、アーティフはまだ息子とともにガザ南部に捕らわれたままだったが、今は脱出している。イスラエルはガザ爆撃を続けており、クリスマスも、新年も、その先までも、それは続いている。今この本［原書］が印刷に入っている二〇二四年二月前半において、死者は二万八〇〇〇人を超えている［五月現在では三万五〇〇〇人以上と報告されている］。

クリスマスの物語は、妊娠九カ月の貧しい女性が、夫とともにガリラヤの町ナザレにある家を離れることを余儀なくされる話である。占領者であるローマ帝国が人口調査を行ない、この二人に九〇マイル離れたベツレヘムで登録するよう要求したからだ。二人はベツレヘムに到着したが、泊まる部屋がなかった。そこで彼女は馬小屋で出産する。ヘロデ王は、マギから救世主が誕生したことを知らされ、兵士たちに命じて、ベツレヘムとその周辺の二歳以下の幼児をすべて探し出し、殺害させた。ヨセフは夢の中で天使に逃げるように警告され、夫婦と幼児は闇に紛れて脱出し、四〇キロ旅してエジプトに着く。

私は一九八〇年代の初頭、戦火を逃れてホンジュラスにやってきたグアテマラ人の難民キャンプにいた。村や家が焼かれたり、打ち捨てられたりした農夫たちとその家族は汚物と泥の中で暮らしていたが、自分たちのテントをカラフルな細長い紙切れで飾り、「幼児虐殺」を祝っていた。

「なぜこの日がそんなに重要なのですか」と尋ねると、

「キリストが難民になった日だからです」と農夫が答えた。

クリスマスの物語は、圧政者のために書かれたのではない。抑圧された人々のために書かれたのだ。私たちは罪のない人々を守るよう求められている。私たちは、占領者に抵抗するよう求められている。アーティフ、リファアアト、そして彼らと同じように死の危険を冒して私たちに語りかける人々は、この聖書の教えを反響させている。彼らが語るのは、私たちを沈黙させないためだ。彼らの言葉や映像を私たちが拾い上げ、高く掲げて世界の権力者たちに示すようにするためだ——メディア、政治家、外交官、大学、富裕層や特権階級、武器製造業者、ペンタゴン、イスラエル・ロビー団体など、ガザにおけるジェノサイドを取り仕切っている者たちに向けて。幼子キリストが今日横たわるのは、藁の中ではなく、コンクリートの瓦礫の中だ。悪は何千年経っても変わらない。善も同じだ。

クリス・ヘッジズ
米ニュージャージー州プリンストン

ガザ日記——ジェノサイドの記録

目次

＊本文中の〔 〕は訳者による補足を示す。

本書に登場する人々

アーティフ・アブー・サイフ：この日記の著者。ラマッラーの自宅から仕事でガザを訪れていたときに侵攻に巻き込まれる
ハンナ：アーティフの妻
ヤーセル：アーティフとハンナの息子
ヤーファ：アーティフとハンナの娘
タラール：アーティフの父
ムハンマド、イブラーヒーム、ハリール：アーティフの弟
アワーティフ、ハリーマ、ナイーマ、アーイシャ、アスマー：アーティフの姉妹
イスマーイール：ハリーマの夫
マーヘル：アーイシャの夫
アミーナ、サマー：アーティフの異母妹
ムーサー：アーティフの異母弟
ヌール：アーティフの大叔母
ムスタファー：アーティフの義父
ウィダード：アーティフの義母
ジュンマ：アーティフの母のいとこ
フダー：ハンナの姉
ハーティム：フダーの夫
ウィサーム：フダーとハーティムの娘
ウィダード：フダーとハーティムの娘、ウィサームの姉

友人

ビラール：プレスハウスの支配人、ジャーナリスト
ファラジュ：アーティフの子ども時代からの親友。ジャバリアの隣人
ヒシャーム：ジャバリアUNRWA学校に避難する
ヒクマット：通信社SAWAの編集長
マアムーン：ハーン・ユーニスに避難する
マフムード：ラファの赤新月社で働く

パレスチナ地図

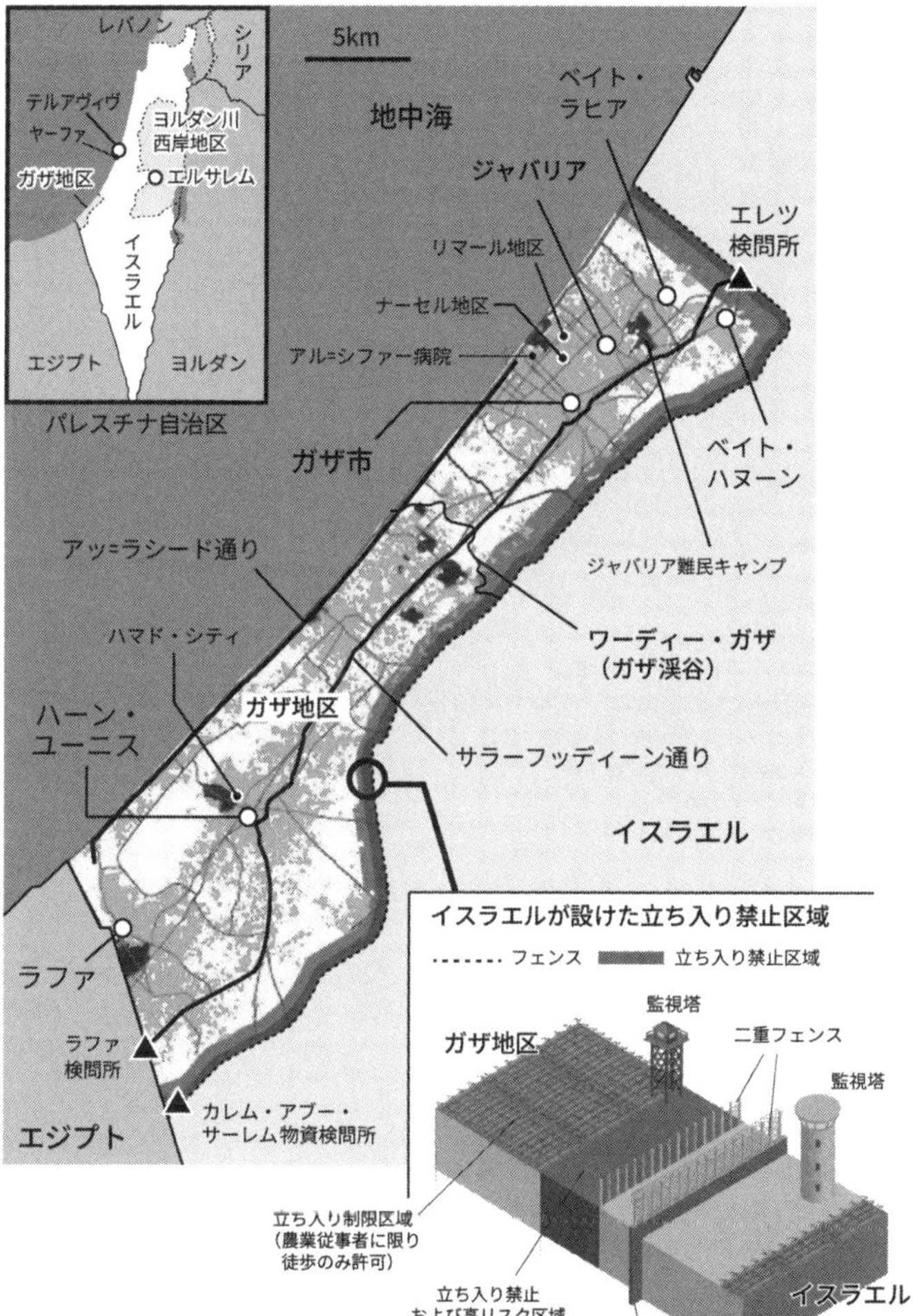
レバノン
シリア
テルアヴィヴ
ヤーファ
ヨルダン川
西岸地区
ガザ地区
エルサレム
イスラエル
エジプト
ヨルダン
パレスチナ自治区
5km
地中海
ベイト・
ラヒア
ジャバリア
エレツ
検問所
リマール地区
ナーセル地区
アル=シファー病院
ガザ市
ベイト・
ハヌーン
ジャバリア難民キャンプ
アッ=ラシード通り
ワーディー・ガザ
（ガザ渓谷）
ハマド・シティ
ハーン・
ユーニス
ガザ地区
サラーフッディーン通り
イスラエル
ラファ
ラファ
検問所
カレム・アブー・
サーレム物資検問所
エジプト
イスラエルが設けた立ち入り禁止区域
フェンス
立ち入り禁止区域
監視塔
二重フェンス
監視塔
ガザ地区
立ち入り制限区域
（農業従事者に限り
徒歩のみ許可）
立ち入り禁止
および高リスク区域
（最大100メートル）
地下に埋めた
コンクリート壁
イスラエル
出典：OCHA

1章——砲弾と爆撃

Day 1 2023年10月7日……Day 33 11月8日

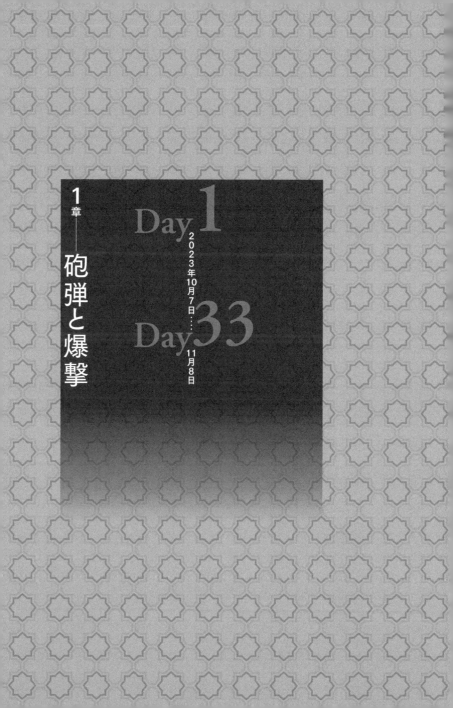

Day 1

2023年10月7日（土曜日）

泳いでいるときにこんなことが起きるとは思ってもみなかった。朝の五時半頃に早起きしたので、海に行くことにした。その日は土曜日で、午前一〇時まで約束がなかった。その時間にはハーン・ユーニス近郊のカラーラで開かれるナショナル・ヘリテージ・デイ（文化遺産の日）に参加する予定だ。海で泳ぐのは、おそらく今年はこれが最後のチャンスだった。前の晩、私は妹のハリーマの家に泊まった。ベイト・ラヒア地区の西側にあり、ビーチまでほんの数分のところだ。これだけ近いと、誘惑も大きい。彼女の夫イスマーイールは毎朝、たとえ雨が降っても泳ぎに行く。

私たちが海に向かって車を走らせた朝は、とてもいい天気だった。そよ風が涼しく、すべてがとても穏やかだった。今日はいい日になるぞと思った。七時三〇分まで泳いだら、ジャバリア難民キャンプに近いサフターウィー地区の自分のアパートに戻ってシャワーを浴びよう。八時三〇分には出発だ。とてもシンプルな計画だった。

でも、ガザではシンプルに行くことなんて何もない。一〇代の若者の頃は、この現実に苛立ったものだ。数週間先までの予定を立てると、その矢先に、夜間外出禁止をメガホンで告知する兵士たちの声がキャンプを通過する軍用車両から聞こえてくるのだ――“Mamno' o el tajawol hatta esha' aron akhar”（追って通達するまで動き回らぬように）と、へたくそなアラビア語で彼らは言う。この瞬間から、いつになるかわからない将来のある時まで、家を出ることは許されない。もし家を出たならば、どんな目にあってもいっさい文句が言えない。ティーンエイジャーにとって、これが意味するのは、当分のあいだ学校がないことであり、宿題を出す人もいないということだった。夜の運動場で友だちとサッカーをしたり、誰かとつるんで遊んだりすることもできやしない。やがて私が学習したのは、何も計画しないことだった。明日のことさえ計画しない。「私たちは今だけに生きるのよ」と母はよく言っていた。

今この日を振り返ると（この土曜日は「軍事侵攻の最初の日」として記憶されるに違いない）忘れかけていたこの教訓を思い出す。「何も計画するな」

海岸に到着したが、太陽はまだ、まどろんでいる。水平線の彼方に、小さな漁船が、海で長い夜を過ごして岸に向かっているのが見える。私たちの一行は四人だった――ムハンマド（弟）、ヤーセル（一五歳の私の息子）、イスマーイール（義理の弟）、そして私。私は、ヨルダン川西岸地区から、仕事でガザを訪問していた。例によって、親戚と過ごす時間と仕事を組み合わせていた。今回は三日だけ滞在する予定で、木曜の夕方に到着し、日曜の朝に出発の予定だった。ヤーセルを連れてきたのは、祖父母に会いたいとせがまれたからだ。彼もまさかこんな事態に巻き込まれようとは夢にも思っていなかっただろう。

私たちはビーチの北端まで車を走らせ、大通りに車を停めて、貝殻がいっぱいの砂浜に歩いて降りていく。水際に沿ってさらに北に進み、どんな車も通れないところまで行く。ガザでは、浜辺も海水も北に行くほど汚れていないと信じられているのだ。いつものように、水平線にはイスラエルの軍艦が、誰の目にも見えるように、わがもの顔で陣取っている。

今朝の海はとても魅惑的だ。イスマーイールと私はパンツ一丁になったが、ムハンマドとヤーセルは仲間入りしなかった。思えば、今年泳ぐのはこれが初めてだ。水の感触がとても心地よい。ヤーセルは写真を撮りながらそこらを歩き回り、ムハンマドはいつもの朝の習慣でぷかぷかタバコを吸いまくる。

何の前触れもなく、ロケット弾と爆発音があちこちから鳴り響く。見上げると、ロケット弾が描いた白い煙の筋がまるで装飾のように空を飾っている。私は泳ぎ続ける。普段の演習だ、ただの訓練だろうと考える。さらに多くのロケット弾が海からも陸からも飛んできて爆発する。ガザでは普通のことだ。一時間やそこらは続くだろうが、約束の会合にはたぶん間に合いそうだ。

私は泳いで岸まで戻り、イスマーイールにも海から上がるように呼びかけた。一緒に海から上がりながら、彼は肩をすくめた――いつもの嫌がらせだ、心配することはないよ。「でも、いっこうにやむ気配がないね」と、私は大声で返した。彼はうなずいて、東のほうを指さした。陸に上がってみると、ビーチの人々はみんな四方八方に走り出していた。「ここから逃げなきゃ」

とムハンマドが叫ぶ。彼はヤーセルに向かって、写真を撮るのはやめだ、そんなことをしている場合じゃないと怒鳴る。爆発音がどんどん大きくなって耳をつんざく。何かが起こっているようだ。これは一過性の攻撃ではない。私たちは車に向かったが、砂の上は走りにくい。何とか大通りまで出たが、車を停めた場所はまだ五〇〇メートルも先だ。イスマーイールと私は裸足で、服と靴を抱えて走る。進めば進むほど、危険が増してくるように感じる。まわりの人々もみんな同じように、安全を求めて奔走している。

やがて私たちは車にたどり着いた。私は飛び乗ると、他のみんながドアを閉めるのも確かめずにアクセルを踏み込んだ。私は夢中で運転し、交通規則を破りまくった。人々が車の前に飛び出して、便乗させてもらおうとする。いったん停車して、五人の男を後ろの席に乗せる。後部席にいたヤーセルに、前に這い出してきて、私とムハンマドの間に座るように指示した。クラクションをかき鳴らして道を空けながら、私たちは再び疾走した。唐突に、私はムハンマドに振り向いた。

「おい、イスマーイールはどこだ？　ロケット弾の下に見捨ててきたのか」

ムハンマドは笑って言う。「いやいや、サメに任せたのさ」

実はイスマーイールは私たちのペースについてこられず、先に行ってくれと頼んだらしい。どのみち、彼の家はビーチの近くだから歩いてでも帰れる。ムハンマドのサメの冗談にも、私の気は晴れない。息子と自分の身を案じるあまり、義理の弟のことをすっかり忘れてしまったのだ。自分のアパートに着くやいなや、イスマーイールの妻である妹に電話して安否を確認した。彼は何度も身を潜めながら、何とか無事に家にたどり着いたそうだ。

数時間にわたり、何が起きているのか誰もわからなかった。その後、ぽつぽつとニュースが入り始めた。私の友人、若い詩人でミュージシャンのオマル・アブー・シャーウィーシュは、私たちと同じようにヌセイラート難民キャンプ前の海で泳いでいたところを、軍艦からの砲撃で友人もろとも殺された。彼ら二人がこの軍事侵攻の最初の犠牲者である。

しかし、このときはまだ、これが「軍事侵攻」だということも、エスカレートしつつあることも知らなかった。シャワーを浴び、ヘリテージ・デイのイベントのためハーン・ユーニスへ行く支度をする。時刻は八時三〇分、あらゆるものが今日が普通の日でないことを示している。窓の外から、人々が集まって何が起こっているのかを分析する声が聞こえてくる。

「たぶんイスラエルが誰かお偉いさんを暗殺したので、ハマースが報復したのだろう」

「暗殺が起きたのはトルコだと聞いた」

「いやいや、いつものように単にエスカレートしただけだ」

「何をとぼけたことを。ロケット弾はすでに何百発も飛んでいるんだ。エスカレーションなんかじゃない！」

窓の外で議論している連中と同じように、私も何が起きているのかわからなかった。これはいつもと違う、と気づいたのは昼を過ぎたころだった。私はハーン・ユーニスに行くのを取りやめて、ガザ市のリマール地区にあるプレスハウス（ガザの「記者クラブ」のようなもの）に行った。そこで、プレスハウスの支配人ビラール・ジャーダッラーをはじめ、一群のジャーナリストたちと会った。みんなの意見が一致する唯一のことは、事態がどこに向かっているのか見当もつかないということだった。

Day 2

10月8日（日曜日）

昨夜はどうやって眠ったのかわからない。ベッドに横たわり、砲弾が落ちるたびにホテル全体が揺れるのを感じながら、頭の中を過ぎるイメージのどれが夢で、どれが現実なのかわからなくなってきた——切断された首、引きちぎられた手、一面に散乱する歯、血の海。夢の中で、二〇一四年の軍事侵攻の光景を思い出した。私は救助隊を手伝って、ばらばらになった女性の遺骸を拾い集める作業をしていた。彼女の髪のついた頭皮を手でつかんで運んでいた。彼女の家はジャバリア難民キャンプの墓地の近くにあり、現場にたち込める死臭は、墓地の門の光景と相まって、耐え難いものだった。夢を見れば見るほど、現実の世界に戻りたい気持ちに駆られた。これはみなフラッシュバックだ、昔のトラウマの再現にすぎないと、必死にそう願った。

ただの記憶でありますように。

あのときほどひどいことが起きるはずがない。

ルーツ・ホテルには、一〇人の宿泊客と三人のホテル従業員、計一三人しかいなかった。宿泊客のうち四人は、エレベーターと階段の間の廊下にテーブルを移動して朝食をとっていた。ガザに五分以上滞在した人ならわかるだろうが、これはお決まりの処置なのだ。爆撃が始まったら（そしてほぼ毎月のように爆撃がある）、建物の中心部、たいていは廊下か階段の踊り場に移動するべし。そこが窓から一番離れていて、砕けて飛散するガラスからも遠いからだが（半マイル先の爆発の気圧でも窓は吹き飛ぶ）、それだけでなく建物のもっとも強靭で堅固に保護された部分だからだ。ビルが砲弾に直撃された場合、吹き抜けの下は守られる可能性が高くなる。階段の鉄筋コンクリートも助けになるだろう。運がよければ、落下してくるコンクリートの塊が十字に交差して、コンクリート製のテントのようなものを形成するかもしれない。すごく運がよければ、の話だが。二〇〇八年の戦争のときは、妻のハンナと子どもたちと私は、階段の吹き抜けに近い廊下で二二日にわたり寝泊まりした。当時、私たちはナーセル地区（ガザ市西部の中心部）のアパートに住んでいたのだが、おそらく寝る場所を選んだおかげで生き延びることができたのだろう。

廊下の突き当たりのカーテン越しに、ホテルが建っている小さな崖の足元に広がる真っ青な海がチラリと見えた。昨夜は漁船は出航せず、港の岸壁に係留されて所在無げに波に浮かんで、カーテンの揺れと合わさって揺れていた。その向こうの沖合には、三隻の軍艦が待機しており、いつでもこの港を木っ端みじんに吹っ飛ばす態勢をとっている。私は食事をしながら、この軍艦の兵士たちが私たちを監視していることを考える。彼らは赤外線レンズと衛星写真を通して、私のバスケットの中のパンの数や、皿に載ったファラフェル団子を数えられるのだろうか？

ヤーセルは一五歳で、これまで二度しか戦争を体験していないが、二〇一四年の戦乱の記憶がいまだに心の傷になっている。あのときは七歳だったが、彼はすべてを鮮明に覚えている。妹のヤーファは当時まだ二歳で、そのときのことを覚えていると本人は言うが、どんなだったか説明してと言われると、これまでに見た侵攻時のビデオの内容ばかり話すようだ。ヤーファはまた、私が本の中で彼女についてたくさん語ったことも知っているので、この侵攻について奇妙なノスタルジーのようなものを抱いている。戦争の記憶というのは妙にポジティブだったりする。何しろ記憶があるということは、生き延びたということだから。

サバイバルが今日のテーマだ。ホテルにいた他の旅行者たちは（全員が西岸地区から来ている）、ラファの国境検問所を通ってエジプトに脱出することに決めた。彼らはみなパスポートを所持しており、多くは外交許可証も持っている。出入国管理の手続きを待つ人々の長い列を飛び越して、彼らの名前は先頭に躍り出るだろう。朝食が終わる前に、エジプト側との交渉が成立した。私と息子のヤーセルの名前も含まれている。みんな大急ぎで荷物をまとめた。だがムハンマドが車へ向かおうとしたとき、私はここに残ることに決めた。

この決断は、最高に賢明なものではなかったかもしれないが、少なくとも私にとっては正しいものだ。恐怖に駆られて軽々しく逃げ出し、自分の身の安全のために親族を見捨てるなんてできない。存命中の家族はみんなここにいるのだ――父のタラール、三人の弟（ムハンマド、イブラーヒーム、ハリール）、五人の姉妹（アワーティフ、ハリーマ、ナイーマ、アーイシャ、アスマー）、そして二人の異母妹（アミーナとサマー）と異母弟のムーサー（兄弟姉妹の中でガザの外に住んでいるのは、アンマンにいる異母妹のリーナだけだ）。私がまだ生後二カ月のとき、最初の戦争（一九七三年）が勃発した。それ以来ずっと、私の人生は戦争の連続だ。私の小説『宙ぶらりんの人生（*Suspended Life*）』の冒頭は、「ナイームが生まれたのは戦争中で、死んだときも戦争中だった」という一文で始まっている。このことを思い出し、また二〇一四年の五一日間にわたる殺戮をしのいだ体験を振り返って、私は自分の決断に自信がわいてきた。人生というものは二つの死の間の保留状態であり、それと同じように、パレスチナという存在は、幾多の戦争の間の一時的な保留の状態なのだ。

ヤーセルには他の人たちと一緒に出発するように言ったが、彼はそれを拒み、私の傍に残ると言ってきかない。私は悩む――ラファの国境検問所は軍事侵攻が始まるときまってイスラエルに最初に空爆される。そんなところにヤーセルを一人にすること、国境を渡った先のシナイ半島北部では別の紛争が続いており、そこを横断するときに私が一緒にいてやれないことなど、考えてみれば恐ろしい。結局は、彼の主張を聞き入れるしかなかった。ホテルの友人たちが出発し始める。ラファに向かうサラーフッディーン通りは危険がいっぱいだ。イスラエル軍はこの大通りに沿って爆撃作戦をやることが多い。海岸沿いのルートも同じだ。車が一台空いていたので、ムハンマドが運転を引き受けることにした。彼が戻ってくるまで二時間かかる。

ヤーセルは、ホテルは退屈で泊まっていられないと言い、代わりに彼の祖父母の家に泊まって同じ年頃の男の子たちと遊びたいとせがむ。ジャバリア難民キャンプに向かう途中、私はムハンマドに海岸の近くに私が所有する小さなバヤーラ（土地）に立ち寄ってくれと頼んだ。樹木に水をやるためだ。いつかこの土地に家を建てようと思っていた。

「冗談だろ？」とムハンマドは大声を出す。「それは危険すぎる」

「水をやらずにおくのも危険だよ。戦争が長引けば樹木は死んでしまう」と私は言い返した。

ムハンマドは笑って、「本格的な戦争になれば、どのみち死んでしまう。連中がいつもやるように、戦車で全部なぎ倒しちまうさ」と言う。それでも、私はしつこく頼んだ。

バヤーラに着いてみると、閑散としていて人けがなかった。いるのは私たち三人だけだ。マンゴーを摘み取ろうとしたが、どれもまだ十分熟れていない。

「あと一週間はかかるな」と言うと、ムハンマドは「馬鹿を言うな。来週なんて来るもんか。欲しいならいま摘んで、小麦粉の袋に入れて保存するんだな」。

これは私たちが母から伝授された、青い果物を完熟させるテクニックだ。金曜日に収穫した二つのマンゴーはおいしかった。だが今回は一つも熟していないし、グアバさえも収穫できない。手ぶらで帰るわけにはいかないと、私はオレンジを探しに行った。結局、一つだけ見つけることができ、摘み取ったその場で皮を剝いて食べた。果汁が顎を伝って滴り落ちた。

ヤーセルを彼の祖父母の家で降ろした。彼らの家はジャバリア難民キャンプ内にある国連パレスチナ難民救済事業機関（UNRWA）の学校近くにある。途中、友人のヒシャームの息子アリーに出会った。ベイト・ハヌーン［ジャバリアの北東］にある家が戦車で攻撃されたので、一家全員が避難してきたのだそうだ。ベイト・ハヌーンから多くの家族がジャバリアのUNRWAの学校に避難し始めているが、ヒシャームはこの晩は私のジャバリアの隣人ファラジュの家に泊まる予定だった。ファラジュは元パレスチナ自治政府の役人で、子どもの頃から知っている親友だ。彼の妻は軍事侵攻の初日に弟を亡くしており、葬儀のためにブレイジュ難民キャンプの実家に行かなければならなかった。二つのUNRWA学校の前の通りは、人々でごった返している——混乱した子どもたち、イライラした男たち、疲れた女たち。誰もかれもが、途方に暮れているようだ。すべてのものが戦争の長期化を暗示している。農民たちは家畜の群れを学校の壁のところに追い込んでいる。UNRWAの教師がたった一人で道の真ん中に立ち、この混乱状況に秩序を回復しようと奮闘している。

プレスハウスに戻ると、数十人のジャーナリストが最新ニュースを追いかけ、報道しようと精力的に働いていた。ここでは太陽光発電のおかげで、少なくともインターネットと電気と水道が利用できる。支配人のビラールが、全員に温かい食事を提供する。ライスと肉だ。プレスハウスの経理担当のラーミーは、ニヤニヤ笑って、メニューはこれ一択だと言う。食べながら、この先に待ち受けているものについて思いをめぐらす。ぼんやりとした不吉な未来。

夕闇が迫る中、私たちはホテルに戻った。多くのジャーナリストが、他の建物よりは爆撃されにくいだろうと考えてこのホテルに移ってきている。いまやこの場所は、世界じゅうにリポートを発信するカメラクルーに取り囲まれているのだ。

Day 3

10月9日（月曜日）

戦争下では、目覚めてからの数分間がもっとも緊張する。起きるとすぐに携帯電話に手を伸ばし、大切な人たちが誰も死んでいないことを確認する。しかし日が経つにつれ、何を読まされるのか不安になり、携帯電話に手を伸ばすのを躊躇するようになる。携帯電話を手に取る勇気の出ない朝もある。いつかは悪いニュースが飛び込んでくる。

街は瓦礫と残骸の広がる廃墟と化した。美しい建物は煙の柱のように倒壊し、そこに住んでいた人々の記憶は風に舞う砂のように消滅していく。私は意識して眠ることに努め、休めるときは休むようにする。戦時にはほとんどの時間、疲労と退屈が同時に襲ってくる。目の覚めている間は休みなく生き延びるために闘い続けねばならないが、何ひとつ変わることはない。よく思い出すのは、子どもの頃、第一次インティファーダで銃で撃たれたときのことだ。後に母から聞いたところでは、実際に私は、数分のあいだ死んでいたらしい。そして息を吹き返したのだ。もしかしたら、今度もまた同じことができるかもしれない、死からよみがえるのだ――そう考えると気が休まる。生き延びることについて考えていること自体が、自分がここまでは生き延びている証拠だ！

今日は月曜日で、午前一〇時からパレスチナ自治政府の閣僚会議がある。私は電話を使ってズームで出席することにした。事務局によれば、イスラエル軍が西岸地区の主要道路を封鎖しているため、他の閣僚の多くも同様にズーム出席とのことだった。議題はすべて、ガザに仕掛けられた戦争についてだ。ガザ地区に人道支援や医療救援が入ることをイスラエルがいっさい拒絶している中で、パレスチナ自治政府は何をすべきなのか？　私に発言の順番が回ってきたので、一番重要なのは、イスラエルが私たちに仕掛けている犯罪行為を世界にさらすことだという考えを述べた。これが正当防衛であるとするイスラエル側のストーリーから世界を引きはがす必要がある。

携帯電話のスクリーンにニュース・アラートが次々と表示されるので、会議に集中できない。

軍艦から飛んでくるミサイルの金属音が耳をつんざく。海岸エリアはそこらじゅう爆撃されているようだ。自分のいる部屋がまだ無事かどうか確認するため、何度も後ろを振り返る。

ニュース速報によれば、ジャバリアのアル・ティランスが空爆され、五〇人が死亡したという。他の閣僚たちに暇乞いをして、私は難民キャンプに戻った。アル・ティランスはジャバリアの中心地だ。そこからはキャンプ内の他の場所にすぐに行くことができる。スーク（市場）は南に数百メートル、小学校はずっと西のほうに、私の家族が住むエリアはすぐ東にある。近郊の町や村への交通の結節点でもあり、ベイト・ハヌーン、ベイト・ラヒア、ベドウィン村、そしてガザ北部のどこに向けても、タクシーやミニバスのサービスがある。アル・ティランスなくしてジャバリアはありえないと言えよう。「ティランス」という語は電気のトランジスタのことで、ジャバリア難民キャンプのメイン・トランジスタがこの場所に置かれているのだ。

私たちがそこに着いたとき、何百もの家族が通りにあふれ、どこに行けばいいのかわからずさまよっている様子だった。住居を爆撃されたか、逃げるように指示されたのだろう。マットレスから衣服を詰めたバッグ、食べ物や飲み物にいたるまで、およそ持てる財産のすべてを担いでいるようだ。みんな疲れきって見える。爆弾をつくったり、飛行機や戦車やドローンを設計したり、それを投入するのは簡単だ。そういうことは簡単で単純なことだ。しかし難しいのは、こういう単純な機械が引き起こすカオスと大惨事の世界を想像することなのだと思う。

義父の家の近くで車を停め、そこから先は歩いて行くことにした。義父の家の近くには警察署があり、そこはオスロ合意以前はイスラエル軍のジャバリア基地だった。途中、地元の墓地に向かって遺体を担ぐ一群の人々を見かけた。亡くなったのは私の近所の人だとわかった。ヤーセルは、私と一緒に歩いて、惨状を見とどけることに同意してくれた。標的にされた家屋には馴染みがあった。アブー・イシュキアン家のもので、トランジスタの真向かいに位置している。私はその家を知っている。私の小説『歩行者は道を渡らない（*Pedestrians Do Not Cross the Road*）』の冒頭の章は、この場所からほんの一ブロック先にある果物屋台が舞台になっている。この小説の登場人物はみな、この近隣の住民だ。

現場に到着して、目にした光景にぞっとした――すべて無くなっている。通りの全体が、両側ともぺしゃんこになっている。スーパーマーケット、両替所、ファラフェルの売店、果物屋台、香水パーラ、菓子屋、おもちゃ屋……すべてが消失した。焼け落ちて焦土と化してしまった。焼け残ったのはトランジスタだけだ。まるで古代の記念碑のように、それだけが今も不動の姿で立っている。

焼け跡を歩くと心が打ちのめされる。そこらじゅう血の海だ。うっかり足を踏み入れないよう注意しなければならない。子どものおもちゃの破片、スーパーの缶詰、つぶれた果物、壊れた自転車、粉々になった香水の瓶。粉塵と煙の中で、私は咳き込み始めた。もう我慢の限界だ。私はヤーセルを連れて実家に戻った。アル・ティランスの姿を心にとどめようと振り返ると、そこはまるでドラゴンの吐く火焔に焼き焦がされた町を描いた、黒っぽい木炭画のようだった。

近所のファラジュの家に立ち寄ってヒシャームに会う約束をしていたが、実行する気力がない。ヒシャームの境遇に対して何ができるというのだ。会えば助けを求められるだろうが、私にできることは何もない。そうする代わりに散歩に出かけたら、途中で叔父のイサームにばったり出会った。しばらく立ち話をするうち、彼は隣人のフサインから聞いたというジョークを口にしたが、私たちのどちらも笑わなかった。狭い路地や横丁でできたこの界隈は、時代が流れようと、何も変わらない。屋根はトタン葺きからアスベストへ、そしてコンクリートへと変わるかもしれないし、平屋は数階建てに変わるかもしれないが、この場所の特殊な趣きは決して変わらない。

私はヤーセルに祖父の家に泊まるように求めた。パレスチナの理屈では、戦争になったら、家族はばらばらに分かれて泊まるべきだということになっている。そうすれば、たとえ家族の一部が殺されても残りの者が生き残るからだ。UNRWAの学校は、避難民や家をなくした家族が身を寄せてどんどん混み合ってきた。国連の旗が自分たちを救ってくれると考えているためだが、近年の侵攻では、UNRWAの学校といえども被害を免れるわけではない。二〇〇九年一月にはUNRWAのアル・ファフーラ校が爆撃され、二〇一四年にはアブー・フセイン校が標的になった。どちらのケースも、避難場所を求めて身を寄せた数十人の市民が殺されたり、重傷を負ったりした。いとこのムニールは、アル・ファフーラへの攻撃で負傷した。彼は両目を失い、すっかり外見を損なわれた。

午前中にプレスハウスに着くと、みんな大忙しで画像をダウンロードしたり、各機関への報告書を書いたりしているところだった。支配人のビラールと彼の部屋で座って話をしているとき、突然、大きな爆発がビル全体を揺るがした。プレスハウスが踊っているような感じだ。窓ガラスが砕け散り、天井が塊となって頭上に崩れ落ちてくる。爆撃は思っていたより近い。私たちはみんな一斉に、中央ホールに逃げ込む。記者の一人が飛んできたガラスに捕まった。頭から血が流れている。でも大丈夫、と彼は言う。二〇分後、そろそろ外に出ても安全だろうと判断し、私たちは通りに出て、攻撃があった場所を特定しようとした。通りにはまだラマダンの飾りつけがぶら下がっている。

ホテルに戻ったが、もう疲れ果てて集中することができない。手首に痛みがある。ビラールに、携帯電話の使いすぎだと言われた。確かに、片手で携帯電話を持ったまま、何時間もニュースを読んでいることがある。眠ろう。

繰り返し浮かんでくる疑問がある――もし、私がアル・ティランスを歩いているときに攻撃が起きていたら？　踏まないように気をつけていた血の塊は、自分のものだったかもしれない。廊下から、カーテン越しにもう一度海を見る。絶え間なく聞こえるドローンの電子音の向こうから、波の音が聞こえてくるのが判別できる。もし私が死んだら、これが唯一の証人になるのだろう。

Day 4
10月10日（火曜日）

昨夜はほとんど眠れなかった。その前の二晩は、何とかいつもの習慣を守ることができた――夜八時に夕食をとり、九時まで水タバコを吸い、九時一五分までWhatsAppのメッセージをチェックし、その後ハンナと子どもたちに電話して一〇時四五分頃まで会話する。これらを済ませると眠りにつく用意が整う。これで最初の二晩はうまくいった。しかし昨夜はだめだった。

ムハンマド、ヤーセルとシェアしている部屋で自分のベッドに横たわっていると、港のほうから爆発の閃光が走り、複数の漁船が燃え上がるのが見えた。これは明らかに夢ではない。それからホテルが激しく揺れ始め、ベッドからころげ落ちそうになるほどだった。しかし、突然ドアをノックする音が聞こえたとき、私は夢か現実か確信がなくなった。ムハンマドはベッドから飛び起き、「誰だ！」と叫んだ。

爆発が続く中、ホテルの従業員がムハンマドに、二分以内に建物から退避しなければならないと説明した。イスラエル軍から電話がかかり、これから爆撃すると予告されたそうだ。その日、私はカジュアルな服（ズボンとプルオーバー）を洗濯し、バルコニーの二つの椅子にぶら下げていた。テーブルを挟んで垂らされた服は、まるで二人の友人が侘しげに語り合っているように見える。まだ濡れていたので、私はスーツのほうを着ることにした。ベルトを巻いていると、ふと鏡に自分の無精ひげが映った。こんなだらしない姿で死にたくないと思い、ひげを剃りにバスルームに向かったが、ホテル従業員が「ラストコール！」と叫ぶ声に、その考えを捨てた。

ロビーに降りてみると、ホテルは突然超満員になっていた。近隣の建物から避難してきた人々であふれかえっていたのだ。私はホテル従業員に、「この人たちはなぜ、ここが安全だと思っているのだろう。もうすぐ攻撃されるんだよね？」と尋ねた。

「このエリア全体が攻撃されます。ただ、ここは、彼らがそれまでいた場所よりは安全だろうということです」と彼は言う。

「じゃあ、私は部屋に戻ってもいいんだね？」と聞くと、

「だめです。上の階は危険だ」ときっぱり言われた。この最後の指摘にはあまり納得できなかったが、今は反論している場合ではない。

この時点で数百人がホテルのロビーに詰めかけていた。六歳くらいの男の子が、二歳にも満たないような弟の手を握り、落ち着かせようとしていた。五〇代の男性は一〇代の娘を笑顔にしようと、「これはみんな思い出になって、おまえの子どもたちを退屈させる昔ばなしになるんだよ」と語りかけていた。

カメラクルーを引きつれた記者たちは、すでにホテルの前に陣取り、何かが起こるのをせわしなく待ち構えていた。各人が携帯電話やイヤホンを通して、世界のどこかのスタジオにいる編集者やプロデューサーと話しているのが見えた。若いレポーターが英語で「恐ろしい夜」について話していた。私のまわりの母親たちは、子どもたちをなだめて落ち着かせようとしていた。ロビー全体に不吉な予感が大きなテントのように覆いかぶさり、私たちは爆撃がどこに着弾するか待っていた。

爆撃が始まり、最初の爆発でホテル内のすべてのものが一メートル近くも宙に浮いた。瓦礫が私たちの頭上を飛び越えていった。一人の男が私の手をつかみ、もっと遮蔽された場所に私を引きずり込んだ。そのとき、巨大なコンクリートの板が天井から落ちてきた。ちょうど、私が立っていた場所の床だ。私は男を見て、目でありがとうを言った。言葉を交わす余裕などなかった。

外で嵐のようなどよめきが起こり、向かいのビルが倒壊して粉々になるのが見えた。他の建物も部分的に損壊した。縁の部分が崩れ去り、バルコニーが崩落し、ものが左や右に揺れ始めた。あらゆる家財が頭上から降り注ぐ――洋服、家具、枕、口紅、ジュースの瓶、香水のボトル、子どものおもちゃ。すべてが私たちのまわりに、危険に飛び散らかった。私の周囲では、悲鳴が泣き声に変わっていった。ロビーにいた人々は、自分たちの家が一瞬で無に帰するのを見ていた。

三〇分ほど経って、爆撃音が少し遠ざかったように見えたので、私は思いきって上階の自分の部屋に戻った。爆撃はずっと続いており、ロビーで見かけた女の子が、おもちゃを抱いて泣きじゃくる声が頭から離れなかった。

朝になって、私はニュースを読んだ。私たちについてのニュースだ。だが、それは遠く離れたところの人々が読むために書かれていて、そういう読者は当事者の中に自分の知り合いがいるかもしれないとは想像だにしない。私たちのニュースは、これを読んで、自分からは遠いところ、ほど遠い世界の話だと思える人々のための慰みなのだ。だが私は違った理由でニュースを読む。自分が死んでいないことを確認するために読むのだ。死者はニュースを読まないはずだからだ――間違っているかもしれないが。

昨夜、三人のジャーナリスト――サイード・ラドワーン・タウィール、ムハンマド・リズク・スブフ、ヒシャーム・アル＝ヌワージャハが空爆の様子をビデオに収めようとして殺された。彼らはそれぞれ、ガザ市西部のハッジ・タワー爆撃を取材するために駆けつけていた。ほんの昨日のことだが、私は彼らがプレスハウスの支配人のビラールに、報道用の防弾ジャケットが欲しいと交渉しているのを見かけた。彼らを墓地まで担いで行進した友人たちは、防弾ジャケットを遺体の上に載せていた。プレスハウスに返却されたのは、その後だ。

ドローンの操縦士やF16戦闘機のパイロットはみな、この鮮やかなブルーの防弾ジャケットを見たはずだ。彼らのハイテクカメラには、防弾ジャケットに書かれた大きな「PRESS（報道機関）」の文字が映っていたはずだ。しかし、彼らはそれを読まないことを選んだ。昨日の朝プレスハウスで見かけたとき、三人は健在だった。私はもう一度彼らの姿を見たが、それは殺される二〇分ほど前だった。携帯電話で葬儀の映像を見ていると、これからの数週間で、自分は何回死から逃れることになるのだろうかと考えてしまう。

ジャバリアへ車を走らせる。通りに人があふれている町の中心部とは対照的に、ジャラー通りは閑散としている。行き交う車もない。歩行者もいない。街には煙と粉塵が立ちこめている。義父の家にたどり着く前に、同じ通りにある小さな家が爆撃された。数分後、ちょうど義父の家に到着したときにも、近くで爆撃があった。後で知ったことだが、この二つの襲撃で、友人のヒシャームは妻を失い、もう一人の友人、ラハサと呼ばれていた男も殺された。ラハサはよく、私や他の仲間たちと一緒に、サッカーの試合をテレビで観に集まっていた。彼はバルセロナの大ファンだった。二〇一四年の戦争のときには、一緒にワールドカップのほとんどの試合を観戦した。

ジャラー通りを横切ってパレスチナ広場に向かい、ファミリーズ・ベーカリーでパンを買う。近くにはファラフェルの売店がないので、広場まで進んで、ファラフェル団子を作っている小さな店を見つける。店のおやじは、フライドポテトは販売用のサンドウィッチを作るのに必要だからと、売ってくれない。

リマール地区まで急いで歩く。道の両側は延々と続く瓦礫の山だ。近隣一帯の建物がまるごと消滅している。まるで第二次世界大戦で記録されたモノクロ映像のシーンのようだ。老婦人が腕を振りまわして、「この界隈はぜんぶ無くなった」と嘆く。リマール地区はもう私たちの知っているリマール地区ではない。友人マアムーンのアパートは美しい建物の最上二階を占めていたが、破壊されてしまった。軍事侵攻が始まるわずか二日前、私は彼のテラスに座って海を眺めていた。マアムーンは私の一番の親友の一人で、このメゾネット式のペントハウスにこれまで貯めた全財産をつぎ込み、自分の天国のような場所にしていた。今はそれも、この界隈のほとんどの建物と同じように、消えてしまった。

プレスハウスには今、ほとんどジャーナリストがいない。残っているのはほんの一握りだ。その一人、ハーティムによれば、ここはインターネットがつながらないからだという。電気通信ビルが爆撃されて以来、この地域のインターネットはダウンしているので、大多数のジャーナリストが去ってしまったのだ。

殺された三人のジャーナリストの防弾ジャケットがホールに置かれている。ほんの昨日、彼らが座って仕事をしていた場所だ。ジャケットについた血痕は生々しく、あの夜の恐怖を物語っている。ビラールはまだ来ていない。彼は電話で、プレスハウスが所有する別のオフィスで、インターネットの使えるところに移動したと伝えてきた――「インターネットのないところには、ニュースもない」。

私はヤーセルをホテルに送り届けてから、ビラールを訪ねた。このオフィスは五階建てのビルの中にあり、ビラールの他に四人の記者たちがニュースデスクを囲んで仕事をしている。私はコーヒーを飲んだが、急に疲労を感じ、立ったままではいられなくなった。すべてのエネルギーが抜けてしまった。

ホテルに戻ったが、ニュースは読まない。私たちの日常がすべてニュースなのだ。そうする代わりに枕に頭を沈め、古いアパートから本でも取ってこようかと考え始める。戦時中は暇な時間がたっぷりある。でも、どんな本を読もうかと考えているうちに眠りに落ちた。

Day 5

10月11日（水曜日）

昨夜、私はもうおしまいだと確信した。夜一〇時半頃、私は枕に頭を沈めて眠ろうと努めていた。弟のムハンマドはすでに大きないびきをかいていて、うるさかった。ようやくうとうとしかけた頃に、廊下から誰かがやってきて「一〇二号室、起きろ！」とわめき、ドアをどんどん叩いて、また叫んだ。「全員避難だ！」

飛び起きてドアを開けると、またもやホテルの従業員だった。

「このホテルが攻撃される」と彼は息を切らしながら言う。ヤーセルとムハンマドもすぐにベッドから飛び出した。

「どの建物を攻撃する予定なんだ」と聞くと、

「このホテルだよ！」との返事。私たちは必死になって、持っていた二つのバッグにすべての荷物を詰め込んだ。ホテル従業員が階段を駆けおりながら、

「一〇二号室、もう時間がない！　他はみんな退去した。急げ！」と叫ぶのが聞こえた。

私たちは一目散に逃げ出した。ムハンマドが一つのバッグ、ヤーセルがもう一つのバッグを担ぎ、私はノートパソコンとスーツのズボンと靴を持って。

すでにみんな去っていた。私たちが最後の避難者だった。ホテルのオーナーで支配人のムナー・ガラーイーニーがちょうど車に乗り込むところだった。彼女の車について走ろうと私は提案した。彼女なら安全な避難経路を知っているかもしれないからだ。私たちは二つのバッグを車に放り込み、ムハンマドを運転席に座らせて、彼女の後を追って出発した。二辻ほど走ったところで、停車させられた。空爆と軍艦からの砲撃が私たちの頭上を飛び交っていた。これでは進めない。道の真ん中を車で走るのは危険すぎる。イスラエル軍にとって、車は格好の標的なのだ。車から離れなきゃならない。でも、どこへ？　行くあてもないまま、とにかく歩き出した。プレスハウスの「代用オフィス」に向かうことに決めて、私たちは歩き続けた。二〇分ほどの道のりだったが、その間ずっと、数分おきに頭上で爆発音が鳴り響き、そのたびに私

たちは建物の戸口に身を寄せたり、身を守ってくれそうな遮蔽物に駆け寄ったりしなければならなかった。

ようやくオフィスに着いてみると、そこには誰もいなかった。時刻は午前一時半になっていた。私はまだスーツのズボンと靴とノートパソコンを握りしめていた。「歩き続けよう」と私は言った。北に向かって歩いていけば、サフターウィーにある私のアパートがある。「遠すぎる」とムハンマドは抗議した。でも他に選択肢があるわけではない。私の考えは、ただひたすら歩き続けることだった。私たちはリマール通りに沿って進み、必要なときはいつでも近くの家の戸口に飛び込んだ。

一時間ほど歩いた後、私たちは疲れてしまい、歩道に座り込んだ。三〇分ほどして、結局は車まで歩いて戻り北へ向かうことにした。ホテルを出てから三時間が経っており、車のある場所まで歩いて戻るにはさらに三時間かかることはわかっていた。午前六時、私たちはようやく車にたどり着いた。もう日の光が暗闇に浸透し始め、夜は終わった。

サフターウィーの自分のアパートで、私は眠ろうとした。実のところ、自分はリマール通りで爆撃にやられてしまい、殺されたことに気づかずにいる幽霊のような存在なのだと、考えるのをやめられなかった。F16戦闘機のパイロットやドローン操縦士が、避難場所を求めてリマール通りをあてもなくさまよっていた私たちを見間違えたのかもしれない。「見間違えた」？おまえはいったい何を考えているんだ。ドローンが間違えることなんてない。二〇一四年の日記に書いたことだが、夜明け前にドローンが絶え間なくブンブンと唸るのに辟易して、ドローンが私たちと一緒にスフール（ラマダーン中、夜明け前にとる朝食）を食べているところを想像してみた。友人の女性はフェイスブックに、こう書いていた。

「眠るときには、両脚を互いに巻きつけ、同じように両腕も一つに絡ませる。こうすれば眠っている間に殺されても、死体は一つにまとまっているだろう」

私たちはみな、死についてそんなことを考えている。死は、どんなときにも忍び寄ってくる。私が疲れきっていたのは寝不足だったからだが、それだけでなく自分がもうじき死ぬかもしれないと、常に考えていたせいでもあった。

「地獄に落ちやがれ」と、鳴りやまないドローンに向かって叫び、私は起き上がった。顔にぱしゃぱしゃ水をかけて、暗い考えを洗い流そうとした。

出発の準備をし、すべての荷物をプレスハウスに移すと、ドローンとF16戦闘機が、廃線鉄道エリアの住宅を攻撃し始めた。古いラジオでニュースを聞いている近所の人から、このエリア全体が壊滅させられたと聞いた。ガザの人たちは、このような状況下で家を離れるときには、それが見納めになるかもしれないことを知っている。しかし、難民になる経験はこれが初めてではない。歴史的に見れば、彼らの多くは一九四八年の「イスラエル建国による」難民の家族だが、中にはシリアのヤルムークのようなパレスチナ域外のパレスチナ難民キャンプから、オスロ合意の一環として「帰還した難民」もいる。こうした人々は二度にわたり住むところを追われたことになる。そんな人々が、ガザ地区への攻撃があるたびに、再び住んでいる家を出て、国連が運営する学校や病院など、イスラエル軍の攻撃目標になる可能性がより少ない場所に避難しなければならないのだ。いま家を離れて避難する人々にとっては、これで五回目から一〇回目の難民体験になるかもしれない。

私たちのホテルがあるアッ＝ラシード通りは、イスラエル軍の新たな攻撃目標となっているようだ。ホテルのオーナーのムナーがムハンマドに電話をかけてきて、これから数時間の状況を見てホテルを再開するかどうか決めるかもしれないと言っていた。しかし、その数時間のうちに起きたのは、軍艦からの砲撃が海岸線に沿って続いただけだった。

食事をしていなかったので、ムハンマドが思いきって、サフターウィーのナーセル通りにファラフェルを買いに出た。戻ってきて言うには、どこのパン屋も長蛇の列だったので、別の店に行って少し古いサージパン（ピタパン）を買ってきたという。普通はファッテ（ピタパンを細かくちぎってライスと混ぜた伝統料理）に使うようなものだ。私たちはファラフェルをサージパンに詰めて自己流サンドウィッチを作った。

プレスハウスに着くなり、私はソーラーパネルで駆動するバッテリーが置いてある小さな側部室に、持参したマットレスを敷き、その上に身体を投げ出した。もう三六時間も寝ていなかった。天井の扇風機がゆっくりと回り、暑さを和らげていた。目覚めるかどうかわからないまま、私は目を閉じた。ムハンマドに、私が眠っている間ヤーセルの面倒を見てくれるように頼んだ。

もうこれ以上動けない。ドローンは唸り続け、爆発音もまだときおり聞こえた。でも、もう限界だ。

突然目が覚めた。眠っていたのはわずか二時間だったことが、後でわかった。自分がどこにいるのかわからず、あたりを見回した。バッテリーとそれにつながるたくさんの配線、ドア越しに受付が見える。一瞬、ここは病院なのかと思った。「私は怪我をしたのか？」「この仕事のためにプレイステーションで訓練したドローン操縦士は、忘れちまったのか？　私は実在する人間で、ラマッラーには子どもと妻が待っているんだぞ」

目をこすった。ここはプレスハウスだ。携帯電話をチェックする。インターネットはつながらない。とりあえず少しは休めた。

ハンナからメール。ジャバリアの義父の家に泊まれと言っている。「あそこのほうが安全よ」と彼女は言う。本当かな？　だが彼女は私とヤーセルのことを一番に考えてくれている。ジャバリアも戦火にさらされていると彼女に伝えた。もちろん、彼女もそのことを知っている。ただ、いつだって他の選択肢があることを私に伝えたかったのだ。私の解決策が必ずしももっとも安全なものとは限らない。アル・ティランスの光景が、いまだに私の脳裏を離れない。

最後にラジオを聴いたのはいつだったか覚えていない。運転しているときでさえ、もうラジオをつけることはない。そういう私も、父や近所の人たちと一緒にラジオを聴いて育ったのだ。ラジオは家族の一員みたいなものだった。キャンプ内で私たちの家の隣に住んでいたアブー・

ダルウィーシュという老人は、いつでもラジオを耳に当ててニュースを聞いていた。普通はBBC放送だ。今日は、司会者がゲストに聞く。

「もっと詳しく説明してもらえますか？」

「これはジェノサイドです」

ヤーセルが私に尋ねる。

「ジェノサイドって何？」

「いま私たちのまわりで起きていることさ」と私は答える。

ラジオでは同じゲストが、ヒロイズムと不屈の精神について語っている。彼は、パレスチナ人はこの土地を離れない、シナイには行かない、と言う。さて、プレスハウスの庭にある大きなオリーブの木の下に腰かけて、私は自問する。この文脈で「勝利」とはいったい何をさすのだろうか？　どのような状況になったら、「我々は勝利した」と言えるのであろうか？　二〇一四年の戦争の終結時に、「生き残ったのだから、私の勝ちだ」と、あるジャーナリストに言ったことを思い出した。その後、ナーセル通りを歩きながら、はたと気づいた。本当の勝利は、解放だけだろう。

インターネットがダウンした今、ラジオを聴く以外にニュースを得る方法がない。プレスハウスの研修室には小さなガラスケースがあり、その中に古い時代のラジオ機器がいくつも展示されている。中には一九五〇年代のものもあるが、みな作家のタウフィーク・アブー・ショマルからプレスハウスに寄贈されたものだ。

これを書いている今、カルメルタワーへの空爆のニュースを耳にした。この建物の名前は、向かい側に建っている有名な高校からきており、もとの由来はハイファにそびえる有名なカルメル山だ。この印象的なタワーは、複数の側から攻撃された。タワー内には多くのメディアセンターやオフィスが入っている。イスラエル軍はいつもこの種の建物を標的にする。新しく、印象的で、わくわくするような開発と投資の拠点だ。私は二〇一四年にバーシャ・タワーや、アルシュルーク・タワーが破壊されたことを思い出す。そしてもちろん、イタリアン・タワーという複合ビルもだ。その狙いはいつも、私たちを過去の時代に引き戻し、街を再び貧しく醜悪に見せることなのだ。

Day 6
10月12日（木曜日）

昨日の夕方、近所にあるUNRWAの学校に避難している友人たちを訪ねた。最初の学校に入ると、まるで九年前にタイムスリップしたように感じた。つい先週まで子どもたちが机に向かって勉強していた学校に、何千人もが避難してきている。今では、どの教室にも複数の家族が五〇人以上も住んでいる。多くの場合、二五平方メートルの教室が三つ以上の小部屋に分けられ、仕切りの布が無造作に垂れ下がっている。それぞれの家族は衣服、マットレス、毛布、枕、台所用品などを持参している。しかし、学校に避難する人が増えてくるにつれ、部屋の隅や、公式に割り当てられたスペースのすき間に場所を確保する人々が出てくる。誰もが居場所を必要としているのだ。

学校の廊下では、人々が行き交い、軍事侵攻について話している。中には、この状況を二〇一四年の体験と比較する人もいる。彼らは当時、ベイト・ハヌーンやベイト・ラヒアの家を追われ、同じようにここに避難してきたのだ。あのときはそれはもう大変な思いをしたので、人々は今も事細かに記憶している。彼らは同じ道を、何度も何度も何度も渡らなければならない。このサイクルがいつ終わるのか、誰にもわからない。

避難してきた人々の中には私の個人的な知り合いも多いが、彼らの多くは前回のガザ攻撃の後、ようやく家屋を再建したばかりだ。まだ新しい住居での生活を本格的に楽しめる段階にはなっていない。二〇一四年に破壊されたものを再建するのに五年から七年はかかった。今、その家は再び失われ、いつになったら再建できるかは神のみぞ知る。ヒシャームは、私にこう尋ねた。

「次の戦争でぺしゃんこになるだけなのに、なぜ新しい家を建てなければならないのか？」

「そこに住むためさ」と私は答えたかったが、それではあまりに軽々しく響く。そこで、代わりにこう答えた。

「まず、この戦争が終わること、私たち全員が生き延びることを祈ろう。そして、これを最後に一連の戦争が終わることを祈ろう」

「これで最後になったことは一度もない」と彼は腹立たしげに言った。しばらくして、彼は気を取り直して言った。

「わかってるさ。いつの日か、俺たちも国が持てるだろう」

彼はマフムード・ダルウィーシュの詩を引用していた。誰もが国を欲しがっている。彼が言っているのは国家のことだ。

私たちがしばしば腰を下ろしていたのは、友人のアリーが校門近くの二つの壁の間にこしらえた小さな部屋だった。まるで門番小屋の気分だが、門の素材はキャンバス生地だ。この小さな空間で、アリーは四人の肉親に加え義理の姉の家族とも一緒に暮らしている。数時間後には義父と義母も引っ越してくることになっている。そんな中で彼は私に、立ち寄ってコーヒーを飲んでいけと言ってきかない。彼の妻が小さなガスコンロでコーヒーをたててくれ、私たちはいっとき「家なきコーヒー」を楽しんだ。

その後で、学校のまわりを歩いてみた。他の友人たちも、自分のキャンバス製の「部屋」に招いてくれた。こんな状況にもかかわらず、人々は今も惜しみなく歓待してくれる。誰もがコーヒーや紅茶、家から持ち出したビスケットまで差し出してくれた。こうした「コーヒータイム」

には、恐怖の体験や奇跡的な生還の話、この避難所にたどり着くまでの困難な旅路などが語られる。その後、私たちは隣接する二つの学校を仕切っている壁の小さなドアをくぐって、一つの学校（男子校）から隣の学校（女子校）へと移動した。旧友のラムズィーは、息子が避難所を管理しているのだと言う。「息子が、ここのボスなんだ」

それから彼は私たちに、そこにいた一人の男性にお悔やみを述べることを勧めた。その男性は、四人の子どもを埋葬したばかりだった。彼の服には子どもたちの血がついたままで、話すたびに涙が頬を伝っていた。いったい何が言えようか。やがて彼は空を見上げ、力なく言った。

「神の思し召しだ」

ラムズィーの話によると、学校に避難してくる人々の中には、途中の路上で肉親が亡くなるのを目撃した者もおり、遺体を回収して埋葬するため危険を冒してその場所に戻ろうとしているそうだ。

「ひっきりなしに、新しい葬式があるんだ」とラムズィーは言った。自宅の様子を確かめたり、行方不明の親族を探しに行ったりする者も多い。帰ってくる者もいるが、途中で殺されてしまう者もいる。探していた人たちと一緒に戻ってくる人は、ほとんどいない。

あるジャーナリストは、子どもたちとともに瓦礫に埋もれて死んだと報告されていたが、翌日、生きて見つかった。彼女の声が聞きたくなった父親が、留守番電話に録音されたメッセージを呼び出すことを思いついた。彼女の番号に電話をかけると、驚いたことに、返答があった。

録音ではない、生の、生きている彼女の声だ。彼女と子どもたちは、救助されるのを待っていた。

四番目に訪れた学校では、親友のバッサーム（ヒシャームの兄）に会った。彼はイスラエルの刑務所で何年も過ごしたことがあり、その辛さをよく知っている。彼の「部屋」は学校の四階にあった。なぜ一階にしなかったのかと尋ねると、この部屋がもらえてむしろラッキーだと言う。彼は他の男たちとともに一日かけて学校を掃除して、ここを新しい町にするための準備をしていた。

夜になり、ホテルはもう安全ではないと判断し、プレスハウスに泊まることにした。プレスハウスには、インターネットは使えないまでも、電気は少なくとも通っていた。そこで夜を明かすつもりだったのは五人――息子のヤーセル、弟のムハンマド、ジャーナリストのハーティム、弁護士で活動家のアブドゥッラー、そして私だ。私たちは一緒に夕食を準備した。卵、豆、調理したトマト。その後、ナルギール（水キセル）を囲んで座った。遠くで爆発音が鳴り響き、プレスハウスが左右に揺れていた。パレスチナ人なので、私たちはこの状況を政治的に分析する機会を楽しんだ。しかもガザっ子なので、どの砲撃が港の軍艦から飛んできたものなのかも判別できる。ラジオのニュースでは司会者が、一五個の「月」すなわち人の魂が、旅立ったと語っていた。そんな言い方をしたところで、伝えられている内容の重さが軽減されるわけではない。

突然、炸裂した爆弾の金属片がプレスハウスの前庭に落下した。震え上がるような轟音が響き、私たちは怪我人がないことを急いで確かめ合った。破片をまき散らしたミサイルは、隣の店舗に命中して建物の屋根を突き破り、店の戸口を抜けてプレスハウスが入るビルの前庭に落下したようだ。私たちは金属片を拾い上げ、ホールに運び込んだ。触ると熱くて重い。それを、殺された三人のジャーナリストのジャケットの横に安置した。そのシーン全体が、破壊が進行中であることを物語っていた。

夜が更けるにつれ、蚊が襲ってきて私を刺した。アブドゥッラーは、彼の妹が蚊と埃に対してアレルギーがあると語った。私たちは夕食の残りを食べ終えた。今ではもう、戦争がある種の日常性を帯びてきた。最初のうちは、爆撃の数を数えて、その一つひとつがどこを襲ったのか突き止めようとするが、数日も経つと数えるのをやめてしまう。ある種の自動操縦機能にスイッチが入ったのだと思う。これは二〇一四年の侵攻のときに発達したサバイバルモードで、いちいちの事象に注意を払いすぎるのを止めてくれる。こうすることで、数時間のあいだ、世界から自分を切り離すことができた。インターネットがつながらないのも助けになった。ガザ地区が電気を遮断されてしまったので、私たちは全面的にソーラーパネルに依存している。ということは、電力の消費量に気をつけなければならない。水道も遮断されたが、一日分の量はタンクに蓄えてある。

今朝、ムハンマドと一緒に港のほうへ歩き始めたが、二日前の夜にムアッササ（協会）通りの多くの建物が破壊されたことから、海岸に近いところを歩くのには臆病になっていた。私たちは陸側に向きを変え、ウマル・アル゠ムフタール通りを東に進み、アル゠シファー病院をめざした。カルメルタワーは倒壊しつつあるようだ。通りにはコンクリートと瓦礫が散乱している。ガザの主要コーヒー店の一つデリス・コーヒーも被害を受けていた。アル＝シャハーダ通りにあるプレスハウスに戻る途中、攻撃されたビルの四階から今も旗が揺れているのが見えた。このビルは、他の多くのビルと同じ運命をたどるのに抵抗して、何とか持ちこたえている。アッバース・モスクは倒壊したが、ドームだけは完全に無傷だった。やや傾いたとはいえ、元のままの姿で、灰色に積み上がった瓦礫の上にそびえている。

ジャバリアのサフターウィー地区にある私のアパートに到着した。私は普段、西岸地区のラマッラーに家族と住んでいるため、このアパートはそんなに頻繁に使うことはなく、水も使わない。だから今は水がたっぷりある。風呂にお湯を張って、ゆっくり浸かる。洗濯物はたらいに漬けて、ゴシゴシ洗って部屋のまわりに干しておく。侵攻の間にこのアパートが破壊されるかもしれないので、壁に貼ってある写真をすべてはがして、片側に寄せた。これからは時間を持て余すことになりそうなので、暇なときに読む本はないかと本棚を物色する。『アンナ・カレーニナ』を選び、また自著の『ガザの本（*The Book of Gaza*）』も二冊取り出した。戦争が終わってもしあのホテルに戻ることができたならば、レセプションにある宿泊客用の本棚にこの二冊を置いていこうと心に誓った。

ヤーセルは建物の廊下で一〇代の少年たちとたむろしている。彼は私に、水キセル用のタバコを貸してほしいと頼む。彼はもう大人に近いが、私はだめだと言った。そんなに若いうちからタバコを楽しむのは賢明じゃない。これは悪い習慣なのだ。ヤーセルは戦争が始まってから初めて、楽しそうにしていた。明日まで彼らの家に泊まっていいかとねだってくる。いいや、みんな一緒にいたほうがよいだろうと私は言った。

私たちはスーパーでチョコレートやジュース、ナッツを買い、プレスハウスに向かった。そこでほんのしばらくだけ、私たちはリラックスし、飲んだりおしゃべりしたりして、戦争の真っ最中であることを忘れた。まわりをとりまく悪夢から解放された、ひとときのしあわせ。

Day 7
10月13日（金曜日）

昨夜、私たちの通りの一軒の家が破壊された。一四人が死亡したと当初は伝えられたが、朝になると死者は二七人に増えていた。この通りは、ヤーファとホージュ（ガザの北東にある村）からの難民にちなんで名づけられており、ヤーファ通りと呼ばれることもあれば、ホージュ通りと呼ばれることもある。近年では、ホージュの名前が広く使われるようになっている。殺された人々の多くは知り合いだ。近所の人なのだ。

通りのあちこちで建物がやられていた。無傷らしいのは、道路の中央にかかるラマダーンを祝う横断幕一つだけだ。攻撃が起きたとき、私はプレスハウスにいた。イブラーヒームに電話して父や他の家族の様子を聞いた。異母妹のアミーナは、標的になった建物の向かい側のアパートに住んでいる。幸運なことに、彼女はちょうどその日に父の家に移っていた。もう一人の異母妹サマーは、ずっと北のベイト・ラヒアに近い海岸沿いに住んでいるが、彼女もまた父の家に移ってきた。ホージュ通りが攻撃された後、彼女は再び移動して、ナーセルあるいはアル＝シャーティ難民キャンプにある学校の避難所に行くことを決断した。ほんの数日前に三人目の子どもを出産したばかりなのだ。

この攻撃で、友人のモハンメド・モカイアドの妻は、屋根を突き破ってきた砲弾の破片に頸部を直撃された。彼女の怪我は重傷だ。何か必要なものはないかと彼に連絡を取ろうとしたが、つながらなかった。プレスハウスのインターネットは昨日、メインのルーターが停電のためダウンしていた。プレスハウスでは、電気の使用量を節約するための新たな方針を決めた。ランプは一度に一つしか使わない。また、今日はお湯が出ない。通常のタンクは空っぽで、ボイラーに水を供給するタンクだけに水が入っている。

夜になると、さらに多くのジャーナリストがプレスハウスに泊まりに来た。ビラールが彼らにマットレスと枕を提供した。じきにプレスハウスはジャーナリストでいっぱいになった。

ヤーセルと私は、正面の庭に近いところで野宿することにした。プレスハウスの中や周辺で泊まっている人たちのほとんどは、朝五時に目を覚ました。イスラエルが、ガザ市やガザ北部の住民に対し、南へ移動するよう命じたという話がもれ聞こえてくる。

「ただの噂だろう」と私は上半身だけ起こして否定的に言った。

「いや、本当だ。友人が電話で教えてくれた」と誰かが答える。

ネットにつながらないのでは、確認も否定もできない。私は再び横になって、もう少し寝ようとした。二時間後の午前七時に、ムハンマドに起こされた。ここから退去しなければならないと言う。

「どうして？」

表の通りを見ると、赤十字社の職員が彼らの建物から避難している。「国際機関はみんな南に向かっている」とムハンマドは言う。

ここには一〇人が、まだ残っている。玄関口に行き、赤十字社の職員たちの車が去っていくのを見送った。みんな怯えている。閉店した洋菓子店の店先のテーブルの下に座る小さな猫でさえ、怯えているように見えた。ここを離れて南に向かうか、それともとどまるか、午後には決めようということで私たちは合意した。ヤーセルとムハンマドと私は、サフターウィーのアパートに車で戻った。家族の写真や土産物を全部一つにまとめる。ムハンマドには、すぐ移動できるように、マットレスを三つ、枕を三つ車に積むように頼んだ。さまざまな必需品をクフィーヤの上に並べ、くるみ込んで束ねる。ナクバ［一九四八年のイスラエル建国にともなう約七五万人のアラブ系住民の追放と、彼らの社会や文化の破壊をさす］とはこういうものだったのだろうか。出発の準備をしている間に、そう遠くない場所にあるアブー・リヒア一家の所有する屋敷にミサイルが撃ち込まれた。この攻撃で一五人が死亡したことを後に知ることになった。そんなことが普通になるのだ。空爆のたびに、瓦礫や残骸、砲弾片とともに記憶が飛び散り、歴史が消されていく。救急車のサイレンが鳴り響くたびに、誰かの希望が消えていく。

通りは人であふれている。どこへ行くあてもないまま、彼らはただ歩いている。ホテルから逃げ出した夜の私たちのように、ただ動き続けたいだけなのだ。多くの人が重たい荷物を抱えながら、後ろには泣きじゃくる子どもたちを引きつれている。彼らが求めているものを誰が与えてくれるのか？　安全と生存を。

大学時代の友人カマールから電話があり、ヌセイラートにある自分の家に泊まりに来ないかと誘われた。

プレスハウスに戻って、ハーティムに聞いた。「どこに泊まるつもりだ？」

私たちの結論は、とにかく南へ車を走らせ、本当にみんながしていることを確かめることだった。

「最悪の場合、もし帰れなくなっても車の中で寝ればいい」と私は言う。

「いい考えだ」とアブドゥッラー。

ハーティムは、そんな羽目に陥ったらプレスハウスにいる通信社『ＳＡＷＡ』の編集長ヒクマットに会いに行けばいいと言う。とにかく現場の状況がどうなっているのか確認するのはいいことだ。

南へ向かうと聞いたヤーセルは、「南ってどこへ？」

「大丈夫だ。すべての疑問に答えはないが、時には半分だけでも十分さ」と私は言う。

ヤーセルは私の子どもの中で一番の心配性で、夜に一人でスーパーマーケットに行くのも怖がるような子だが、今ではずっと強く、勇敢になったようだ。「怖いか？」と聞くと、「何が？」と答える。それで十分だ。

実業家のアブー・サアド・ワディーアは、近所をまわって自分の店の商品（ヨーグルトや牛乳）を無料で配っている。プレスハウスにも何本か差し入れてくれた。私は自分の分を飲み（ピーチ味だった）こんなに美味なものを次に味わえるのは、いつのことになるのだろうと思った。

Day 8
10月14日（土曜日）

ノートパソコンがもう動かない。何度もスイッチを入れなおしてみたが、効果がない。馬鹿なことに、寝泊まりしている庭のテーブルの上に出しっぱなしにしたので、夜のうちに水が浸入したのだろう。日向《ひなた》に置いて、乾燥させてみることにした。ということは、この日記を手書きすることになるが、私の手書き文字はへたくそで、読むのに苦労する代物だ。もし自分が死んでしまった場合に備えて、この日記をどうやって保存したものかと考える。思いついた解決策は、段落ごとに読み上げて、それを友人やイギリスの出版社に送ることだった。そうすれば彼らの手元にコピーが残る。

昨晩、私たち五人（ヤーセル、ムハンマド、ハーティム、アブドゥッラー、そして私）は、プレスハウスの庭に座って、今夜ここにとどまるべきか、それとも南へ向かうべきか、という大問題を話し合った。妻のハンナは、私がヤーセルと一緒にタッル・アル゠ハワーにある彼女の姉の家に泊まってはどうかと提案した。だが、その場所だってイスラエルが立ち退きを求めている地域に含まれているのだということを彼女に告げる。私にとっては、ジャバリア難民キャンプにあるハンナの父親の家に泊めてもらうのがベストなのだが、それを口にする前に彼女から、その家にはすでにニーマ叔母さんが息子一家とともに引っ越していると知らされた。

ニーマ叔母さんが住んでいるのはジャバリア難民キャンプのずっと東の端にある旧鉄道エリアで、激しい爆撃を受けたところだ。ハンナは、姉のフダーにも父親の家に移るよう説得するつもりだと言う。イスラエル側は、「ガザ地区北部から」二四時間以内に退去するように言っている。それ以降は移動がいっさい禁止される。アブー・サイーダ家が所有する屋敷が攻撃され、二〇人が死んだ。ムハンマドは、イスラエルの最後通牒は真摯に受け止めるべきだと主張する。その日の夕方、道端でスパイダーマンのコスチュームとマスクをつけた子どもを連れた老人に出会った。おそらく彼の孫なのだろう。私はその老人に、「ガザのスパイダーマンと」一緒にセルフィーを撮っていいか尋ねた。写真は私のフェイスブックに投稿した。

私はムハンマドに、サラーフッディーン通りかアッ゠ラシード通りを走って、人々が本当に南へ移動しているかどうか確かめようと提案した。最初にサラーフッディーン通りを試してみた。行ってみると、若い男が、イスラエル軍がワーディー・ガザに架かる橋を破壊したので、誰も南には渡れないと教えてくれた。そこで西に曲がってアッ゠ラシード通りに向かうと、何百人もの男女が海岸に平行して走る道を歩いていた。ハーティムとアブドゥッラーは「PRESS（報道機関）」のジャケットを着ていたので、多くの人が立ち止まって、いつ軍事侵攻が終わると思うか聞いてきた。ジャーナリストならば自分たちよりも詳しいだろうと思っているのだ。マットレスや枕、ベッドシーツを詰め込んだ車が通り過ぎていくが、徒歩で行く人たちもいる。貨物車に牛を積んだトレーラーが、幼い子牛を運転席の後ろに載せて走っていた。ハーティムはその写真を撮った。

何台かの車がザハラ市に向かって左折しているのに気づいた。私は彼らと一緒に内陸側に向かおうと提案した。実際にそうしたところ、ガザ回廊の農村部にかかる狭い橋を渡ろうとする車の長い列につかまった。半時間ほど待って、あたりがすっかり暗くなってから、私たちはヌセイラートへの橋を渡った。その後も、道路は人でごった返しており、キャンプに入るのもどんどん難しくなっていった。ようやく車を停めたのは、UNRWAの学校からそう遠くない場所だった。突然、子どもの声が響いた――「父さん、父さん」。ハーティムの息子だった。彼の家族は全員が前日にここに避難してきていたのだ。彼らと情報交換した後、私は仲間たちに「引き返そう」と言った。

「無理だ、もう時間が遅すぎる」とアブドゥッラーが言った。「F16戦闘機は夜間に動くものはすべて攻撃する、知ってるだろう」

彼の言う通りだった。少なくとも今晩は南部にとどまらなければならない。イスラエルが要求した通りに行動してしまったと思うと忌々しくて、私は悪態をついた。他の者たちは、自業自得だと言う。何が起きているのか「現場」に行って確かめようと言い出したのは私なのだ。

私は、ハーティムの家族が滞在している場所の近くに車を停めようと提案し、そこでハーティムの父親に会った。彼は私の旧友でもある。次に戻ってきたらもっとゆっくりおしゃべりしようと約束し合い、私たちは、当初の予定通り近くのベドウィン地区にあるヒクマットの家に向かって歩いた。

ハーティムは、ヒクマットの父親の家にある「ディワン」(大広間)への行き方を知っていた。ディワンというのは広いスペースで、たいていは公開の場にあり、部族(または家族)のムクタール(家長)が座って客を迎え、部族のメンバー間や他の部族との間に生じた係争に裁定を下す場所だ。しかし、私たちが到着したときには誰もいなかった。ヒクマットを電話で呼び出しながら一〇分ほど待っていると、一人の少年が通りかかり、そこで何をしているのかと私たちに聞く。その二分後、ディワンの裏の狭い路地からヒクマットがやってきて、私たちにコーヒーを飲んでいくよう誘った。コーヒーは大変ありがたいが、一時間でおいとましなければならないと私は言った。ヒクマットは火も焚きたがった。「火こそベドウィンの香水だ」と彼は言う。あまり時間がないので、コーヒーだけでもう十分ですと私は言った。私たちは、真夜中頃には車の中で寝る計画を立てていたからだ。二時間交代で順番に起きて見張りをする。四人の大人がいるので、八時間がカバーできる。私は外に出て電話をかけようとしたが、つながらなかった。戻ってきたときはもう疲れ果てていて、うっかりメガネの上に座って壊してしまった。ノートパソコンは動かない、メガネは壊れてしまった。なんてこった！

二〇分後、今度はヒクマットの甥のバシャールがコーヒーを運んできた。続いて彼の父親がやってきて、私たちに家の中に入るように乞うた。彼は、議論する余地などないときっぱり言った。もう夜になってしまったのだから、客人を帰すわけにはいかないというのだ。このベドウィン流のもてなしには、何びとも反対できない。

家の中にはお湯と電気があり、そして何よりも大事なことにインターネットがつながっていた。盛大なディナーを振る舞われた後、私は眠らなければならないと暇乞いをした。他の者たちは、私が抜けた後も話し続けていた。

アブドゥッラーは、私たちの車でザワーイダに寄ってもらえないかと頼む。ザワーイダの義父の家に移っている妻に会うためだ。戦争が始まる数日前に彼女は最初の子どもバースィルを出産したのだが、彼はその子を抱き上げ、かわいがってやる時間がほとんどなかったのだ。そこに行く途中、私たちは何度も道に迷った。誰もこの難民キャンプを知らなかったからだ。何度も停車して道行く人に道筋を尋ねたが、答えはいつも、自分もこのあたりの出身ではないというものだった。ガザ市から避難してきた人々ばかりだったのだ。

一、二時間して、ガザ市に帰ってきた。ガザでもっとも美しい地区であるリマールで、最近の攻撃による荒廃の全貌を目の当たりにした。ここはガザの高級住宅街で、とりわけ裕福な家が集まっている。だが今は、ただの瓦礫の山だ。アッバース大統領の屋敷の向かい側には、灰色のコンクリートの残骸が延々と積み重なっている。まるで第二次世界大戦後のドレスデンかロンドンのイーストエンドのパンショットのようだった。マアムーンのアパートがあった場所にも、瓦礫が積み上がっていた。ちょうど一週間前、ここで彼と夕べを過ごしたのに。周囲はすべて死んだように静まり返っている。ただカラスの群れと、ときおり目につく迷子の犬が、瓦礫をあさっている。イスラエルは、ガザ全体をこんな姿にしたいのだ。住むに堪えない、地獄のような場所に。

数日前、サーメル・マンスールの大型書店が、テナントとして入っていたビルごと破壊された。この「レゴ」ビルは、新しくできた美しい区画で、屋上にはリストレットと呼ばれるカフェがあり、若いフリーランサーや技術系の若者たちのたまり場となっていた。今は、残骸に混じって書籍や食器類が散乱している。二〇二一年の侵攻では、サミールの書店の前身だった店が破壊され、そのときは国際的な非難がわきあがった。世界じゅうから出版社が寄付する書籍を送ってきた。一年前、私は新たな在庫の並んだ新しい建物の落成式を執り行なった。それも今は廃墟と化し、世界は沈黙している。リバードという別の書店も被害を受けた。今日、友人のアーティスト、フダー・ザクートが子どもたちともども殺されたと聞いた。フダーの描くポートレートは、伝統的な服装をした古典的なパレスチナの女性を完璧に捉えていた。彼女には素晴らしい未来が待っていたはずなのに、それをイスラエル軍が奪ってしまったのだ。

Day 9

10月15日（日曜日）

目覚めるかどうかわからないまま眠りにつくのは難しい。私たちはリマール地区の一角にあるプレスハウスに戻った。この地区にはもう住民がほとんど残っていない。プレスハウスは二階建ての建物で、表と裏の二つの庭が高い塀に囲まれている。幸運なことに、プレスハウスのまわりの建物も一階建てや二階建てばかりで背が低く、それぞれが広い庭に囲まれている。つまり、難民キャンプ内のほとんどの建物と同じように、隣の建物が私たちの頭上に倒れ込んでいる可能性はなかったし、飛んできた破片にやられる危険も極めて小さかった。

昨夜はわずかに雨が降った。雲はほとんどなく、風もなかった。数分間、雨粒が落ちただけで、すぐあがってしまった。ちょうど私はプレスハウスの庭にいたので、両手を突き出して水滴を受け止め、顔を洗おうとした。まるで空からの贈り物だと思った。それとも、亡くなった人たちのこぼした涙だったのか。

ドローンは相変わらず頭上を旋回し、飢えた犬のように新たな犠牲者を探していた。私はハーティムに、バケツをいくつか外に並べて雨粒を集めようと提案した。ハーティムは、空気は砲弾やミサイルの粉塵と毒物がいっぱい混じっているから、汚染されて飲めないだろうと言った。

昨夜、私たちはパンを手に入れることができなかった。ほとんどのパン屋が休業してしまい、開いているパン屋の外には長蛇の列ができている。多くの人が三時間も四時間も待たされたあげく、パン屋の主人が小麦粉やガスがなくなったので店を閉めざるをえないと言うのを聞かされた。

プレスハウス職員のアフマドを、ガザ市の東側にあるシュジャイヤの彼の家まで車で送っていったとき、多くの人々が伝統的なサージパンを手に持っているのに気づいた。私はムハンマドに、近くに昔ながらのパン屋があるに違いないと告げた。今いるところは古くからのアッザウィヤ・スークに近く、この市場から一本奥に入った小さな通りにパン屋があったのをぼんやり覚えていた。パレスチナ広場に車を停めスークまで歩いていくと、ハーブ店や食料品店、鶏肉屋がまだ営業していた。もちろん、サージパン屋も開いていた。一〇個の「ローフ」を買うのに、三〇分待たなければならなかった。それから鶏を二羽買って、売り手に半分に切ってもらった。プレスハウスに帰ってから食事を用意するため、ハーブとオリーブオイルも買った。最後にジャガイモを買ったが、そのほとんどは腐っていた。しわしわのトマトとタマネギも買った。帰り道、私はサフターウィーの私のアパートに立ち寄ろうと提案した。そこでシャワーを浴びれば、プレスハウスで使う水が節約できる。部屋に戻ったついでに、五年間も着ていなかったアイロンのかかっていない青いTシャツをひっつかんだ。いま着ている服は、すっかり汚れてしまった。

プレスハウスに戻り、二〇分ほどベルを鳴らしたが、ハーティムは門を開けない。結局、ヤーセルに頼んで壁を登らせ、反対側に降りて門を開けてもらった。ハーティムは中にいたが、ぐっすり眠りこけていたのだ。食料を届けた後、私は父に会いに行った。弟のイブラーヒームは彼の義理の父のところに転がり込んでいた。姉のアワーティフは、彼女の大家族（娘や息子たち）を連れて夫の家族のもとに移っていた。異母妹のアミーナは私の父のところに引っ越してきた。父は私に、泊まっていけと言った。もちろん、私だってそうしたいのはやまやまだ。この家は、私が生まれ、人生の大半を過ごしたところなのだから。でも、私はできるだけ気を使って、電気とインターネットが使えるプレスハウスでないとだめなんだ、と断った。私は半ば冗談、半ば本気で「怖い？」と父に尋ねた。「いやいや、神様が守ってくださる」と彼は一蹴した。その表情を読み取ろうとしたとき、ムハンマドが彼にタバコを勧めた。

プレスハウスに戻り、夕食を作り始めた。私はハーティムに、一番安全な水はどれか尋ねた。幸いなことに、親切な人が大きな黒いタンクに飲み水を満タンに入れて通りの反対側に設置し、私たち全員が使えるようにしてくれたそうだ。私は二つのバケツを下げて通りまで出て行き、タンクから水を汲んだ。

私は自分のマットレスを室内に移動させ、二列に並んだ机の間に敷いた。まるで、サンドウィッチのソーセージだ。節電のため、テレビ以外はすべてスイッチを切ってあった。テレビの画面ではニュースキャスターが、ガザ、テルアビブ、ハーン・ユーニス、南レバノンの特派員たちに繰り返し最新情報や解説を求め続けていた。もしも私たちが寝ているところを砲弾片に直撃されて死んだとしたら、どうなるのだろう。それでもテレビはいつもと変わらぬ報道を続け、やがてそのうち私たちの死を知らせるニュースが私たちの死体の上に届けられるのだろうか。そのときもしも近所で別の爆撃があったなら、テレビが揺れて棚から転がり、死んだ私たちの上に落下するだろう。私たちが死亡したニュースを伝えながら、ばらばらになった私たちの死体の上に、うつぶせに着地するのだ。キャスターがテレビ受信機から這い出してきて、周囲に散らばる死肉の山から自分の言葉を拾い集め、汚れのない状態に戻そうとする姿を思い浮かべる。

朝六時頃に目を覚まし、電波が入ることを期待して外に出る。通りの真ん中に立ち、携帯電話を頭上で振り回して、夜中に届いたメッセージを拾おうとする。

午前一〇時を回った頃、五年以上もタンスにしまい込んでいた新品のTシャツを洗濯する。他に着るものがないので、乾くまで裸のまま三時間待つ。裸でいると、蚊の大群がたかってくる。こいつらは外のドローンと同じような音を立てる。ノートパソコンを日向に出して、もう少し乾かす。きっと、いつかまた動き出すと信じている。私たちは、こんなちっちゃな希望にすがりつく。それしかないのだ。

Day 10
10月16日（月曜日）

昨日、私は死神が近づいてくるのを感じた。その足音がどんどん大きくなっていく。近づくにつれ、その顎が開くのが見えた。もうさっさと終わりにしてくれ、と思った。

突然、携帯電話が鳴った。西岸地区の親戚のルーラからだ。彼女のいとこのハーティムが住んでいるタッル・アル＝ハワーの通りが空爆されたというのが本当かどうか調べてくれというのだ。タッル・アル＝ハワーはガザ市にある。ハーティムは私の妻ハンナの唯一の妹姉フダーの夫だ。彼は四階建てのビルに住んでいる。一階に母親、二階に弟（とその家族）、四階に兄（とその家族）、そして三階に自分の家族と息子の家族が住んでいる。時刻は午後八時だ。

ハーティムの住む町のどの建物が攻撃されたのか知ろうとして、何人かに電話をかけてみた。しかし、誰の電話も通じなかった。アル＝シファー病院に徒歩で向かい、名前を確かめようと思った。病院に仮設された死体安置所の外には身元が確認された死者のリストが張り出されているはずだ。だが、病院には近づくこともできなかった。何万人ものガザ市民がこの病院を住処にしており、庭も回廊も、病院内のすべての空きスペースやゆとりの一角に、どこかの家族が入っているのだ。私はあきらめてハーティムのビルに向かった。

三〇分後、私は彼の家の通りに立っていた。ハーティムの弟ハズィムは、幸運にも（本人に言わせれば不運にも）、ミサイルが落ちたとき、たまたま用事で外出していた。「それは本当だよ」とハズィムは言う。一、二時間前に、フダーとハーティムの夫妻が住む建物にミサイルが命中したのだ。夫妻の娘と孫の遺体はすでに回収されていた。今のところわかっている生存者は、彼らのもう一人の娘、ウィサームだけだ。彼女はいま集中治療室にいる。後で知ったことだが、ウィサームはそのまま手術を受け、両足と右手を切断しなければならなかった。ウィサームは、ガザ・アート・カレッジを卒業したばかりの若いアーティストだ。侵攻が始まるちょうど一日前、私は彼女の卒業式に出席する予定だったのだが、個人的な理由で遅刻してしまった。いまやウィサームは、両足を失い、片手だけで、残りの人生を過ごさなければならない。

「他の者たちは？」と私はハズィムに尋ねた。

「見つからないんだ」と彼は答える。

その日の終わりまでに、五人の遺体が見つかった。そのうち四人は、ムスタファーと彼の息子のアダム、ムスタファーの妻と生後三カ月の子どもだった。残念ながら、これ以上は見つからなかった。何度も電話をかけて叫んだ、「もしもし、誰か聞こえてますか？」

行方不明になっている人たちの名前を大声で呼び、瓦礫の下で誰かまだ生きているかもしれないと必死に願った。残念ながら五時間後には、見つかった遺体を墓地に埋葬するためにその場を離れなければならなかった。

その日の夜遅く、私は病院にいるウィサームに会いに行った。彼女は意識がもうろうとしていた。三〇分ほどして、彼女は私に尋ねた。

「叔父さん、私は夢を見ているのよね？」

「私たちはみんな夢の中だよ」

「私の夢は恐ろしいの！　なぜなの、叔父さん？　どうして？」

「私たちの夢はみんな恐ろしいよ」

一〇分ほどの沈黙の後、彼女は言った。「嘘は無しよ、叔父さん。夢の中で、私の足がないの。本当なんでしょう？　私には足がない？」

「でも、夢だって言ったじゃないか」

「この夢は嫌よ、叔父さん」

私は退出しなければならなかった。一〇分ほど、私は泣きに泣いた。この数日間の恐ろしい出来事に打ちのめされ、私はそのまま病院を出て、気がつくと通りをさまよっていた。私はぼんやりと考えていた——この街を戦争映画のロケ地にしてもいいな。第二次世界大戦の映画とか、世界の終末の映画とか。ハリウッドの超一流監督たちに貸し出せばいい。ここにはすべて揃ってるからな。ありとあらゆる大惨事に必要なセットが、すべてある。ドゥームズデイ（世界の終わり）オンデマンドだ。

遠く離れたラマッラーにいる妻のハンナに、これを伝える勇気がいったい誰にあるだろうか。たった一人の姉が殺されたこと、その家族も殺されたことを伝えるなんて。私にはそんな勇気はなかった。同僚のマナールに電話し、親しい友人を誘って一緒にラマッラーの私たちの家に行き、知らせが彼女に届くのを遅らせてくれるように頼んだ。

「嘘をつけばいい。建物はF16戦闘機に攻撃されたけれど、フダーとハーティムはそのときに外出していたと近所の人たちは考えている、と言うんだ。

——二人はどこにいるのですか？

——はっきりとはわからないが、どこかにいるはずだ。

使えそうなら、どんな嘘でもいい。なんでもいいから、いずれ本当のことを知ったとき、少しでもショックが軽くなることを言ってやってくれ」とマナールに頼んだ。

朝になって、私は行方不明の遺体の捜索を手伝いに行った。ビルはT・S・エリオットが言うところの「壊れた心象の積み重なり」のようであり、ドローンはあまりに遠く、あまりに小さくて、無限に広がる青空の中ではほとんど見えない。コオロギのような絶え間ないハミングの下で、瓦礫の中を探索しながら、私たちには隠れる場所がないことが確実だ。あまりに多くの命が失われた。フダーとハーティムの家に向かう途中で、破壊されたタワー、店舗、学校、大学の建物を見た。ガザは再び、定期的に訪れる病的な変貌期を迎えているようだ。しかし今回のは違う。新たな仮面がその顔に被せられているのだ。鎮められることのない怒りの仮面だ。

私は一九七三年の戦争が始まる二カ月前に生まれ、それ以来ずっと、終わりのない戦争を生きてきた。第一次インティファーダのとき、私はイスラエル兵に撃たれた。弾丸の破片が肝臓に刺さった。当時、私は一五歳だった。その銃弾の一部は、今も肝臓に残っている。英国人の外科医は母をなだめ、この子は助かるだろうと言った。

このときのように、道の真ん中で死が目の前に立ちはだかるのを見つけるたびに、私は勇気をふり絞り、英国人の外科医が母に言ったように、私はきっと生き延びると自分に言い聞かせることにしてきた。でも、今回は違う。今回は自分を納得させることができない。自分を落ち着かせようとしてもうまくいかない。自分に嘘はつけない。どこにいても死がそこにいる。それを感じ取り、触れることができる。生き延びることは、私に選択できるメニューの中にはない。

Day 11
10月17日（火曜日）

紛争が始まって一一日目だが、すでに日々は一つに融合している。今日も昨日と同じで、同じような爆撃、同じようなニュース、同じような恐怖、同じような臭気が続く。何も変わらない。爆撃、爆発音、ドローンの飛行音、F16戦闘機のソニックブームにとりまかれて生きていかなければならない。このうるさい不協和音は映画のサウンドトラックみたいなもので、ただその映画が自分の生活だというだけのことだ。我慢して受け入れるしかない。そして自分に言い聞かせる——これは映画じゃない、そんな現実の中に生きているだけだ。でも、本当にそうなのか？ もしかしたら、これは実は映画なのであり、自分の伝記映画を見ているだけで、自分はすでに死んだのかもしれない。

むかし母が言っていた。「アーティフ、死んだ人には私たちの声が聞こえるんだよ。ただし、誠実に話しかけたときだけね」。もしかしたら、私が出演しているのはドキュメンタリーなのかもしれない。悪質なドキュメンタリーで、それが上映される国のためだけに作られ、視聴者のあらゆる偏見を助長し、メディアがたれ流す数々の嘘を追認するのが目的のプロパガンダ映画なのかもしれない。もしかしたら私は、そのようなプロパガンダのドキュメンタリーの中で、ついでに言及された死者たちの一人なのかもしれない。もしかしたら私自身も死んでしまった人々の一人であり、嘘を聞かされ、自分についても嘘を言われ、本人の声は誰にも届かないのかもしれない。

私は画面下のニューステロップに流れる名前をすべて読み、自分の名前が表示されるのを待った。

夕方、私は再びウィサームを見舞った。ウィサームは私が行くまで病室でひとりぼっちだった。看護師と会い、彼女の境遇を説明した。看護師は、「境遇がどうであれ、彼女には傍にいて世話をしてくれる人が必要です」と言った。ウィサームに話しかけてみると、彼女は昨日と同じ質問をした。私は、運命というのは自分で選べるものではなく、ただやってくるものなのだと、彼女に伝えようとした。この状況では、彼女に何を言っても咎められることはない。彼女をなだめることができるのなら、何でも言わなきゃならない。彼女はまた自分の脚のことを聞いた。

「重要なのは、きみがまだ生きていることだよ」と私は言う。

「脚がなくても?」「片手だけでも?」と彼女は聞く。

「そうだよ」。それ以外、言ってやれることはなかった。

この知らせをウィサームに告げる役回りになった自分の運命を呪った。私は、ウィサームの姉のウィダードに電話をかけ、彼女と話してほしいと頼んだ。次に、嫁いだ姉のワファーにも電話をかけ、話してほしいと頼んだ。痛みは、人に語ることはできない。表現することも、書くこともできない。ただそれを感じ、引きずっていくだけなのだ。ウィサームと一緒に待っている間、私は病院の窓から外をじっと眺め、暗闇の向こうで次に何が待っているのかを考え続けた。次の使命は、もっと難しい。家族の多くを失った義父と義母を慰めなければならない。

昨夜は、ジャバリアの友人の家で寝るしかなかった。ジャバリアは私が生まれ、人生の大半を過ごしたところだ。それまで三夜にわたり、プレスハウスの庭に泊まっていた。一五歳になる息子のヤーセルは、夜はずっと一緒に過ごし、私の横で寝ていた。もちろん彼は怯えていた。

プレスハウスは、ガザ市のリマール地区の中心に位置している。そこでは毎晩、瓦礫が崩れ、私たちの上に落下してくるということが、毎時間のように起きた。夜中に起きて、新しい避難所を探さねばならなかったことも、一度や二度ではない。やがて私たちは、二列に並んだニュースデスクの間で寝るようになった。私たちは一つの通路に集まり、インターネットやコンピューターのケーブルを見つめた。いつかは眠りに落ちるのだが、それは一種の降伏だ。睡魔に降参して、身を任せ、その間に何が起ころうと受け入れるしかない。たとえ、それが死を意味するとしても。

当面の心づもりは、夜はジャバリアの友人ファラジュの部屋に泊めてもらうことだった。妻ハンナの母親のところには、彼女の姉妹とその家族が、彼女と一緒にいてやるために移ってきていた。ファラジュは現在、一人暮らしだ。彼の妻は、兄弟を侵攻の第一日に亡くしたため、実家で過ごすようになっていた。ファラジュの母親は、同じ建物の最下階に住んでいて、彼の部屋はその上の階にある。

ハンナの母親の家に行くと、たくさんの女性たちがベッドのまわりに座って彼女を慰めていた。義父のムスタファーは寝室でひとり横になっていた。私は彼の部屋に入る前に、気持ちをしっかり保つ心の準備をした。自分の頬を叩き、ひそかに自分に気合を入れた。この老人には二人の子ども、つまり二人の娘しかいないのだが、そのうちの一人、フダーが亡くなってしまった。彼の家族の半分が全滅したのだ。私は「神のご加護を」と言ったが、彼は宙を見つめたままだった。彼の隣に腰を下ろすと、私はこらえきれずに泣き出してしまった。ハーティムのことや、義理の姉のフダーがどんなに優しい人だったかを考えていた。攻撃の前日、ハーティムは私に「うちに泊まれよ」というメッセージを送ってくれた。もしそうしていたら、私も死んでいたかもしれない。

「彼らは見つかるのか」と老人は尋ねた。

「インシャッラー（神の思し召しなら）」と私は答えた。「朝になったら、捜索します」

私たちが一緒に座っていると、やわらかい雨の音が聞こえてきた。この季節にオリーブの木が必要とする最後の雨だ。摘み取りの前に一雨あると、収穫量が増える。私は窓の外を眺めてから、「まだ生きている者が見つかるかもしれないよ」と言った。これは単なる希望的観測ではなかった。数日も経ってから生存が確認される人もたくさんいる。生存者の話は、死者の話と同じくらい瞬く間に広まるものだ。

義母については、かけてやる言葉がなかった。子どもを失ったばかりの女性に何が言えるだろう。このように突然の不幸であれば、なおさらだ。フダーはピンピンしていたのに、何の前触れもなく死が訪れた。イスラエルのミサイルが飛んでくるほんの少し前まで、義母は娘と電話で話していた。やがて夕食の支度をする時間になったため、義母は娘に「無事でいてね」と軽く言って切り上げなければならなかった。まさかその「無事」が五分と続かないとは思いもよらなかった。義母は何時間も泣き続け、フダーの名前を呼び続けた。

彼女は娘がこの世を去ったことを信じることができないようだった。義父は最初の娘に自分の母親の名前をつけた。祖母のフダーと夫のユーセフのラブストーリーは長い間、一族の集団的記憶の中に生き続け、世代を超えて語り継がれていた。一九六七年の戦争の後、この二人はもう一度ヤーフファを訪れることができた。子どものときに、ナクバで強制退去させられた街だ。一時的にヤーフファの街に戻ったのは夢のような体験で、二人はまるで昔に戻ったかのようにアルハンブラ・シネマの石段に並んで座った。

この老フダーが、ハーティムと孫娘のフダーが殺されたことを知ったら、どう思っただろうか？

ワファァー（ウィサームの姉妹）の夫アシュラフが、このニュースを私の義父に知らせようと電話をかけたとき、老人は電話をスピーカー・モードにしていたので、妻も彼と同時に、何の警告もなくそれを聞いた。ハジャ（老女）はニュースを知って悲鳴を上げた。

私はファラジュの家まで歩いた。昨日から何も食べていなかった。友人のモハンメド・モカイアド（もう一人の幼馴染で元パレスチナ自治政府の役人）から、彼の妻は爆弾の破片が首に当たり、完全な麻痺に陥ったという知らせを聞いた。彼の兄ヤーセルは、イスラエルが要求した通りに南へ向かったとき、家族とともに殺された。

地区の東側では、裏通りにある、まだ開いている最後の店の前に何人もの人々が座っていた。私たちの近所には二つの通りがある。ホージュ村の出身の家族の家が並ぶメインストリート（ホージュ通り）と、デイル・スナイドから避難してきた家族が多い裏通りだ。私の祖父は、この裏通りで店を開いていたが、一九六七年の戦争の後でヨルダンに移住し、そこで人生を終えた。

ムハンマドはファラフェルを探しに出かけていたが、そのミッションには失敗し、代わりにチョコレートをいくつか持ち帰ってきた。私はそのうちの三個を食べ、二個を弟のハリールに託して父に送った。

ファラジュの家に着くと、彼はすぐに夕食を作ってくれると言った。その日食べたのはあのチョコレートだけだったが、丁重にお断りした。もはや、自主的な食料制限が必要な段階だ。その代わりに、私はムハンマドに買ってもらったカードを使って携帯電話をインターネットに接続することに集中した。このあたりでは「ストリート・ネットワーク」と呼ばれているやつだ。

午前二時四五分頃、F16戦闘機のミサイルが近くのビルに命中する音で目が覚めた。私のマットレスはリビングルームの真ん中にあった。私はすでに、このアパートでマットレスを敷くのにもっとも安全な場所はどこかと、さまざまな選択肢を考えていた。最初は、通りから一番離れた場所だと考えてキッチンを選んだが、キッチン用品が四方八方に飛び散らかるのを想像して考えを改め、代わりにリビングルームの隅を選んだ。でも、そこの鏡が割れて私の上に落ちてきたらどうしよう？　どこにだって必ず警戒すべきものがある。そういうわけで、結局、リビングの真ん中を選んだ。

外の通りから声が聞こえ、私は窓際に近寄ってみた。攻撃されたのは一〇〇メートルほど先の銀行のようだ。救急車の運転手が、犠牲者は出ていないと言うのが聞こえた。しかし、銀行の建物は完全に破壊されていた。翌朝になって、爆弾破片の一部が本来の標的からは何百メートルも離れたところまで飛んでいき、友人のアブドゥル＝アズィーズの家の一室に落ちて、彼の息子を殺したと聞く。その夜、アブドゥル＝アズィーズは特別に四人の息子と娘を、家の横の天井が木造の部屋で寝かせた。天井がコンクリート造りの家はもっと危険で、天井が崩れ落ちると中にいた全員が死亡することが多いと考えたからだ。殺された息子は他の三人のきょうだいに挟まれて寝ていたが、爆弾の破片は木造の天井を簡単に通り抜けて彼を直撃した。

私は義父と彼の孫娘のウィダードを連れてウィサームを訪ねた。彼女の一家が襲撃された日、ウィダードは祖母の面倒を見るために祖父の家で寝ていた。爆撃と、ウィサームの腕と両足切断が起きた日以来、姉妹が再会するのはこれが初めてだった。予想通り、再会は涙とすすり泣きでいっぱいだった。祖父は二人の少女を落ち着かせようと最善を尽くした。私はいたたまれなくなった。私はそれほど強くはない。彼女たちと別れ、プレスハウスに向かった。到着してみると、支配人のビラールが心配そうにしていた。彼の目から恐怖を読み取ることができた。「怖いのか？」と聞くと、「いや、そうではないんだ。でも、状況は耐え難いものになってきているし、あまりにも多くのことが変わりつつある」。彼は、旧市街に住む共通の友人ジャウダト・ホダリーの家で一緒に泊まろうと言った。私は瓦礫から死体を探し出す仕事に行かなければならないと彼に告げた。ヤーセルがやってきて、ウィダードがウィサームのためにティッシュと冷たいジュースを欲しがっていると言った。ウィサームの顔と胸は熱を帯びて、まるで爆発の熱が体内に残っているかのようだった。もちろん、それは彼女の身体が感染症と闘っているためだということはわかっていた。彼女は冷たいものが飲みたくてたまらないのだ。

ムハンマドは頼まれたものを買いにスーパーマーケットに行った。私はヤーセルと義父と一緒に破壊された家を見に行った。ヤーセルと私は瓦礫の中を捜索したが、老人は離れたところに立っていた。それ以上近づくことができなかったのだ。彼はただ立ちつくして、泣いていた。瓦礫の山にはそこらじゅうに空洞が開いている。大きな空洞は、石組みの一部、構造を支える部分や、壁、階段の吹き抜けなどが崩落の一部を支えてできたもので、たいていは、その中に人が入るのに十分な大きさがある。そのいくつかに這いずり込んで、必死に叫んだ、「フダー、ハーティム、誰か聞こえていないか？　もし聞こえたら、ひとこと返事をしてくれ」。ヤーセルと私はいくつかの石を取り除いた。何か腐ったような臭いが広がり始めた。ここがハーティムの寝室なのかもしれない。私はカメラ機能をオンにしたまま、携帯電話を小さな穴の一つに降ろし、画像を最大まで拡大してみた。何か見つからないかと、何度も試してみたが、いずれも無駄だった。数時間の探索の後、プレスハウスに戻った。

リマール地区はひっそりとしていた。車もない。通りを横切る人もいない。街は弱り、疲弊しているように見えた。どこもかしこも新たな破壊の現場だった。一部が損壊した家は、一角が欠けて残骸が積み上がっている。高層アパートのワンフロアが取り払われ、壁があった場所はがらんとして埃が舞っている。通りにも、さまざまな家財がいっぱいに散らかっていた。散乱した衣服、子どもたちが拾いに戻るのを待っている迷子のおもちゃ、破れた学校の教科書、半分焼け焦げた小説やパンフレット、手縫いのカバーをかけた枕やソファー、飛び散った浴室のタイル、壊れたテレビは二度と持ち主のお気に入りの番組を再生することはない。

ガザは安定を知らない。ガザがここにある限り、戦争はずっと続いている。ジャバリアに戻る途中で、イタリアン・タワーを見かけた。二〇一四年の侵攻で破壊されたことで有名な複合施設だが、ほんの三カ月前に再建が完了したばかりだ。いったい、今度の戦争では存続できるだろうか？

Day 12
10月18日（水曜日）

人生でもっとも重要な二大イベントは、他と違いそれに関して自分にはいっさい権限がない――誕生と死だ。この二つのはざまで私たちは試合をするのだが、最後のシュートに関して何の権限もない。ロスタイムの間にありえないような最後のゴールが決まり、これまでの奮闘努力がすべて水の泡、いや裏目に出たりさえする。最終得点について、異議を申し立てる場はない。負けは負けだ。

ジャバリア難民キャンプに泊まるのは二日目だった。本当なら、最初からここにいるはずだった。父、姉妹、兄弟など、自分の家族がみんな集まっているのだから。第一次インティファーダのとき、私はここで死んでいたかもしれない。第二次インティファーダや、二〇一四年の最後の長期「戦争」でも、私はここで死んでいたかもしれない。夜のあいだじゅう、ラジオを聞こうと電波が届く場所を探し回る。戦争が私たちを昔に引き戻し、物事を知る手段も旧式になる。今ではラジオだけがニュースを伝える手段だ。インターネットはない。ソーシャルメディアもない。だから私たちはラジオの時代に帰る。爆撃音は続き、そのたびに前の爆発よりも近い感じがして、そのたびに自分の身体をチェックする。被弾してやしないかと。

やがて、こんな考えが浮かぶ。なんで私は生き延びたいのか？ 生き延びて何かよいことがあるのか。生き延びたとしても、どうせ明日もまた、いつ死ぬかと怯えて過ごすだけだ。今のところ自分はまだ生きている。だが、こんな犠牲を払っても、しょせん一日先に延びるだけだ。もうあきらめて、このゲームから降りてもいいんじゃないか？ 死にひれ伏すのも、次の安全な場所を探すのも、自分たちに降りかかったことを理論建てるのも、もうたくさんだと言ってやれ。なるようにしかならない、どうにでもなれと。

暗く恐ろしい夜だった。昨夜、バプテスト病院［アハリー・アラブ病院］で五〇〇人以上が殺された。五〇〇人だ。彼らはよその場所にいても死んだかもしれない。だが彼らは、生存と未来を求めて病院という聖域に逃げ込んだのだ。病院が国際法によって保護されていることをイスラエル人も知っていると、勘違いしていたのだ。そんなことはお構いなしに彼らは殺され、全滅した。

この病院は一五〇年以上も前、英国によって、というか英国国教会によって建てられた。昔はイギリス病院と呼ばれていた。私は一〇代のころ第一次インティファーダで狙撃され、この病院のイギリス人の外科医によって命を救われた。この場所のことを考えて眠れなかった。教会に面した病院の庭の芝生で寝ていた子どもたちは、ダークブルーの空の下で、身を守ってくれるのは、わずかに散らばる雲だけだった。そこで夜明けを待っていたのだが、朝が来ても彼らが目覚めることはなかった。私は目を閉じ、自分が目覚めないことを想像してみた。

侵攻が始まった初日、友人からテキストメッセージが来た。

「ガザでいま何が起きている？」

「正しい質問は、いま何が起きているじゃなくて、何が起きてきたかだろう。この間ずっと——七五年以上にわたってだ」と返答した。私たちは戦争映画の中に生きているのだが、映画の監督（兼プロデューサー、兼主演俳優）が映画を終わらせたがらないのだ。映画を支えるハリウッドのスタジオは、相変わらず新たな台本、新たなシーンを提供し続け、何百万ドルもの追加予算をつぎ込んでいる。初期のスクリーンテストでは、大ヒット間違いなしと太鼓判を押されたが、ただしそれは撮影を続けるのが条件だ。中断は許されない。

目が覚めてようやく、自分が生きているとわかる。それでもまだしばらくは確信が持てない。昨日の午後、私はバプテスト病院の近くにいた。病院の角を曲がったところに古びたソークがあり、そこの小さなベーカリーでパンを買った。もし攻撃が数時間早く起こっていたら、私も死者の一人になっていたかもしれない。街のいたるところに、パンを買い求める人々の列ができていた。最近、ガザ市のパン屋はどこも人でごった返している。運がよければ、二、三時間並んだだけで、一〇個のパンを買うことができる。それだけあれば家族が一晩過ごせる。昨日はコーヒーだけを飲み、またコーヒーを飲み、さらにコーヒーを飲んだだけだ。パン屋を何軒もはしごして、他の店よりも混雑していない店を探したが、結局あきらめて、特別に大きなパンだけを作る店の前に並んだ。これはシャワルマを包むのに使うパンで、「フォルマ」という昔ながらの粘土の窯で焼かれる。私は幸運だった。一時間半待っただけで買うことができた。この店にはまだ、パンを作るのに十分な小麦粉が残っていた。

服を着替えてすぐにプレスハウスに向かった。そこは電気が通っている――たいていは。少なくとも携帯電話の充電はできるし、テレビでニュースを見ながら数時間は過ごせる。昨夜、プレスハウスがある地区の全域が爆撃されたせいで、窓も、床も、天井も、棚もドアも、建物すべてが壊れていた。ガラスがそこらじゅうに飛散し、木片、アルミの破片、割けてねじれた金属があちこち飛び出していた。庭に通じるドアは吹き飛んだ。倒壊しなかった唯一のものは、中庭に飾られたガザ市の写真だった。先週、侵攻が始まる前に、写真家たちの目を通して見たこの街の風景の展覧会が開かれていた。この魅力的な街の美しさを讃えるもので、大通り、公園、庭園、港湾サイドなどが紹介されていた。写真は今もそこに飾られている。もしヤーセルと私が、侵攻が始まった最初の週にしていたようにその庭で寝ていたら、今ごろ生きていなかったかもしれない。ジャバリアに家があったのは幸運だった。

ジャバリアは、ガザ地区でもっとも危険な場所の一つであり、もっとも被害が大きかった場所の一つだ。それでも昨晩は、そこに泊まってラッキーだったのだ。何が安全で何が危険なのか、今のガザでは誰にもわからない。何がよくて何が悪いのか、誰を信じて誰を信じてはいけないのか。否応なく決めなければならない。サイコロを振れ。

イスラエルがガザ地区の全住民の六〇％以上を退避させようとしているというニュースが飛び込んできた。おそらく、ガザ市を完全に破壊するためだ。ヘリコプターからあちこちにばら撒かれるビラには、「ワーディー・ガザよりも北に残留する者はみなテロ組織に加担しているとみなされる」とアラビア語で書いてある。見つけ次第、射殺してよいという意味だろう。だが、彼らの命令に従うつもりはない。私がこの間ずっと滞在してきたガザ市の北部とリマール地区は、ともにもっとも被害の大きかった地域だ。だから、何も非常識なことではない。むしろ非常識なのは、彼らの命令にただ従うことだ。時には、自分には選択することぐらいしか残されていないこともある。だったら選択は必ず自分のものでなければならない。

いずれにせよ、南へ移動すれば安全だという保証はない。妻のハンナはテキストメッセージで、ラファへ移動するように懇願してくる。そうすればヤーセルと私は国境検問所の近くで待機し、外国人や外交官用のパスポートを持つ人たちに国境が開かれるときに備えることができるというのだ。「イスラエル軍は信用できない。従う必要はない」と返事する。

彼らが信用できないことは、これまで起きたことが証明している。つい昨日、私の友人ムハンマドの兄ヤーセルが、家族もろともヌセイラート難民キャンプ［ガザ中部］で殺された。イスラエル軍の命令に従って、南に下っていたところだった。そして、命令に従い南に向かった他の人々の多くは、そこまでもたどり着けなかった。昨日、ガザ地区を南北に結ぶ大動脈サラーフッディーン通りに集中的なミサイル攻撃があり、数十人が路上で殺された。彼らは命令に従い、交通渋滞に巻き込まれながら、ゆっくりと南に進んでいた。この人たちは、二度も命令に従っていたのだ。最初は自分の家を離れてUNRWAの学校に避難し、次にその学校から出て隊列を組んで南に移動していた。

ジャーナリストでプレスハウスを経営する友人のビラールがいつも言っているように、ガザ地区に安全な場所はない。外ではドローンの音、室内では蚊の羽音がするようなものだ。どこに行っても危険だらけだ。

この街にどんな未来が待ち受けるのか（もし未来があればだが）、それを考えると書き続けずにはいられない。書くことを通して、場所を生かし続けることができる。瓦礫と化した街並みやペシャンコになった家々の、思い出を書き残すことができる。それらが忘れ去られるのを阻止するだけでなく、どう再建すべきかの地図を作ることもできる。どこにたどり着いたとしても、元の通りに。

ハーティムの家にいた家族は、爆弾の直撃で全員が亡くなった。二三歳の私の姪ウィサーム、その姉のウィダードだけが生き残り、亡くなった家族の物語を生かし続ける。彼らに何が起こったのか、最後の瞬間について、最後に交わした笑いや、最後の抱擁について、私たちに語り継ぐために生き残ったのだ。命を絶やすことは誰にもできないということを、誰かが証明しなければならない。命は贈り物だ。それを私たちに与えた者が誰であれ、きっと守ろうとするはずだ。これは祈りではない。どんな祈りも運命の流れを変えることはできないのだから。これは私が抱く感情であり、それがときおり私を支配する。昨夜、入院中のウィサームを見舞ったとき、病院の廊下で一人の少女が、ひどい混乱と喧騒の中で、黙々と学校の宿題をしているのを見た。

Day 13

10月19日（木曜日）

二時間にわたって、私たちは何が起こったのか知ろうとした。だが、何も見つからない。瓦礫、残骸、建物の破片、壊れた家具、あちらこちらに散らばる記憶、ほんの一時間前まで生きていた人々の日用品。私たちは生きている人を必死で探し、助けを求める声はないかと雑音の中で耳をすます。現場は混沌として、耐え難い。一瞬、この瓦礫の下敷きになっているのは自分であり、まだ生きているのに誰も助けに来ないのを想像する。息子のヤーセルがその状況に置かれたことも想像する。瓦礫に閉じ込められているが、まだ眠っていて、酸素がなくなりつつあり、もうすぐ死ぬことも知らない。最後の夢を楽しんでいるのだ。引き裂かれた瞬間、子どもたちはどんな夢を見ていたのだろう？

私はファラジュの家に戻った。今は何もできない。朝が来ればまた新たな発見もあるだろう。でも眠ることができない。ただ横になって、陽の光が部屋に差し込むのを待つだけだ。朝になれば起き上がって、近所の人たちと一緒に生存者を探すこともできる。死者もだ。昨夜F16戦闘機が爆撃した場所は狭い路地の先にあり、ブルドーザーが入るのは難しい。手作業で瓦礫を撤去するのは不可能に思えるが、瓦礫を撤去しなければ、遺体を回収することも、まだ生きているかもしれない人々を助けることもできない。一番広い路地でも、幅は二メートルもない。人力に頼るしかない。素手で瓦礫を運び出すのだ。大きなものは十数人がかりでやる。力を合わせて石やコンクリートの大きな塊を持ち上げ、じゃまにならないところに運び出すのだ。破壊された家屋の中には、いとこのアリーの家もあった。アリーの息子アブドが、家のあったあたりの路地を歩き回って子どもたちの名を呼んでいる。子どもたちはまだ生きていると彼は信じている。ミサイルが家に命中したとき、どうにかして逃れたに違いないと。私たちはアブドを落ち着かせようとした。だが、彼は叫び続ける。「子どもたち、目を覚ませ。寝ているのは知ってるぞ。さあ、もう起きる時間だ」。彼の苦しみは見るに忍びないもので、私たちはみな、倍の努力を払って仕事に集中し、彼の嘆き悲しむ声をブロックしようとした。

いとこのアリーの死体が見つかった。彼はジャバリア難民キャンプでもっとも有名な卵売りで、ほんの三週間前に息子のムスタファーの結婚を祝ったばかりだった。彼の息子たちは死を免れたが、彼は免れなかった。一方、娘たちはみな、夫や子どもたちを連れてキャンプの真ん中に移ってきていた。そのほうが安全だと思っていたからだが、全員死んだ。アリーがスークで卵を売る姿を見ることはもうない。「よお、おまえの卵は元気かい」と、私が声をかけることもない（アラビア語で「卵」は「玉」の隠語）。「大きくなるが、もっと役に立つわけじゃない」と彼が返すのも、もう聞けない。

その日の遅くになって、ハーン・ユーニスにある私の親戚の家がミサイル攻撃でやられたことを知った。爆撃された建物の所有者は、一階でファラフェル屋を営んでおり、彼の子どもたちがよく調理を手伝っていた。昨夜も、彼らはいつものように働いていた。ひよこ豆をつぶし、シーズニングのミックスを加え、ファラフェル団子にまるめて高温の油で揚げる。店を閉めて住居に戻ったのは、午前三時頃だった。そして午前四時に、彼らの家は瓦礫と化した。一家のうち八人が、隣家の四人とともに殺された。だが彼らはむしろ幸運だった。遺体がすぐに回収されたのだから。この状況では、それさえも「幸運」とされる。きちんと埋葬されたという「幸運」、この最後の儀式によってささやかな敬意を払ってもらえた「幸運」だ。遺体が回収されるまで何日も、何週間も待たなくてよかったなら、家族にとっても「幸運」だ。待っているうちは、そのあいだじゅう、瓦礫の下敷きになって死んでいくところを想像し、最後の瞬間を、何度も何度も追体験することになる。ハンナは今このように苦しんでいる。姉のフダーの最後の瞬間を強迫的に想像し、フダーとハーティム、彼らの息子たちが瓦礫の下に埋もれている姿を思い描き、彼らを助け出すために何もできない自分の非力に打ちひしがれている。

死んだときでさえ、さらなる悪運に見舞われることがある。フダーとハーティムと、その家族の死は晴天の霹靂《へきれき》だったが、ちゃんとした埋葬がなされていないことが追い打ちをかけるように、親戚一同を困惑させる。死者を葬って初めて、私たちも安らかに眠れる。

子どもたちの中には、たとえイスラエルのミサイルに木っ端みじんに吹っ飛ばされたとしても、ちゃんと自分の物語が語られ、少なくとも記録に残るようにする、賢い方法を思いついた者がいる。死体が自分だと認識されるように、手や足にマーカーで名前を書いておくのだ。このやり方が、ソーシャルメディアで広がっている。中には家族の携帯電話の番号を身体に書いて、死んだら連絡がいくようにしている子もいる。自分の死後も世の中が続いていくことを考慮するのは不可能に近いが、この子どもたちはそれをしているのだ。愛する人々のことを最優先に考え、安否不明という煉獄から救い出してやることによって、苦しみが軽減することを願っているのだ。多分、自分のためでもあるのだろう。死んだときに、誰にも弔ってもらえないというのは、耐え難いことだ。

ウィサームが治療を受けているアル＝シファー病院の四階へ行くとき、途中ですれ違う人々の顔を、私はみんな覚えてしまった。救急治療室の近くの階段の入り口に、小さなテントを張って暮らす人たちも知っている。二階の廊下でストレッチャーに寝泊まりしている太った女性も知っている。三階の入り口付近にいつも座っている三人の若い女性も知っている。彼女たちの表情は不安に満ちていて、いまだにこれが現実の生活だとは信じられない様子だ。三階の廊下を手術室に向かって歩けばいつも、手術室の脇の小部屋を寝室として使っている家族を見かける。子どもたちを落ち着かせようといつも奮闘する父親も知っている。廊下の隅にカーテンを張りめぐらして自分の居場所をつくった男の顔も知っている。彼のカーテンを見ると、ああ五階まで来たんだなと思う。そして二階の廊下まで降りていくと、その時間帯にはいつも自分の子どもたちにサンドウィッチを作るのに忙しい女性がいることや、足を骨折してギプスで固定している男がいることも知っている。

しかめ面ばかりの看護師たちとも、一人残らず顔見知りになった。「神よ、彼らを助けたまえ」と自分につぶやく。ウィサームと同じ病室の他の負傷者の家族とも親しくなった。アブー・ナエームは侵攻の前は警察官として働いていた。アブー・ヤザンと妻のウンム・ヤザンは、ウィサームがここに運ばれた最初の日に、親切に面倒を見てくれた。

私は彼らの顔も、苦痛も知っている。彼らがどう感じているのか、いないのかも知っている。

Day 14

10月20日（金曜日）

「いったい何を履いているんだ?」弟のムハンマドが女ものの靴を履いていることに気づき、私は思わず吹き出した。「今ごろ気づいたの?」と彼は答える。ムハンマドは昨日からそれを履いていたのだ。彼は二週間同じスポーツシューズを履いていたが、ずっと痛がっていた。昨日、彼はハンナの靴のほうがずっと履き心地がいいことに気づいた。そんな細かいことは、もう誰も気にしない。軍事侵攻と、どう生き残るかだけで頭がいっぱいなのだ。戦争では誰も同じだ、性別も関係ない。昨日ウィサームを訪ねたとき、私は短パンをはいていた。普段なら、短パン姿で病院に行くなんて想像もできない。でも今は、誰も気にしないし、気づきもしない。こうして見ると、戦時の生活はずっとシンプルだ。

私たちは常に最悪の事態に備えている。例えば、女性たちは寝るときもきちんと服を着て、髪も覆っている。そうすれば、突然、家から避難しなければならなくなっても、髪を覆う時間を無駄にすることはない。たぶん、それだけでなく、もし夜中に殺された場合に、ちゃんと服を着ていない状態で発見されるのが嫌なのだ。いつでも用意ができていること、それが戦時の鉄則の一つだ。今回も最初の一〇日間は、私もそうしていた。いつも服を着たまま寝ていた。でもその後は、最悪のシナリオを考えるのはやめると決めた。そんなふうに一日を終えるなんておかしい。それに、死んだ後で自分の身体がどうなるかなんて知りようもないのだから、心配してなんになる？　どうせ自分は死んでいるのだ。考えるべき唯一のことは、そうなるのを防ぐこと、できる限り安全を保つことだ。

昨夜は眠った。つまり本当に眠った。私たちはみな、それを必要としていた。ドローンのホバリングと回転音は決してやまないが、そんな中でも私たちはぐっすり眠った。多数のミサイルがガザ市の南にあるザハラ市を襲い、そこにあった美しく新しい別荘のほとんどを破壊した。

ザハラは新しく開発された街だ。もともとはアラファート大統領が、当時存在したニツァリム入植地の拡大を阻止するために設立したところだ。シェイフ・イジュリーン地区の端にあるこの華やかなニュータウンは、海岸沿いの道路に新たな息吹を与えてきた。

枕に頭をのせたとたん、私は眠りに落ちた。いつもなら、しばしのあいだドローンの音に耳を傾けながらパイロットと会話するふりをするのが、私のささやかな儀式だ。しかし昨夜は一瞬のうちに眠りについてしまい、目が覚めて午前七時を回っていると知ったときにはびっくりした。後になって思い出したのだが、実際は午前三時頃にドーンという音がして、しばらくのあいだ目を覚ましていた。それどころかベッドから這い出して窓際に行き、通りで消防車が活動しているのを見た。あれはみんな夢だったのかとファラジュに聞くと、彼は夢ではないと保証してくれた。みんな起き上がって、目撃したのだ。彼は窓の下の通りを指さし、消防車はまだ働いていると言った。私には、目覚めていた五分間のほうが悪夢のようだった。

私たちは毎晩寝る前に、水キセルを吸いながらニュースを聞く習慣がある。眠りにつこうとすると、たいていは爆発音でビルが揺れる。そういうのには慣れっこになった。しまいには、どこで爆撃が起きているのかと、わざわざ窓の外を見に行くこともなくなる。爆撃はもはや生活の一部なのだ。重要なのは、それが自分の家や隣の家ではないということだけだ。キャンプ内のいくつかの爆撃で一四人が殺された。友人のズィヤード・アブー・ジディヤーンもその一人だった。イスラエル軍の本能は、できるだけ多くの人を殺すことのようだ。死者の数は重要ではない。重要なのは、ガザが死ぬことなのだ。彼らにとって私たちはただの数字でしかない。数字に変えられたら、それが一〇だろうが一万だろうが関係ない。ただの数字だ。世界は沈黙したままで、少数のデモが主要都市や首都で起きているだけだ。イスラエルはデモなど気にも留めない。

携帯電話が鳴り、フダーとハーティムの家の廃墟にブルドーザーが到着したことを知らせた。私はノートパソコンを閉じ、ムハンマドとともに車でそこに向かった。瓦礫の一部はすでに撤去されていた。私たちは撤去作業を手伝い、三〇分ほどしたところで、とうとう人間の手らしいものを見つけた。明らかに男の手だ。そのまわりは埃と砂利で覆われており、最初は気づかなかったのだ。一〇分ほど、私たちは自分の手を使って慎重にそのまわりを掃除した。石を取り除き、もっと深くまで掘って、その手が付随している死体にたどり着いた。死体には頭がなかった。右手は持ち上げられて、まるで爆発の炎から顔を守ろうとするかのようだ。ハーティムの弟ハズィムは、その死体は自分の息子アワドのものだと言う。私はしばらくの間、この結論に疑問を抱いていた。しかし、あの爆撃時にハーティムは白い服を着ており、アワドは黒いシャツを着ていたという彼の説明で、私の疑問は氷解した。

ブルドーザーの運転手は、もう行かなければならない、これが今できる精一杯のことだ、と言い残し、私たちを苦しみの中に置き去りにした。私たちは遺骸をビニール袋に入れ、残りの死者を探し続ける。数分おきにハンナから電話がかかってきて、姉の捜索に進展があったかどうか尋ねる。

しばらくすると背中が痛くなり、もう続けられなくなった。ムハンマドにプレスハウスまで送ってくれと頼んだ。一時間後、ムハンマドから電話があり、ハズィムの息子と娘たちの死体がすべて見つかったと告げられた。

「うちのほうは何かわかった？」――フダーとその息子のことだ。

「残念だが、何も」と彼は言う。昼頃、彼はプレスハウスに戻ってきた。あの地区に新たな空襲があったため、現場を離れなければならなかったという。捜索を続けるのは危険すぎる。ミッションはまだ完遂しない。

その後、私はジャバリアの別の爆撃現場に行った。いとこのナビールは、息子と娘がまだ家の瓦礫の下にいて、一人で座って泣いている。私は彼の横に座った。何も言ってやれることがない。沈黙は連帯の一形態だ。無力さを共有する表現なのだ。多くの男たちがここに来て、手作業で人々を助け出そうとしている。そしてついに、誰かが叫んだ。「遺体の一部が見つかった！」さらに三時間の作業の後、ナビールの息子ユーセフを含む多数の遺体が発見された。一家のうち二三人がまだ瓦礫の中で行方不明で、捜索活動は日没まで続いた。

Day 15

10月21日（土曜日）

今日は何日だ？　目覚めたときに最初にする質問の一つだ。日付はもはや重要ではなく、誰も会議や約束などしていない。毎日が同じように見える。日によって、他の日よりも少ない攻撃しか見ないこともあるが、それはその日に攻撃が少なかったのではなく、単に攻撃がガザ地区の別の場所で起こったからにすぎない。どの日もみな暴力に満ちている。

今日は土曜日だった。ということは、昨日は金曜日だ。親戚たちは瓦礫の中からもっと多くの遺体を回収しようと努力を続けている。親戚のアブー・ライルがコーヒーを運んできてくれる。ナビールは引き続き、息子や孫たちの声を聞き取ろうと、現場のあちこちを歩いている。彼は瓦礫の空洞を見つけるたびに、そこに耳をあてて、声や叫びが聞こえないかと耳をすます。ある空洞に手を伸ばしたとき、孫の一人のおもちゃに指がかかった。それを引き抜くと、彼は抑えきれずに泣きじゃくった。次に彼が見つけたのは、バスブーサ（デザートの一種）の小皿だ。明らかに、ミサイルが直撃したとき、誰かがそれを食べていたのだ。私たち五人は小皿のまわりに集まり、誰かがこの一切れを食べながら死んだという事実を消化できずにいた。パーティーが死で終わったのか、死がパーティーで終わったのか。

昨夜はきつかった。そんなことを言うのも今さらかもしれない。どの夜もきついのだ。ゆうべ起きたことは、毎晩起きていることの繰り返しにすぎない。ミサイルがそこらじゅうに降り注ぐ。侵攻が始まってからの数日は、私たちはミサイルの音を聞いて、どんな種類のものか、発射されたのは軍艦からか、戦車からか、F16戦闘機からか、などを議論したものだ。今では、それぞれのタイプに詳しくなり、もう意見の相違はない。ロケットの轟音を聞くたびに、私たちは爆発を待ち、続いて家がジグザグダンスを踊るのに身構える。そこにはリズムがあるのだ。

私たちは爆撃に慣れてしまったのだろうか。開戦当初よりも爆撃を恐れなくなったのか。そうかもしれない。どんなことでも、それが頻繁に起これば普通のことになる。死でさえもそうだ。身近な人が亡くなったと知るのも、普通のことになる。そのようなことが他の人に起こったことを一日じゅう聞かされるのだから。悲しいことに、それに慣れてしまう。死はかつてのような衝撃を与えなくなり、無力化されてしまう。そうなると、ある時点からは、自分の生存しか気にならなくなる。誰かが死んだと聞けば、それに引き換え自分はまだ生きている、という意味になる。死んだ者はそのニュースを聞かない。他人の旅立ちを聞くことは、自分は旅立たなかったことを意味する。

死について考え続けるのを止めるためによくやるゲームの一つは、自分の身体の外には何も存在しないと想像することだ。今朝、ウィサームを見舞いに病院に向かうとき、私はこのゲームをしてみた。誰も見えず、誰にも見られていないふりをする。何も見ないいし、何も聞こえない。毎日同じ道を通るのだが、今回だけは自分が透明人間であると想像しながら廊下を通り、階段を上る。私は誰にも見えず、誰にも聞こえない。私は頭を垂れたままだ。このゲームから覚めたのは、ウィサームの病室に着いたときだ。彼女が神に向かって、自分を生かしておいたことをなじるのが聞こえた。「どうして死なせてくれなかったの？　他のみんなと同じように死にたかった。同じ部屋にいたのに、どうして？」

見えない存在になるのは簡単だが、目に見える安定した存在になり、傷やトラウマを抱えながらも生き続けるには強さが必要だ。私は心に決めた――病院から出るときには自分の目をしっかり開いて、自分のまわりのすべてのもの、すべての人を見つめ、耳を傾けよう。廊下のストレッチャーに寝泊まりしている太った女性、四階の入り口で不安そうな眼差しを交わす三人の若い女性、帰る学校があるかどうかもわからないまま宿題をする少女。朝のサンドウィッチを作る母親のまわりに座る子どもたちが見える。足を骨折した男が、痛みにうめく合間に妻にささやくのが見える。彼らの会話が漏れ聞こえればよいのにと思う。こうしたすべてを描写するのに言葉は正直ではないし、現実の痛みを和らげる助けにもならない。ナビールの妻ブサイナが神を責める声が今も耳に残っている。「孫ひとり見逃してくれたところで、神様にとって何の違いがあるというの？」

昨日、ビラールと一緒にプレスハウスの庭に座り込んで、いつものように情報交換と水タバコを交わしていると、外の路上で騒ぎが起きているのが聞こえた。走り去る車の騒音に抗して、人々は声高に話し合っていた。何が起きているのかと、外に出てみた。どうやらイスラエル軍がリマール地区の住民に電話で避難を呼びかけたようだ。新しいプレスハウスがあるシャハーダ通りは、リマール地区ではもう数少ない、人の気配が感じられる通りの一つだ。ちょうどその前日、若い男女が手をつないでこの通りを歩き、セルフィーを撮ってカメラに向かって微笑みながら、めったにないロマンチックなひとときを過ごしているのを見かけた。私は携帯の電波をキャッチしようと外に立っていたのだが、二人はその私の前を通り過ぎた。戦時下でも愛は存在できるのだろうと私は思った。彼らは私のことを知らないにもかかわらず、「ご無事で何より」と挨拶してくれた。これが、今よく使われる挨拶になっている。カップルは大きなユーカリの木の下でしばらく立ち止まり、それからナザレ通りへと曲がっていった。

私の友人で実業家のアブー・サッド・ワーディーはこの通りに住んでいる。何の騒ぎかと、ビラールと一緒に表に出てみると、アブー・サッドが道に立っていて、家族の者が彼を取り囲んで必死になだめようとしていた。彼には、自分の家を捨てて逃げなければならないことが信じられないのだった。私はアブー・サッドと家族全員をプレスハウスに招き入れ、状況を論理的に把握するため、まずは落ち着けと彼に言った。電話口のイスラエル軍将校から、彼の家が破壊されるので立ち退くように言われたのだという。このようなときには、自分に耐えられるかだけでなく、一緒にいる人たちのことも考えなければならない。イスラエルのミッションは、ガザ地区の北部から全員を避難させることだけでなく、やがて間違いなく南半分にも同じような避難命令を出し、全住民をシナイ砂漠に追い出すことだと、みんなが理解していた。そんなことに参加したい者はいないが、もっとも弱い仲間のことを考えなければならない。

ジャバリアに戻る前に、私はサフターウィーの自分のアパートに立ち寄った。そこで服を水に浸して洗濯した。紫色のTシャツは不潔な灰色がかった紫色になっていた。ベッドに三〇分ほど横になり、リラックスしようと努めた。アパートの他の部屋はもうほとんど空っぽだ。隣人はほとんど去っていった。

ファラジュの家に戻る前に、私は義母に会いに行った。義母は、いつもの質問を一通り私に投げかけたが、すっかりやつれた様子で、泣くこともできないほど疲れきっていた。義母のところに滞在しているヤーセルは、私と一緒にファラジュのところに帰ると言い出した。そうすれば朝に私と一緒にウィサームを見舞うことができると彼は主張する。置いてけぼりにされていると、ヤーセルは不満たらたらだ。祖母が彼を必要としているのだから、彼女の家に泊まるようにと勧めたが、彼は拒否した。ファラジュの家に戻る途中、父の家にも立ち寄った。父はチーズとオリーブの夕食を食べようとしていて、ちょうどガスボンベに火をつけているところだった。寒いのかと尋ねると、寒いというより、できるだけ暖かいほうがいいのだと彼は説明した。私は彼のために買ったナッツと、チョコレートを三つ差し出した。

通りに出ると、一人の少年がいろいろな種類のラジオを売っていた。ラジオの時代がついに戻ってきたのだ。その光景を見て私は、昔の隣人アブー・ダルウィーシュを思い出した。自分の小説の架空の登場人物のモデルになった人だ。

パレスチナ人はニュースの虜になっている。まるで七五年間、今か今かとニュース速報を待っているかのようだ。待っているのは、自分たちの問題がすべて解決し、荷物をまとめて故郷に帰れるという知らせだ。

Day 16

10月22日（日曜日）

軍事侵攻が始まって一六日目だ。私はまだ生きている。ガザはもうガザではない。違う街になってしまった。今朝目覚めたとき、ジャバリア難民キャンプを窓から見下ろした。数十人の若者たちが、三夜続いたミサイル攻撃で壊滅的な被害を受けた建物群から瓦礫を撤去し、その下の遺体を回収するため懸命に作業していた。推定では、まだ三五人ほどの遺体が埋まっている。私自身の家族についていえば、妻の姉のフダーとその夫のハーティム、そして彼らの息子の遺体を、八日経っても見つけることができない。妻のハンナは毎朝電話をかけてきて、今日じゅうに遺体を発見できる見込みはどれくらいあるのか、埋葬できそうかと尋ねてくる。爆発の威力で肉親の遺体が何百メートルも離れた場所に投げ出されたのを見つけた人もいる。私たちは、フダーの次男ムハンマドが七〇メートルも離れたビルの屋上で横たわっているのを発見した。

友人のファラジュは、ジャバリアの実家の隣人で、この二週間、私たちにとてもよくしてくれ、あらゆる重荷や悲しみを分かち合ってくれた。侵攻が始まってから毎日、彼は夜明け前に起きて、これから始まる長い一日に備えてきた。家族のために少しでも平常を取り戻す、あるいは「平常」に少しでも近づけるように望みを持つためには、基本的な食料を確保するだけでも、一日の行動計画を、まるで軍事戦略のように、綿密に組み立てなければならない。

このような時代にまず考えなければならないのは、その日のパンを手に入れることだ。朝食に間に合うようにパンを手に入れられる可能性は極めて低い。昼食に間に合うのが精一杯のことが多い。それを知っている多くの家庭は、子どもの一人を夜明け前からパン屋の前に並ばせる。子どもたちは、貴重な品を持って戻ってくるまで、少なくとも二時間は待たなければならない。中には五時間も待たされた子もいる。だが昨夜、私は残念ながらパンが手に入らなかった。ファラジュと私の家族は、この事態が始まって以来、共同で食事をしてきた。昨夜は、私はファラジュがパンを買ってくるものと思っていたが、彼は私が買ってくるものと思っていたのだ。私はファラフェルを買ってきて、家の前で彼に出会い、座って一緒に食べようとしたら、ファラフェル団子しかなくて困ってしまった。

近所の友人であるユーセフ・シャヒーンは、私たちの話をもれ聞き、私たちがパンを持っていないことを知ると、即座に奥さんに電話をかけ、私たちのためにパンを用意してもらえないか頼んだ。数分後、この親切な女性は私たちのために小さなパンを九つ持って現れた。ファラジュと私の弟ムハンマド、息子のヤーセルと私の四人分には十分だった。何年もガザに住んでいなかったので、私はこの街の人々の、もっとも困難なときでもお互いを支え合う力を忘れていた。

次に考えなければならないのは、きれいな水をどうやって確保するかだ。飲むための水だ。冷えた水や、身体を冷やす水など忘れていい。飲んでも大丈夫な程度に清潔な水が、いま望みうる最上のものだ。ガザ市の人々は長い間、清潔な水の不足に苦しんできた。ここの水はどんなに良くても汚染されている。でも、いまや完全に供給を絶たれてしまった。私がこの一〇日間過ごしたプレスハウスは、水がまったく出ない。問題は多面的だ。電気がほとんどの時間止まっているため、たとえ水があったとしても、それぞれのビルの屋上にあるタンクに汲み上げることができない。そのため、ほとんどのビルは水が使えない。誰もがボトル水を買う余裕があるわけではない。侵攻が始まって最初の数日間で、小さなボトル水の値段が一〇シェケルに上がったので、買えない家庭は子どもの一人をUNRWAの給水所にできた行列に並ばせて、数本のボトルやたらいに詰めてこさせるのだ。

病院で寝ているウィサームは高熱を出している。爆発の熱波がまだ体内に残っているかのように、常に水（できれば冷たい水、理想的には氷入りの水）を必要としている。どこで手に入れたらよいのだろう？　私はプレスハウスに到着すると、冷凍庫に二、三本入れて五時間待ち、夕方に彼女に飲ませる。冷たい水は、普通の人には夢にも思わない特権なのだ。

現在の状況で、慎重に計画しなければならない第三のものは、充電池だ。最近のガザ地区では、電気はほんのつかの間しか供給されず、難民キャンプではまったく使えない。ジャバリア難民キャンプに最後に電気が通ったのは一三日前だった。この一〇年以上、毎日の計画停電（八時間稼働、八時間停止）にさらされてきたため、ガザ地区のほとんどの家庭は適応する術を身につけている。運のいい人は予備の発電装置を持っているが、ほとんどの家は充電装置に頼っている。これは車のバッテリーとそう変わらないもので、電気が通っている間に充電する。このおかげで、夜間も薄暗い明かりを灯すことができ、インターネットへのアクセスもできる。しかし、調理器や冷蔵庫、ケトルなどを使うことはできない。一つのバッテリーを充電するのに五時間かかることもある。しかし電気が完全に止まってしまった現在のようなときには、余裕がある人々は、家族の誰かに自宅の充電装置を持たせて、太陽光発電のある知り合いの家に行かせることもある。その場合、彼らはバッテリーを抱えてコンセントが空くのを待つ人々の順番を待ち、やっとプラグを差し込んだ後も充電されるまでひたすら待つことになる。家に戻って初めて、携帯電話を充電できるのだ。

つまり、単に平常どおりに生活するためだけに、三人の働き手が必要になる。パンを買うために行列に並ぶ人、UNRWAの給水ポンプで水をもらうために行列に並ぶ人、自宅のバッテリーを充電するためにソーラーパネルのある建物に行って順番を待つ人だ。これをやってくれる子どもが三人いる男はラッキーだが、そうでなければ、彼は妻と一緒にあちこち走り回り、必死にパン屑を探さなければならない。

今朝、パン屋に並ぶ列はさらに長くなっていた。何千人もの女性、男性、子どもたちがパンを買うために待っている。ウィフダ通りにあるシャンティ・ベーカリーの前には五〇〇メートル以上の行列ができ、ウィフダ通りとナーセル通りの交差点にあるファミリー・ベーカリーの前にも同じく行列ができている。ベーカリー協会のアブドゥル＝ナーセル・アル＝アジュラミー会長によると、七軒のベーカリーがイスラエルのミサイルにやられたそうだ。二日前の夜、妹のアスマーの家の近くにあったアブー・ラビーと呼ばれるパン屋は完全に破壊され、店の外で行列をつくっていた人たちの命も一緒に失われた。そこは、私がジャバリアで滞在している場所からほんの数百メートルしか離れていない。

ベーカリーだけでなく、カフェもまた標的にされた。カフェでは、多くの人々が家を失い、自分の台所を使えないこのときに、ファーストフードを提供している。イスラエルはまるで、とびきり狙いやすいソフトターゲットを探しているかのようだ。彼らはバプテスト病院やいくつかの教会を攻撃している。しかし病院への攻撃はあまりにも意図が明白で、悪評が立ちすぎる。「攻撃はパレスチナ人の仕業だ」と彼らは主張しているが、二つ目の病院が攻撃されれば不審を招きかねないので、今度はもっと小さなソフトターゲットをたくさん攻撃することに方向転換したのだ。パン屋には人々が列をつくって順番を待っており、そのほとんどが子どもだ。彼らは死ぬのを待っているようなものだ――空爆ですぐに殺されるか、飢餓によってじわじわと殺されるかだ。順番待ちの行列は日に日に長くなっている。

昨夜、ヌセイラート難民キャンプのスーク（市場）が攻撃された。標的となったのは、キャンプでもっとも有名なレストラン二軒、ジェニン食堂とアキル食堂だった。開戦五日目、ヌセイラートにいた私は、アキル食堂でサンドウィッチを買った。昨夜、ここで行列をつくっていた人たちは、死んでしまった。

昨夜、父を説得して古いラジオを一台貸してもらった。電気もインターネットもない長い夜、私は世界から切り離されたように感じる。聞こえるのは爆発音と悲鳴だけで、それがどこなのかはわからない。時々、ファラジュとムハンマドと私は、爆撃はどこで起きているのか、どれくらい近いのかという、薄気味悪い推理ゲームに引き込まれてしまう。ガザのほとんどの人が、この二週間、同じゲームをしていることだろう。

唯一の解決策は、ラジオ受信機を持つことだ。父はたまたま三台のラジオを持っている。彼にとっては家宝のようなもので、そのうち一台は三〇年以上も前のものだ。とうとう彼は、戦時の夜のために私に一台貸してくれることを承諾した。今、ほとんどの人はニュースを得るのに、こうした古いラジオに頼っている。ラジオの販売も再開されている。ラジオ屋はずいぶん前に姿を消したが、今ではガザの多くの店が、販売用のラジオがあることを宣伝し、ショーウィンドウの中心に飾っている。私たちは毎日、雑音のない電波を得るためにノイズと闘いながら夜を過ごしている。

しかし時が経つにつれ、新しい日が、その前の日やそのまた前の日と同じように感じられ、夜も、その前の夜と同じのように思えてくる。この戦争も、前回の戦争や、前々回の戦争とまったく同じのように思えてくる。戦争で新しいことは、何ひとつない。ムハンマドに、こう言ってやった。「戦争には一つだけ新しいことがありえるが、自分でそれを知ることができない。それは、自分にとって最後の戦争になるってことだ」。たとえそうだとしても、私たちが今朝も目覚めたということは、私にとっては十分なニュースであり、感謝に値することだ。

Day 17

10月23日（月曜日）

昨夜は桁違いに狂暴だった。ガザ地区のさまざまな場所が攻撃され、六〇〇人ほどが死亡した。午後一一時頃、近くで爆発音がした。ロケットの轟音、暗闇の中の閃光、そして爆発、といういつもの流れだ。私はアパートの部屋の中央（どの窓からも離れた場所）にマットレスを敷いて横たわり、眠ろうと努力していた。眠りに落ちかけたとき、外の通りに黒っぽく危険そうな煙が無気味に立ち込めているのに気づいた。路上には誰もいないようだった。救急車が何台も一斉に到着するのが聞こえた。私は咳き込み始めた。金属と灰が燃える臭いがした。水を飲まなければならなかった。喉が痛かった。みんなが目を覚まし、窓の外を見た。煙はどんどん濃くなっていく。通りの東端に向かって走る救急車を数えると一二台だった。

通常は、私たちが次に尋ねるのはこれだ——今のはどこだ？　通常は、三〇分もするとニュースが飛び込み、例えば「トランス」の近く、つまりジャバリア難民キャンプの繁華街とでも言うべきエリアだったとわかる。これが侵攻の三日目、実際にジャバリアのアル・ティランスで起きたことで、五〇人以上の犠牲者が確認された。しかし今では、この種の情報が確定するまでに何日もかかる。今回の侵攻で最近もっとも不安なことの一つは、ミサイルが自分のいるところからほんの目と鼻の先に着弾していても、正確にどこに命中したのか、数時間経っても、時には数日経ってもわからないことだ。ニュースもインターネットもなく、外にも出られない状況では、誰がやられたのか推測するしかない。

本物の食べ物が恋しい。ほとんど毎日、朝はファラフェル、晩もファラフェルを食べている。二日前、チキンを買ってきて、三切れをさっと揚げてムハンマド、息子のヤーセル、私の三人で食べた。私たちにはごちそうだった。翌日のために何切れか残しておきたかったが、ムハンマドに「明日には腐っちまうさ」と嘲笑された。確かにそうだ。冷蔵庫は電気が足りず使えない。そこで私は、鶏肉を鍋に入れて夜間は室内より空気が涼しいバルコニーに置いた。危機の際にはもちろん即興対応が欠かせない。しかし、今朝起きてみると、やはり鶏肉は腐っていて、ひどい悪臭がした。食べるものがないので、もう一人の弟イブラーヒームに電話して、店が閉まる前にファラフェルを買ってきてほしいと頼んだ。イブラーヒームが泊まっている実家に着くと、そのファラフェルを使って即席のサンドウィッチを作ることができた。何か食べるたびに、これまでで一番おいしい食事だと感じる。本当のところは、自分にそう言い聞かせているのだと思う。これが最後の食事かもしれないからだ。

今朝、床屋が開いているのを見て驚いた。店に入ろうとしたが、若い男たちが店の外で列をつくっているのを見てあきらめた。その代わりイブラーヒームに、彼が持っている小さな理髪器具で散髪してもらうことにした。亡くなった弟のナイームは、私たちの髪を切るのが得意だった。第一次インティファーダでは、夜間外出禁止令が四〇日間も続いたこともあったが、その間ナイームは近所中の男たちの髪を切っていたものだ。さしあたりは、イブラーヒームがベストを尽くすだろう。

今朝目が覚めたとき、私は何かが変わることを切に願った。戦争が終わるのを待っても無駄だ。ずっと終わらなければどうする？　一週間経っても終わらなかった。一カ月経っても、一カ年経っても終わらないかもしれない。私たちは戦争の対象なのに、その展開について何の発言権もない。ならば、もっと長期の戦略が必要だと気づいた。これから先の数週間、数カ月にわたり自分の生活をどのように維持管理していくのか、もっと真剣に計画せねばならない。

今日は一日じゅうジャバリアで過ごすつもりだ。つまり、病院にウィサームを見舞いに行かず、プレスハウスにも行かない。ウィサームの様子を見に行くだけで、心が潰れそうになる。私は自分が思っている以上に弱いのだと思う。そして時には、長期的に最善と思われることをしなければならない。明日彼女に会うためには、今日は会わないほうがいい。休むべきだ。

妹のアーイシャに電話して、私たちみなのために温かい食事を作ってもらえないか頼んだ。彼女は喜んで引き受けてくれた。彼女の夫マーヘルも私の親友だ。彼は狭い庭の小さな小屋で育てた鶏を二羽ほど屠殺しようと申し出てくれた。

今日の予定は、車を使わないことだ。ガソリンが残り少なくなっているのだ。ガソリンスタンドでは石油が切れている。ここ一週間以上給油できていないので、使い方に気をつけなければならない。燃料は今、ガザの人々のもっとも差し迫った問題の一つだ。車を持っている人は、緊急時だけ使うのがベストだ。発電機を持っている人も、動かすためにはガソリンが必要だ。だから当然、ガソリンスタンドの前には何百人もの行列ができ、発電機を止めないために必死でガロン缶を下げているのを見ることになる。昨日、私はジャバリア難民キャンプの入り口にあるガソリンスタンドのオーナーが、店の前に集まった群衆を必死に説得しているのを見た。ガソリンはもう残っていない、並んでも無駄だと言って、立ち去らせようとするのだが、なかなか納得してもらえない。

「ガソリンスタンドなのに、なんで燃料がないんだ」と男が叫ぶ。

「わけは戦争に聞いてくれ」と店主は腹だたしげに答えた。

私はジャバリア難民キャンプ内のタッル・アル＝ザアタル地区にあるアーイシャの家に向かって歩いた。もうこの段階になると、自分の周囲の街角に砲弾で穴が開いていてもほとんど無反応になっていた。数が多すぎる。戦闘が一七日も続けば、生活を中断しても意味のないことがわかる。生活は続けなければならない。人々は再び街を徘徊し始め、まるで戦闘状況が緩和したかのように振る舞っているが、本当はそうではない。瓦礫の山と半壊の建物があちこちに広がっている。歩いていると、街に新しい空白がいくつもできているのを発見する。友人たちの家、街並みのトポロジーに不可欠だった建物が、すべて消えている。この地域のランドマークだった建築物もだ。これから私たちは、どうなるのだろう？

ここで死ぬ者はみな、不運に見舞われて死ぬ。たまたまそのときにミサイルが落ちた場所にいただけだ。ほとんどの者は常に移動中で、一番安全な場所を求めて、次から次へと居場所を変えている。もう誰も、どこにも、定住することができない。

ささやかな慰めは、ロケットの爆音を聞いたときは、それが自分に飛んでくることはないことだ。自分は標的ではないとわかる。ガザの人がみんな学ぶことだ。自分がロケットの標的になったときは、飛んでくる音は聞こえない。死だけが来る。いきなり死ぬのだ。それでも、夢の中では、私は死に出会う。ちゃんと時間をかけて、死は自分が来たことを知らせるのだ。死の足音が聞こえる。歯が見える。

私たちが一つの民として、種族として学んできたことは、このような時世には何の役にも立たない。ここで、しばし立ち止まって、羊飼いが羊の群れを追って道路を渡らせるのを待たなければならない。何百頭もの羊やヤギが私の前を通り過ぎる。みんな疲れているようだ。何日も食事をしていないのだろう。羊飼いが路上に出てきたのは、どうやら小屋を避難せざるをえなくなったからだろう。羊飼いに聞いてみると、羊たちをどこに隠せばいいのかわからないので、群れを道路に沿って移動させているのだった。

「夜はどうするの？」

「今いるところで眠るだけさ。羊たちも傍らで眠る」

アーイシャの家に着いて、私は同じ自問を繰り返す——ここは本当に安全なのか？　たとえ答えがなくとも、この問いを避けることはできない。

Day 18

10月24日（火曜日）

「ガザの暮らしは、いつも困難なのですか？」この質問をよくされる。私は記憶を呼び起こしてみるが、そうでなかったときを思い出すのに苦労する。おそらく、パレスチナ自治政府がガザに本拠地を構えた九〇年代初頭には、ほんの束の間、平穏が訪れるときも何度かあっただろう。あるいは、将来のある時点で平穏が訪れるという期待があったのだろう。当時二〇歳ぐらいだった私の世代には、未来が開けていた。和平プロセスは、新たな始まりの開始になるはずだった。うまくいくかもしれないと、何千人もの群衆が街頭に出て和平プロセスを支持した。当時の私たちは中身を知らなかったが、藁にもすがる思いだった。死んだ母は、オスロ合意が調印されたとき、それを祝う大規模デモの一つに参加した。これが息子を解放へと導くだろうと、彼女は願っていた。息子が自由になるのを見ることなく、彼女は死んだ。

そうは言っても、あれは良い時代だった。ガザは希望に満ちており、ビルがあらゆる方向から空に向かって伸び上がり、街は南にも北にも拡大し、砂の道路が舗装され、公共的なモニュメントも出現し、街には投資が流れ込んだ。和平プロセスさえ続いていれば、ガザには豊かな未来があった。

悲しいことに、それは数年しか続かず、その後すべてが崩れ落ちた。和平はパレスチナ人にとって重荷となった。その代償として、イスラエルの警察がいたるところに存在するようになったのは、重すぎだった。開けていた未来はキャンセルされた。経済は停滞し、空港は爆撃され、人々は閉じ込められた。イスラエルの入植者と兵士が撤退したときでさえ、壁が築かれて、ガザの人々は再び思い知らされた——私たちはここの囚人だ、市民ではない。

昨日は一晩中、戦車がひっきりなしに走っていた。アーイシャの家はジャバリアの東側にあり、戦車が何百台も立ち並ぶイスラエルとの国境に近い。ここに来るのは危険な決断だったが、一七日間もあちこちを転々とし、水もろくに手に入らず、マットレスの上で寝て、洗濯もできなかったのだから、もう限界だった。シャワーを浴びて、ちゃんとしたベッドで眠り、服を洗濯し、歯を磨く必要があった。アーイシャの家で、このすべてを行なうことができた。彼女は太陽光発電装置を持っており、水を屋根まで汲み上げることができる。ということは、水道が使える！

アーイシャはパンの仕込みのために早起きしている。多くのベーカリーがイスラエル軍の標的になったため、彼女はもう一四歳の息子をベーカリーの前に何時間も並ばせるつもりはない。唯一の解決策は、自分でパンを焼くことだ。彼女は侵攻が始まったときにスーパーで買った小麦粉を備蓄している。一日おきに二日分のパンを焼く。私は彼女の手伝いをし、生地をこね、切り分ける。「パンはとても薄くなければだめ」と彼女は説明する。夫のマヘールが、クレープ用のフライパンでパンを焼き始める。

アーイシャは自分がパン作りをするようになるとは思ってもみなかった。彼女の世代は何でもかんでも店で買う。彼女は野菜でさえ、調理済みのものを買う。ナスとズッキーニは切り分けられ、マーロウ（ムルヒヤ）はカットされている。ところが今、彼女はすべてを自分の手でやらなければならない。町の中心部に近い場所への引っ越しはごめんだ。彼女は家から数百メートルしか離れていないＵＮＲＷＡの学校で教えている。「最後には、自分が教えているのと同じ教室で暮らすことになるのかしら」と彼女は言う。奇怪な考えだ。

何千ものガザの家族が、私たちと同じように、今まさにパンの作り方を再び学び始めているに違いない。ベーカリーへの爆撃が招いた結果なのだ。アーイシャは、パンを焼くのにガスを使って大幅に時間を節約できる恵まれた環境にいる。しかし大多数の人たち、特に自宅から退避させられた人たちは、薪や段ボールを使って自分で火をおこし、パンを焼いている。手元にあるものを工夫して即席の窯をつくるのだ。金属板を二つの石で支えて、その下に瓦礫から取り出した木材を燃料に火をたく。

数年前、キャンプの東側にあるＵＮＲＷＡの学校の壁に、誰かが奇妙なスローガンを落書きした――「我々は後ろ向きに進歩する」。よくできた標語だ。新しい戦争が起こるたびに、私たちは基本的な段階に引き戻され、すべてが振り出しに戻る。戦争は私たちの住居や施設、モスク、教会を破壊する。庭や公園も根こそぎ破壊される。私たちの未来につながるものを何ひとつ残さない。どの戦争も復興するのに何年もかかり、復興が完了する前に次の戦争がやってくる。警告のサイレンが鳴るわけでも、携帯メッセージが届くわけでもない。いきなりやってくるのだ。突然、自分たちが戦争の渦中にいることに気づく。いとこのナビールは、六日前のヤーファ通り一帯の攻撃で家族のほとんどを失ったが、昨夜はほとんど一晩中、大声でアッラーの神に語りかけ、私たちに降りかかったすべての災難について彼をなじっていた。

「あなたがすべてを裁くお方なら、なぜ私を選び出して、息子たち、娘たち、孫たち、家族全員を奪ったのです？　なぜ、あなたの全能の力を私を使って試さなければならないのですか」

ナビールは信仰心のあつい人だが、このような狂気の時代には、冷静さを失うことも許されるだろう。

私たちが生き残ったのは、すべて何かの手違いのおかげだ。ロケット弾が当たり損ねただけのこと。死が私たちを見落とした、あるいは他の誰かと取り違えたからにすぎない。どの日も、目が覚めるのは、こうした偶然の結果なのだ。

そして、それに続く一日は、夜を待つために費やされ、夜もまた同様だ。しかし、昼間には多少の救いがある。煙がどこから立ちのぼっているか見えるので、直近の攻撃がどこで起きたかを推測することができる。夜間は何もわからない。ただ爆発音が聞こえ、閃光が見え、その後は何もない。何もわからず、何も感じない。ただ横たわって推測し、すべてを想像でつくりあげる。もっとも幸せな瞬間は、目を覚ましたとき、自分の身体をつかみ、ちゃんと揃っていることを確認し、それから部屋を見渡したときだ。うまくいった。私は夜を乗り越えたぞ。たまに確信が持てないこともあるので、自分が生きていることを証明するテストを考案し始めた。その一つが、家にいる他のみんなをたたき起こして、彼らと会話を始め、ニュースを交換することだ。ありふれた内容であればあるほどいい。細部のつまらなさから、それが夢でないことがわかる。夢の場合はもっとエキゾチックだ。もう一つのテストは、妻のハンナに電話して、ヤーセルと私がまだ生きていると伝えることだ。彼女の声は夢では決して再現できない。聞けば間違いなく彼女だとわかる。そして、このすべてが現実であり、すでに死んでしまった誰かの夢ではないこともわかる。

Day 19

10月25日（水曜日）

病院の医薬品や医療機器の不足は衝撃的だ。薬がないだけでなく、今では患者は麻酔なしで手術を受けなければならない。だから患者の苦しみは倍増する。病院のほとんどすべてのベッドから絶え間ない悲鳴が聞こえるのが普通になっている。鎮痛剤もなければ鎮静剤もない。提供されるのはベッドだけで、今はそれさえも足りなくなっている。アル＝シファー病院は通常五〇〇床の収容能力だが、今週から倍増された。しかし、今はそれさえも足りない。新しい患者は行き場を失っている。本来は三床のベッドが入るはずの病室に、今は七つものベッドが置かれている。ベッドは廊下にも、待合室にも、手術室の前にも、トイレの入り口付近や、階段の吹き抜けにさえも置かれている。ありとあらゆる場所を使わなければならない。昨日、病院当局はこれに対処するため、救急治療室前の入り口部分全体に巨大な布製の天蓋を設置した。その下のスペースは分割されて即席の病室がいくつもつくられた。収容能力の問題を解決することはできなかったが、おかげで作業スペースは増えた。現在、新たに到着した患者は床に敷かれたマットレスの上に寝かされている。ベッドはない。

今朝、アル＝シファー病院はかつてないほど混雑しているようだった。戦時下では、新しい朝を迎えるたび、すべてが少しずつ違って見えるものだが、この病院は特に変貌が著しい。どこもかしこも大勢の人であふれている。歩く人々、立っている人々、医師のまわりに集まっている人々、正面の庭に急ごしらえで設営されたテントに駆け込んだり出たりする人々……。どこもかしこも大混雑だ。いまや新しい布製の壁と布製の廊下ができて、まるで野戦病院のようになっている。巨大なテントの下に何百人もの患者が、地面のそこらじゅうに横たわっている。医師の姿はなく、若い看護師がたった一人で、みなからの質問や要望に対応しようと奮闘している。

私が病床に到着すると、ウィサームは私に難しい要求をした。致死量の薬を注射してくれないか、と言うのだ。彼女はアッラーが自分を許してくれると確信している。私は微笑み、

「でも、アッラーは私を許してくれないよ、ウィサーム」

「許してくださるように、私が代わってお願いするわ」

それはばかげていると、私は全能の神の知恵の言葉を引用した。アッラーは、これほど多く

の人が死んでいく中で、彼女には生きることを望まれた。それが彼の意志なのだ、と私は彼女に告げた。ウィサームはもうこれ以上、傷の痛みに耐えられないと主張する。薬も麻酔も与えられていない。こんな痛みに耐えなければならないのは不公平だ。彼女の顔は青ざめ、もうあきらめようとしているように見える。どんな言葉も助けにならないが、それでも私は励ましの言葉を繰り返している。

侵攻が始まって一九日目だが、いっこうに終わる気配はない。完全な停戦を語る者は誰もいない。ニュースで話す人々のほとんどは、数時間の休戦の可能性を論じているだけだ。人道的な観点から、食料と医薬品を搬入させるためだけの一時休止にすぎない。このようなときに必要なのは、ニュースに耳を傾け、あらゆる発言、新しい情報の断片を追いかけることだ。そうは言いながらも、それを聞いているのは堪えがたい苦痛だ。彼らは私たちについて語り、私たちを引き合いに出し、私たちを代弁し、私たちのために決断しながら、一度も私たちの口から話をさせようとしない。その態度には、反吐が出る。

昨夜午前三時一五分頃、私はマットレスから飛び起きた。直前に聞こえた空爆の音が、自分の泊まっているファラジュの家を直撃したと思ったからだ。私はルールを忘れていた——爆撃の音が聞こえたら、自分は標的ではない。私たちはみな、窓に駆け寄り、通りを見下ろした。壁が割れて崩れ落ちる音、そこらじゅうにガラスが飛び散っている光景、焼けた金属と木材の強烈な臭いが五感を満たした。この近所の住宅に三回の爆撃があったのを確認して、私たちはいつものように推測ゲームを始めた。当たったのはこの家かもしれない、あの家かもしれない。やがてゲームは終わり、私たちは眠りについた。朝になってムハンマドから聞いたところでは、それはアル・ハラビ家の所有する住宅で、私の実家からはほんの二軒離れたところで、ファラジュの家からは一〇〇メートルほど離れていた。六人の遺体が発見され、一五人が救出されたが、残りの人たちは瓦礫の下で行方不明のままだ。私は通りに出て、近所の男たちと同じように救助活動を手伝おうとした。切断された遺体の破片に手を触れたり、毛布の上に集めたりするのはつらい作業だ。もっと難しいのは、遺体の身元を確認することだ。まず性別を判別し、次に年齢を見極め、そして最後にもっとも難しい推測をする――これは誰の遺体か。

身元がわからない遺体も数多く発見される。多くの場合、遺体はいくつもの小さな切れ端に引き裂かれている。あちらに足が一本、こちらに手が一つ、残りの部分はひき肉のようになっている。先週耳にした、ガザの人々が手や足にペンや油性マジックで自分の名前を書くという新しい風習は、粉々に吹き飛ばされた後に遺体の身元が確認できるようにするための工夫だ。薄気味悪く聞こえるかもしれないが、今にしてみれば完全に理にかなっている。死について合理的に考える方法は、死んだ人の身になって考えることだ。一つの民として、私たちは記憶されることを望み、自分の物語が語られることを望んでいる。いかなる理由で殺され、どのような正当性を殺人者が主張したとしても、それに関係なく私たちの死にも尊厳が払われることを保障したいのだ。最低でも、墓には名前が刻まれなければならない。

先週爆撃された家族の家の廃墟では、未回収の遺体の臭いがまだ漂っている。時間が経てば経つほど、死臭は強くなる。まだ七人が行方不明だ。多くの場合、捜索対象の人数を把握するのも難しい。すでに多くの人が通常の住まいから退去し、親戚や友人のところに身を寄せているからだ。生存者や遺体を探し始めても、いったい何人の人を探しているのか、誰にもわからないのだ。

ファラジュが住む界隈では、おびただしい数の家屋が倒壊し、瓦礫はいまだに撤去されていない。ジャバリアは狭い路地が多いことで有名だが、今それらはすべて、倒れた石組み、コンクリートの塊、絡まった金属などで塞がれている。数時間前まで誰かの家だった残骸の無秩序な山の上に立って、私は自分の近所のことを考えた。私が生まれ育った場所だ。迷路のように入り組んだ狭い通りはすべて頭に入っている。目をつぶったままでも通り抜けることができる。すべての細部、すべての標識、すべての建物を知っている。だが、この戦争が最終的に終わったとき（もし終わるならばだが）そこはもう私の知っている場所ではないだろう。それほど多くの場所が瓦礫と化し、路地と路地の境界線はすべて消失してしまった。救助活動のさなかにひと息つきながら、しばしの間、私は心の中でこれらの路地や脇道の地図を描き直し、少なくとも自分の記憶にとどめるために私のハーラ（街）の図をつくりあげた。じきに、残っているのは、私たちが記憶にとどめた面影だけになるだろう。ならば、今すぐ記憶にとどめ始めねばならない。

Day20
10月26日（木曜日）

昨晩はこれまでで最悪だった。その前の夜も、それまででもっとも血なまぐさいものだった（一日で七〇〇人以上が殺された）が、昨夜は様子が違った。戦車の砲撃音は明け方まで続いた。私たちがいたビルは左右に揺れ続け、まるで全体が道路を転がり落ちていくかのようだった。瓦礫の粉塵が家の中に充満している。窓を閉めることができないからだ。窓を閉めれば、近くで爆発があったときに気圧でガラスが粉々になってしまう。だから、ガラスが飛び散る代わりに、そこらじゅう粉塵だらけというわけだ。キャンプ内の建物は、最良のときでさえも危険である。多くは恒常的な建築物として建てられたものではない。典型的なのは、ある家族が一階建ての家（ワンルームであることが多い）を建てるが、息子の一人が結婚すると、彼の家族のために二階が増築される。次の息子が結婚したときには三階が増築されるというふうに、どんどん増えていく。もとは平屋を支えるためにつくられた壁や土台が、四階建てや五階建てを支えることになる。こんなふうだから、建物と建物の間を走る路地や小道は、直線や規則的な形状にはほとんど当てはまらないのだ。横になって砲撃の音を聞き、振動を感じながら、私は周囲の建物が編み細工の籠のように、道路をジグザグに走っていくトラックの荷台に無造作に積み上げられ、ぎゅうぎゅう詰めになって揺れているのを想像した。

朝六時半に目が覚める。「目が覚める」というのは、睡眠と覚醒の区別を意味する。正確には、朝六時半に私はベッドから起き出し、一日を始めると決めた。角を曲がったところにある小さなベーカリーに行く。ここは甘いクロワッサンとパンケーキで有名な店だ。やわらかいほうが、ウィサームには食べやすいと考えたからだ。三〇分ほど待つと、パン屋の主人が小麦粉が切れたと残念そうに言った。午後の四時にもう一度来てくれれば、もう少し補充できるかもしれないと彼は言う。

毎日の食事を確保するために計画を立てるのは、今の生活でもっとも煩わしいことの一つだ。パンを手に入れるのも大変だが、それ以外のどんな部分もそれに劣らず大変だ。電気がないため冷蔵庫がなく、毎日買い出しに行かなければならない。スーパーでは缶詰や日持ちのするものは売り切れで、今日じゅうに食べなければならないものしか買えない。昨晩、ナファク通りにある大きなスーパーで買い物をした。幸運なことに、オーナーが太陽光発電を備えているので、肉や乳製品を買うことができる。しかし、そこで買えるのも今日の分だけで、明日のものではない。私はビーフバーガーを買った。トマト、キュウリ、タマネギ、レモンのスライスと一緒に家で調理する。付け合わせのパンはないが、今の状況では、これでも王族の宴のようなものだ。

店からの帰り道、爆発音が車を追いかけてくるような気がした。ジャラー通りにさしかかったとき、バックミラーに空から炎が壁のように降り注ぐのが見えた。四方から爆発音が鳴り響いた。私は全速力で車を走らせた。人はこれを「リング・オブ・ファイア（炎の環）」と呼ぶ。何発ものミサイルが同時に同じエリアに撃ち込まれることを言うのだ。私がこの言葉を使うとムハンマドは笑った。

「よおく聞け、大ベテランのお言葉だ」

「まさしく！　生き残りのベテランだ」と私は言った。

後にニュースで知ったが、あの「炎の環」に巻き込まれて四〇人の死亡が確認され、一二〇人が行方不明になっている。どの死亡を聞いても胸が痛むが、アル＝ジャジーラのチーフ特派員、ワーエル・ダフドゥーフの家族が殺害されたという知らせには、私たちみんながひどく心を動かされた。ワーエルの家族が襲われたヌセイラート市は、ワーディー・ガザのかなり南に位置し、イスラエルがガザ市の住民全員に避難するよう命じたところだ。ワーエルはそのとき、アル＝シファー病院からイスラエルの攻撃を報道していたが、突然、ニュース原稿に自分の妻、息子たち、娘たちの死を見つけた。ワーエルはそれを自分自身の口で報じた。子どもたちを失ったことを嘆いている途中で、ワーエルは「気にするな」とつぶやいて、自分を励まそうとした。だが、もしかすると彼はそのとき、国際社会に直接話しかけていたのかもしれない。誰も気にしない。誰も少しも気にしていない。

私たちがニュースを見ているとき、一緒に泊まっている若い女の子が屈み込んで幼児の耳元で何かをささやき、その子はきゃっきゃと笑い出した。空爆の音でその笑い声がかき消されると、彼女はまた何かをささやき、子どもはもう一度笑う。「これは俺たちの最後の戦争になるのか？」と隣人のユーセフが私に尋ねる。それから彼はいま言った言葉を訂正する。「生き残った者にとっては、これが最後の戦争になるのか？」そして、黙り込んでしまった。誰もが考えているけれど口にしない本当の疑問にぶつかってしまったからだ。「これは、私の最後の戦争になるのか？」

昨夜が最悪だったというのは正しくない。次の夜がそうだ。今日、死者の数は七〇〇〇人を超え、その半分は子どもたちだ。いったい我々の何人が死んだら、世界の眠りから覚めるのだろうか？　ニュースによれば、救急隊によって瓦礫の中から救出された小さな男の子が、救急隊員に向かって言った、「ありがとう救急車、大好きだよ！」そして男の子は小さな声で、母親はどこにいるのか尋ねた。

昨夜、夕食を終えて皿を洗いながら、次の日には夕食にありつけるのだろうかと考えずにはいられなかった。夜に眠ることができるのか、水はあるのだろうかと。これが私の最後の夕食となるのだろうか、最後の睡眠、最後の思索となるのだろうか。

今朝目が覚めたとき、今日が何曜日だったか思い出せなかった。戦争には独自のカレンダーがある。今日はどの日かと誰かに聞いたら、「二〇日目だ」と答えるだろう。誰かに曜日や日付を聞いてみればいい。「バラーフィッシュ！」（知るもんか）と肩をすくめるだろう。過去を振り返って、カレンダーを調整する。これは三日目に起きた、あれは一〇日目に起きた。私たちはミサイル攻撃の回数で時間を数え、全滅した家族の数で日付を刻む。「これが起きたのは、イスラエル軍がアハリー・アラブ病院を攻撃した日だ」とか、「あれが起きたのは、ハーティムとフダーとその家族が殺された日だ」とか。戦争は私たちのカレンダーを血染めのトーンに塗り替える。

Day21

10月27日（金曜日）

友人であり隣人でもあるアドハムが、私たちが同居している隣人のファラジュの家に泊まりに来てくれた。彼は優秀な電気技師で、ファラジュの家の電気システムをつくってくれた。いくつかのバッテリーをつなぎ合わせて、一晩中電気が使えるようになった。これで一晩中インターネットが使えるようになり、父の古いラジオのために良好な電波を探し続けなくてもよくなった。これで親父も神聖なラジオを取り戻せるから喜ぶだろうね、と私は冗談を言った。

アドハムは、家族がファラジュの家から遠くない義理の両親のところに引っ越したので、今は私たちのところに泊まっている。彼がここに来てからというもの、近くの電信柱を見かけるたびに、アドハムがそのてっぺんにいて、せっせとアパートの電源や電話線をつなぎ直しているようだ。今夜はようやく、インターネットが途切れない夜を過ごすことができる。最近ではこれはもう特権なので、私は深夜まで起きていて最大限に活用するつもりだった。しかし、夜九時になるともう眠くなってきた。

アドハムとファラジュが幼馴染みの思い出話に花を咲かせていたので、私は床に寝ころんで少し本を読み、眠りにつく準備をした。うとうとしかけたちょうどそのとき、爆発音がすぐ近くで鳴り響いた。ガザは細長く伸びた土地で、そこに超過密状態で人が住んでいるため、どこで攻撃が起きても隣の家がやられたように感じられることが多い。例えば、ガザ市のリマール地区にミサイルが命中すれば、ジャバリアの人々もそれを体感する。しかし、ガザのどこで起きても身近に感じ、時には実際よりずっと近くに感じるとわかっていても、それで恐怖が薄れるわけではない。私はこの晩ぐっすり眠った。目が覚めてみると朝の六時三〇分で、一晩ぶっ通しで眠ったのが信じられなかった。礼拝のコールがあったのだけは覚えているが、それ以外に眠りを妨げるものはなかった。ムハンマドがコーヒーをたてるために起こさなかったら、私はもっと眠っていただろう。私のマットレスはキッチンに敷いてあったので、彼は私を起こさざるをえなかったのだ。

「じゃあ、静かな夜だったんだ」と私は尋ねた。

「そうだったんだろうね」という返事。でも、未読メールをチェックしてみて、静かな夜どころではなかったことに気づいた。アドハムが通知のいくつかを読み上げる――ラファで空爆、ヌセイラートで再び大量殺戮《さつりく》、ベイト・ラヒアに海と空からの攻撃、海岸線に沿っても攻撃。「ちょっと待った、これは先週のニュースだ」ともし誰かが言ったら、私はそれを信じただろう。私たちの人生は、砲撃、砲撃、破壊、死の終わりのない繰り返しだ。私の親戚の一人、ナビールの妻ブサイナは、家族のほぼ全員が殺されたとき、「この戦争は、私が悪いの？」と私に尋ねた。反語的な意味で言ったのではない。「もちろん、そんなことないさ」と私は返答した。決して犠牲者の責任ではない。犠牲者は犠牲者なのだ。どんなに勇敢であろうと、堅固であろうと、自分が犠牲者であることを受け入れることを拒もうと、犠牲者は犠牲者なのだ。ブサイナの問いが夢の中でよみがえる。あの日の、彼女の顔、神に懇願する彼女の声――せめて孫の一人は生かしておいてほしい、そうすれば自分の人生で何か誇れるものが残る。彼女はアッラーと交渉しようとしていた。もちろん、失敗した。二日前、彼らが滞在していた住宅への当初の攻撃からは五日後に、最後の二人の子どもたちの遺体が発見された。私は眠りに戻ろうと努めた。

昨夜、実家の近くに車を停めていたとき、道路を挟んだ向かいのビルが爆発した。道路に炎が降り注ぐのが見えた。落下する石材の下敷きにならないよう、私は身を隠すために走った。数分後、建物脇の路地から数人の女性が飛び出してくるのが見えた。髪は埃まみれで、叫びながら被弾した建物を指さしていた。アブー・ジョバインの家族が所有する屋敷だった。家屋は全壊し、周辺の不動産もひどく破壊された。だが一〇分後には、すべてが落ち着きを取り戻し、「平常」に戻る。私はファラジュの家へ行き、そこで眠ることができた。

今朝、近くでまた空爆があり、もう一度眠りにつこうとしても無駄になった。標的になったのは、ファラジュの家の北にある数棟の建物だ。いつものように、私たちは全員、救助活動のために標的となった家に向かった。今回は、私の叔母のラティバを義母に持つマフムード・モハイシーンの家だった。瓦礫の下で一二人が亡くなった。一本のタバコがマハムードを救った。攻撃が起こったとき、彼はタバコを吸いに外に出ていた。彼がタバコに火をつけ、煙を吸い込み始めたとき、彼の家と家族が吹き飛ばされた。彼は怪我をしただけだったが、子どもたち全員を失った。亡くなった人の中には、父の友人であるイードとその妻もいた。イードの家は表通りにあったのだが、裏通りの家のほうが安全だろうと思ってこちらに移っていたのだ。

私は車で自分のアパートに行き、プレスハウスには行かないことに決めた。今日は金曜日。私の感覚では休日だ。戦時には毎日が休日であり、毎日が仕事の日である。今日は何を食べたらよいのか、まったくわからない。息子のヤーセルに、ウィフダ通りにある小さなサージパン屋に並んでくれないかと頼まなければならない。店の外には五〇人ほどの行列ができている。「大丈夫、せいぜいが一時間半だよ」と息子に言った。彼が順番を待つ間、私はスーパーマーケットに行き、調理しなくても食べられるものを何でも買う。

アパートに戻って日記を書いていると、あちこちで爆発音が聞こえてくる。私は動かないようにした。ビルが揺れ、窓越しに、一〇〇メートルほど離れたところで別のビルがミシミシと軋んでひび割れ、やがて地面に倒壊するのが見える。煙と粉塵が部屋に吹き込み、私は咳き込んだ。私は書き続ける。何も変えられない、この戦争を止めるために私には何もできない。

Day22

10月28日（土曜日）

「地上侵攻はもう始まったのか？」。誰にもわからない。昨夜六時二〇分頃、四方から爆発音が鳴り響いた。私は義父の家の前で親戚たちと一緒に座っていたが、そこに激しい轟きが襲いかかった。何百発もの戦車や軍艦から発射されたロケット弾が、西と北から私たちの頭上をびゅんびゅん通り越していった。まるで隣の区画が爆撃されたように感じられた。最初のうち、私たちは爆発音の数を数えようとした。一、二、三……一〇……一五……三五……。だんだん、病的なゲームになっていく。じきにわかったのは、爆発は近いところに聞こえるが、実際はジャバリア難民キャンプの外の、西や北のほうだということだった。一発の閃光の後、三、四発の爆発音がする。私たちは、それぞれの閃光の後でゆっくり数を数える。ヤーセルが科学の授業で「一秒が一マイル」と教わったのを思い出したからだ。突然、爆発音が立て続けに起こり始め、いつまでもやまない。もうずっと止まらない感じだ。ハヤット（母のいとこ）が言う。「激しくなっているのは、真夜中に休戦になるからよ」「休戦？」私はその言葉にたじろいだ。ハヤットによれば、一時間ほど前に誰かがそのことを話しているのを聞いたそうだ。捕虜や人質を交換するために一時的に戦闘休止が必要なのだという。集まっていた一〇人ほどの中には、休戦になれば得られる数時間の休息を切望する者もいた。私の義父にとっては、一〇日間も瓦礫の下にいる娘とその夫と息子の遺体を探すチャンスなのだ。

休戦になるときには、イスラエルは決まって、それに向けて持てる力をすべて注ぎ込む。嵐の前の静けさではなく、静けさの前の嵐なのだ。

完全な闇が訪れる。満月が近いにもかかわらず、煙と粉塵の立ち込める向こうに暗黒の空が不気味に広がっている。今月は誰もそれを喜ばない。避難民のための集団シェルターと化した近所のUNRWAの学校も、すっかり静まり返っている。誰もが次に何が起こるか待っている。戦争が始まって二一日目だが、これまでで一番激しい日だ。義父は、危険になってきたからみんな家に入ろうと言う。爆撃は遠いよと私が言うと、「順序なんてないさ」と彼は言う。それについては義父のほうがよく知っている。

ハンナの叔母のニアムは今朝、死など怖くないと言った。いつかはみんな死ぬのだ。彼女は一〇年ほど前に夫を亡くし、遅かれ早かれ自分も死ぬとわかっている。ただ自分の身体がばらばらに切り刻まれるのは嫌だ。一つにまとまった身体のままで死にたいのだ。戦争の下では、私たちが条件を押し付ける余地はないよ、と私は言った。ニアムはジャバリア難民キャンプの東側にある自分の家を離れて姉妹（私の義母）のもとに身を寄せていた。これから待ち受けているものに彼女は怯えていた。彼女の息子や娘たちは、ガザ地区のさまざまな場所に散らばっている。主にガザ南部だ。私の義母はナクバの年にアスカランで生まれ、赤ん坊のときにガザに連れてこられた。彼女に「怖いですか」と尋ねると、かすれ声で「もちろん」と言う。

私のモバイルはバッテリーが切れている。昨日、この日記を書いていたらバッテリー表示が0パーセントになったが、近くに充電できる場所はない。ムハンマドに、彼が車で妹のアーイシャの家へ行って充電させてもらい、私のほうはサフターウィーのアパートからキャンプまで歩いていくことを提案した。二〇一四年の戦争中、私は毎日このルートを歩いていた。しかし、この戦争では本格的に歩くのは昨晩が初めてだった。今でもこのルートは、細かいところまでしっかり頭に入っている。とりわけ、毎晩夕刻に大交差点にある古いシカモア（いちじく）の樹にたどり着いたときの気持ちは忘れられない。この木を見るたびに、ああもうすぐ家に着くんだと、安心感がこみあげたものだ。見上げると、その木は今も立っていた。私の以前の生存の記念碑。ヤーセルは私と一緒に徒歩で行くほうを選んだので、歩きながら以前の戦争のときの日課のいくつかを彼に教えた。

あたりが暗くなり、危険度が増してきた頃、私たちはファラジュの家に向かった。道すがら、さらに多くの閃光が見えた。まるで二股フォークのような舌が、私たちの西側にあるすべてを燃え上がらせているようだった。それから爆発音が聞こえた。路上では、人々があちこち群がって自分たちの見聞きしたことについて立ち話していた。突然、すべての電波が途絶え、モバイルもインターネットの遮断されたことがわかった。誰もが立ち上がって、携帯電話の電源を入れたり切ったりして再接続を試みていた。

ファラジュの家に着くと、そこでもインターネット接続もモバイルネットワークもつながらないことがわかった。私たちは世界から切り離されている。ここで起きていることからさえも、切り離されているのだ。今頼れるものは、聞こえてくる爆発音、目に映る火災、そして身体に感じる地面の揺れだけだ。

ファラジュの居間には人が集まっていた。そのときになって気づいたのだが、父に古いラジオを返却したのは愚かな判断だった。ファラジュの家の最新設備と、アドハムの電気技術があれば、もうラジオは必要ないと思っていた。砲撃が激しくなっている今、ラジオを取りに実家に戻る値打ちはなかろう。「明日、私が取りに行くよ、ムハンマド」と私が言うと、「この空襲じゃ、明日なんてないさ」とファラジュが言う。

爆発音が大きくなるにつれ、ムハンマドはファラジュの携帯電話でラジオ信号をキャッチしようとがんばった。一時間ほどして、何とかラジオ局を見つけた。ニュースキャスターは地上侵攻の開始を報じ、通信が遮断されたことまで伝えていた。ムハンマドは笑って、「おかしいよね。今日ガザの人々と連絡が取れなくなったと彼らは言うが、昨日なら取れたのに、俺たちの誰にも連絡してこなかったじゃないか」

私たちは眠ろうとしたが、無駄だった。数分おきにベッドから飛び起き、さっきの攻撃はこのビルか隣のビルだったのかと考えた。眠りに落ちる前に覚えている最後の攻撃は午前二時半頃だった。朝六時、ありがたいことに目が覚めて、自分が生きていることがわかった。ファラジュはすでに通りに出ていた。何十人もの地元の男たちも外でおしゃべりをしている。みんな生き残って喜んでいる。こうした朝の集まりは一つの儀式になっている。一晩何とか生き延びたことを祝う儀式なのだ。ヤーセルが目を覚まし、腹が減ったと訴える。私は彼に卵を二つ焼いてやり、その後ファラジュにならって通りに出た。一時間ほど話し込んで、旧交を温めた――男たちの多くは学校時代の幼馴染なのだ。七時になり、私は実家の様子を見に行った。父はまだ寝ていたので、私たちは車でアーイシャの様子を見に行った。彼女は喜んで私たちを迎えてくれ、悪夢のような一夜の後で人と一緒に過ごせることを喜んだ。彼女は私たちに朝食と温かいお茶を用意してくれた。それから私たちは、私の妹のハリーマが無事かどうか確認するために車を走らせた。ハリーマはベイト・ラヒアの家を離れて、ファティマ叔母さんの住む建物の近くの空き店舗に移っていた。この狭くて暑苦しい場所に、九人が寝泊まりしている。彼女は、自分の家は破壊され、夫の親戚の家も破壊されたと告げる。二〇一四年の戦争で彼女の家は破壊され、四年かけてようやく再建したのだが、今回の戦争でまた破壊された。

義父が、病院にいるウィサームを見舞いに行くから乗せていってくれと言う。義父と一緒にウィサームと数分間過ごしたが、以前よりも意識がはっきりしてきたようだ。姉のウィダードによると、昨夜ウィサームは初めて食事をしたそうだ。これは朗報だ。晩にまた来るとき何を持ってこようかと彼女に尋ねると、「全脂肪のミルク」と返事した。

Day23
10月29日（日曜日）

みんな早く目が覚めた。午前四時五〇分頃、誰かが通りで「電波が戻った！　インターネットも！」と叫んだ。寝ている間にその叫び声を聞いたので、夢の一部だと思った。次に覚えているのは、ファラジュが私を起こしたことだった。避難しなければならないのだと思って、私は飛び起きた。弟のイブラーヒームから電話があり、妻のハンナに電話するよう伝えてほしいと言われたそうだ。「電話？」と言うと、彼はうなずく。夢じゃなかったんだ。私はハンナに電話した。彼女は嬉しくて泣いた。二晩も連絡が取れなかったのだから。

「そう、そうだ。ヤーセルは無事だ。眠っているよ。起こして話させようか？」

「いいえ、眠らせてあげて」

彼女は二日間のあいだ、ラマッラーの知り合いに一人残らず電話をかけて、ガザに連絡できた人はいないか問い合わせたそうだ。

通りは再び人であふれかえっている。何百人もいる。ほとんど誰もが外に出ている。まるでイード［祭り］のようだ。誰もが、別れている家族に電話をかけている。多くの家族がばらばらになっているのだ。たとえ数分間であっても、みんな幸せそうだ。攻撃が続いていて爆発音が大きくなってきたことも誰も気にしない。他に起きていることはいったん忘れて、親族の無事を確認している。本来は喪に服し、悲嘆に暮れているはずだが、ほんのいっとき電話で再会を祝う。

まだ朝の八時半だというのに、ファラジュは水タバコをやろうと言う。こんなに早い時間にタバコを吸ったことはない。たしなむのは夕食後だけだ。でも、今は非常時だ。これは一種の祝祭、集団的な大きな安堵のため息なのだ。

この夜は早く眠ったが、午後一一時頃、隣人たちの大声で起こされた。怪我人が出たので病院に運ばなければならないという。すでに怪我をした少年を運ぶのを手伝っていたユーセフに、何が起きたのか聞いた。少年が家の前に立っていたとき、頭上から石材が落ちてきたのだという。石は隣家の屋根のもので、空襲で建物が左右に揺れて落ちてきたらしい。少年を担いで、通りの端にある民間防衛隊の基地まで三〇〇メートルほど歩かなければならない。

三六時間にわたって携帯の電波もインターネットもつながらず、モバイル機器はまったく使えなくなった。だが、少年を運んでいて気づいたのだが、商人たちはすでにそれに適応している。ある若者は携帯電話の端末を大量に集めて、「ゲームをするのにぴったりだ」と言っていた。人々は茶化すことによって日々の生活を楽にしようとしている。

民間防衛隊に到着すると、電波が戻って以来、電話が殺到していると職員たちが言う。この三六時間のあいだ、彼らは救助がどこで必要とされているかを憶測して活動するしかなかった。救急車の運転手や警察官は、パトロール中に目の前の道路の真ん中に死体が横たわっているのを発見して愕然とした。何百という人々が瓦礫の下でまだ生きていて、必死で救援を求めている。瓦礫の下からメールを送った者もいて、それが今になってようやく届いたのだ。

昨晩、イスラエル軍がアル＝シャーティ難民キャンプとナーセル地区の建物を攻撃したとき、死傷者は三輪車で運ぶか、動物に牽かせた荷車に載せて運ばなければならなかった。私はアル＝シファー病院に向かう途中で、こうした荷車の脇から切断された手足が転がり落ち、地面に血をばら撒くのを見た。戦時下では、誰もがにわか衛生兵であり、誰もが即応態勢の救助チームの一員である。それでも携帯電話網が切断されてしまうと、もう誰も助けを呼ぶことができない。人々は精一杯の声を張り上げて隣近所に助けを求める。「ラサム・ハラワ通りで助けが必要だ。広めてくれ」と誰かが叫べば、隣の区画の誰かがそのまた隣の区画に向けて同じことを叫び、それが繰り返されて、区画から区画、窓から窓へと伝達されていく。やがて、その声は最寄りの民間防衛隊や救急隊まで届き、誰かが駆けつける。これはハリウッド映画ではない。ここはガザだ。フィクションではなく、ガザではこれが現実なのだ。

地上侵攻の噂は本当のようだ。アル＝シファー病院へ向かう車中、海岸から離れて東へ向かう人々を見かけた。子どもを背負い、他の持ち物を頭に載せた女性たちが、みんな軍艦の照準に入るところから逃げていく。しかし、どこに向かって？　東に行けば戦車が待っている。一〇代の少女が二人の弟の手を握り、もっと速く歩けとせかしながら引きつれている。一人の女性が立ち止まって、昨晩どんな地獄を体験したか話してくれた。「私たちは死神を見たのよ」と彼女は言う。大勢の人がジャラー通りに向かって南に下る道を進んでいる。だが、彼らは行き場を見失ったようだ。私たちはみなそうだ。戦車が北の国境から侵入してきて、アメリカンスクールに向かっている。戦車がやってくると、その進路にあるものは住宅も、樹木も、道路も、すべて破壊される。といっても、北部にはもう破壊すべきものがそんなに残っているわけではない。

アル＝シファー病院では、状況がさらに悲惨になっている。続々と運び込まれる怪我人の流れはいっこうにやまないが、彼らを処置する場所はもうない。前庭に併設されたその場しのぎの野戦病院でさえ、すでに収容能力を超えており、いたるところが臨時の死体安置所と兼用になっているようだ。医師たちは、どの負傷者を治療すべきか、悲痛な決断を下さなければならない。見込みがありそうならば治療を行なう。そうでない者は、運命の手に委ねる。だが、どれが正しい判断なのか誰も確信が持てない。勘に頼ってやっていくしかないのだ。

路上では、人々が絶え間なく四方八方に移動している。ある者はパンを買うための行列に並ぶために急ぎ、ある者は水を詰めたペットボトルを運び、ある者はUNRWAの学校の床に泊まりに行く、あるいはその帰りで、巻き上げたマットレスを担いでいる。三人の男が豆を入れたポットやファラフェルの袋を下げている。頭上には死の影が不気味にのしかかっているのに、どこもかしこも活気にあふれ、賑やかだ。パン屋の行列は朝が来るごとに長くなり、人々はどんどん自暴自棄になり、衰弱していくように見える。明日は少しはましになるのかなんて誰にもわからない。

市内を車で移動するのはほぼ不可能になった。瓦礫やクレーターのない道は少なくなっている。ある道を通り抜けようとすると、封鎖されていることがわかり、引き返して別の道を通ろうとすると、そこも大きなビルが倒れて塞がれていることがわかる。いつもならジャバリアからプレスハウスまで車で二〇分で行けるところを、今は一時間かかるかもしれない。その間ずっとガソリンのメーターを気にし続ける。もうじき、車を使うのは完全にあきらめることになるだろう。ガス欠で走れなくなるか、あるいは今走っている道路が両端で爆撃されるかだ。

Day24

10月30日(月曜日)

アーイシャの家ではガスが切れてしまった。起きた瞬間から、彼女はどうやってガスを補充するかで頭がいっぱいだ。夫のマーヘルはコーヒーをたてるために彼の父親のアパートに行かねばならない。みなで、懸命に解決策を考える。アーイシャは従来の立場を変えない。

「自分が教えている学校に避難民として住むのは嫌。あの場所はもう見飽きたわ」

私は疑義を唱えたが、彼女の決意は固い。それは選択肢の外だ。

「でも、この戦争で選択の余地がある者なんているのか？　みんな、否応なくやらされているだけだ」と私は問う。

ムハンマドは何度か電話をしたがつながらない。アーイシャに、サフターウィーの私のアパートには、キッチン用とボイラー用に二本のボンベがあることを伝える。その一本を取りに行きたいのだが、それは非常に危険だ。この一週間、私はアパートに戻らなくなった。以前は二、三時間立ち寄って、食事をし、自分のベッドで三〇分ほどくつろいでから、もっと安全な場所にある宿泊先の床で夜を過ごしていた。だが地上侵攻が始まって以来、ミサイルと戦艦砲がひっきりなしにサファターウィーを攻撃し続けている。「危険すぎるわ」とアーイシャは抗議する。

ウィサームへの見舞いの後でアル＝シファー病院から帰る途中、私たちは用心深くサファターウィー通りを走り、私のアパートがある通りへと左折した。ムハンマドとヤーセルがガスボンベを取りに建物に駆け込んだ。私は、ドローンの操縦士が私たちがアパートから避難しているだけだと思うように、ヤーセルがマットレスと枕を持ってビルから出ることを提案した。それによって操縦士が私たちを抹殺するのを思いとどまるとは限らないが（彼らは一時間ごとのノルマを課せられているに違いない）、どんな小さなことでも有利になるように全力を尽くすべきだ。

ムハンマドはボンベをきちんと取り外す時間がなかったので、付属しているゴムのパイプを切断して本体を肩に担いだ。車の中で待っている私には永遠と思われるような時間が経った後、二人がビルから駆け出してくるのがバックミラーに映った。ボンベを担いだムハンマドと、マットレスを頭に乗せ枕を手にしたヤーセルは、まるで銀行強盗でもしてきたかのようだ。

アーイシャは再びガスが手に入って有頂天になっている。「コーヒーもう一杯分ぐらいの働きはしたよね」と私は言った。彼女はコーヒーを淹れてくれたが、私は自分の分は飲まなかった。今夜こそは睡眠を取りたいのを思い出したのだ。

日中、イスラエル軍はガザ市の南にあるトルコ・パレスチナ友好病院を攻撃した。そこは、ガザで唯一、がん患者を治療できる病院だった。一週間ほど前、アル＝シファー病院の管理者たちは、負傷者の一部をこの施設に移すことを検討していると言っていた。それは優先順位の問題だ。新たな負傷者のためにもっと病床が必要なのだ。ウィサームはトルコ・パレスチナ友好病院に移管される人々のリストに載っていたはずなのだが、どういうわけかアル＝シファーに残された。見舞いに行ったときに、私は茶化して言った。

「おまえもあの病院に移動した患者の一人だったはずなんだ。そうしていたら、今ごろどうなってたと思う？」

「私は三週間前に殺されるべきだったわ」と彼女は苦々しく答える。「起こるべきだったのは、それよ」

アル＝シファー病院の内部にはまだ数人のジャーナリストが詰めている。彼らのカメラのレンズは揺るぎなく、負傷者が最初に到着する救急ホールの入り口に向けられている。ジャーナリストにとって、街に出るのは危険なことだ。アルジャジーラや他のアラビア語ネットワークで流れるガザの映像のほとんどは、屋上から撮影されたワイドショットだ。そして「西側」のジャーナリストは、ここには一人もいない。その空白を埋めるために、地元の市民ジャーナリストが出現している。この新しいジャーナリストたちが冗談めかして言うには、この仕事を見つけたのは単に自分たちの家への攻撃を毎回記録したからにすぎず、そのビデオが、現場記者を必死に探していた大手メディアチャンネルに渡ったのだ。例えば、アルジャジーラの主要特派員のうち三人は、市民から転身して病院を拠点とする現場記者となった。一人はアル＝シファー病院（ガザ）、一人はシャハーダ・アル＝アクサー病院（デイル・アル＝バラフ）、もう一人はナーセル病院（ハーン・ユーニス）だ。攻撃が激化したので、一般の人は動き回るのが難しくなっている。もしも「PRESS」と書かれた防弾ジャケットやヘルメットを身につけていれば、標的をまとって歩いているようなものだ。そういうジャケットを身につけていると、身につけていないよりも狙われやすくなる。彼らの戦略は単純だ――ニュースや報道がガザの外に出ることは許さない。残念なことに、経験を積んだジャーナリストたちは、大半がしばらく前に南へと向かった。そちらのほうが安全だと考えたからだ。馬鹿正直に。

今日のニュースの大半は地上侵攻に関するものだ。そんなものを見て何の意味があるのだろうと思い始めた。私たちはそれを見て、それを聞いて、その中に生きている。爆発音や銃声がやむことはない。私は、アル＝シファー病院からの帰り道、砲撃のリズムに合わせて車を走らせる。最初のうちは、いつなんどき砲弾が車を直撃するか知れない攻撃の中を運転することに恐怖を感じるが、それも次第に慣れてくる。それでも、一つの疑問がずっとつきまとう――やつらは、どこだ？　イスラエルの戦車のことだ。いろんな仮説や憶測や噂が飛び交っているが、どれも推量にすぎない。わかっていることはただ、区画ごとに、地域ごとに、ガザ市とジャバリアの立ち入り禁止エリアがどんどん増えていることだ。危険が大き過ぎる、もしくは物理的に侵入できないためだ。道も宅地も瓦礫に埋もれて判別がつかない。毎晩、横になるとき、次に目が覚めるかどうか、どんどん確信がなくなっていく。ベッドに入ることが、人生の終わりに備える終活のミニチュア版のように感じられる。

Day25

10月31日（火曜日）

朝になり、北部とガザ市に新たな攻撃があったことを知る。陸上侵攻が続くにつれ、ガザの街はどんどん縮んでいく。プレスハウスの支配人ビラールが、やや挑発的に聞く。

「そろそろ南へ向かう潮時かな？」

私の返事は変わらない。

「安全な場所などない。どこにいても同じだ」

それでも、少しは彼に歩み寄った。「リマール地区に軍隊が入り、表の通りに戦車が停まって、私たち全員が外に出され、銃口を突きつけて南へ向かって行進させられることになれば、そのときは移動するだろう。たぶんね」。このシナリオであれば、私たちがイスラエルのついた嘘を信じ込んで、逃げ出したところを殺される、ということにはならないからだとビラールに説明した。

「楽な道を選んでいるわけじゃない。むしろ、長くて苦しい道を選んでいるんだ」と言うと、彼はうなずいた。

昨夜は早く寝ようとした。冬は厳しく夜は長い。しかも砲弾と爆撃が続いている中では、夜が永遠に続くように感じる。日中は人に会い、話を交わし、自宅周辺の被害状況を見積もることもできるが、陽が沈んでしまえば、いま避難している建物がどこであれ、そこの囚人になる。電気も、テレビも、インターネットもなく、周囲の世界から切り離されてしまう。聞こえてくるのは、爆発音、途切れることのないドローンの騒音、F16戦闘機が通り過ぎる轟音だけだ。みんなの好きな時間は、ちょうど今のように、太陽が昇るときだ。そのとき、自分がまだ生きているとわかり、猛烈な一夜をまた生き延びたことに陶酔感を覚える。今日から一斉に時計の針が一時間後ろに戻され、夜明けを待つ長く苦しい時間の開始が早まることになる。

二時間もしないうちに、目が覚めると家全体が揺れていた。ムハンマドによれば銃撃戦が行なわれているらしく、彼はしばらく前から耳をすましている。彼は次のタバコに火をつけ、部屋を横切って、異なる音を聞き分けようとする。私はベッドに戻った。次の眠りは少し長く、爆発音で目が覚めたのは午前二時一四分だった。今度もまた同じパニック、同じ疑問（やられたのは、どこだ？）、そして同じ心配。私は再び眠りにつき、午前六時頃まで目覚めなかった。

アル＝シファー病院では、何十人もの人々が救急室の入り口に向かって私の横を走り抜けていく。自家用車や馬車や三輪車などで運ばれてきた新たな負傷者の搬入を助けるためだ。この人ごみの中を進んで行くのは大変だ。私はウィサームのためにピザを持参していた。ピザをのせた紙のトレイをクフィーヤ（スカーフ）で覆わなければならなかった。

ウィサームはこれまでのところ何も飲み込めていない。数日前に彼女が頼んだ全脂肪ミルクは吐いてしまった。昨夜、彼女はピザを頼んだ。私は笑って、「戦争中なんだよ。ピザ屋なんて開いていないよ」と言った。それでも私はめげずに、ずっと東のナファク通りにある巨大スーパーマーケットまで車を走らせ、モッツァレラチーズを見つけた。スーパーマーケットに商品はなかったが、客はあふれていた。一部の売り場は完全に閉鎖され、空っぽの棚が並んでいるだけだった。チョコレートやビスケットのようなものはあきらめよう。精肉コーナーも閉まっている。残っているのは乾物だけだ。米、パスタ、コーヒー等々。残っている品目の大半は調理しないと食べられないが、そのための電気は誰も使えない。

モッツァレラを見つけたのはラッキーだった。そこからアーイシャの家に行き、そこで一晩泊まり、早起きして彼女の土窯でピザを作った。彼女のところにはまだ燃料が残っていたのだ。私はイタリアに四年間留学していたので、おいしいピザの作り方は知っているのだが、アーイシャは自分で作るから私に細かく指示してくれと言い張った。

病院の外では、三人の男と一人の女が親族を失ったことを嘆いている。彼らの前には、亡くなった男の遺体が横たわっている。仮設テントの前の地面で、埋葬されるのを待っているのだ。このテントの右側の二メートルほど離れたところに、目を疑うような光景を見た。脳の一部が血の斑点が広がる地面に転がっているのだ。まるで小さなボールのようだ。新鮮なものらしい。吐き気をおさえながら歩き続けた。

ウィサームはピザが気に入ったようだ。名誉イタリア人である私の監督のもとに作られた、お墨付きのものだと自慢した。彼女が後で吐かずに食べたのはこれが初めてだ。隣のベッドで怪我をした娘に付き添っていた老婦人がすすめてくれたお茶も、彼女は受け取った。

最後に水を飲んでから六時間が経つ。プレスハウスに水の備蓄はなく、水道水しかない。通常、水道の水は飲用ではなく、そのまま飲むのはもちろん、お茶やコーヒーにも使わない。料理に使うこともない。ガザの水道水は、ものを洗うのにしか使わない。海水と同じくらい塩辛く、あらゆる沈殿物や微粒子が混じっている。しかし、のどが渇いてたまらない。コーヒー豆と一緒に煮沸すれば我慢できるだろうと、自分を納得させる。戦時にはいつもと違う論理がある。塩分だって煮ているうちに少しは蒸発するだろうと自分に言い聞かせてみる。とにかく喉が渇いた。そういうわけで、そんなものを自分が作るなんてありえないようなコーヒーをたてて、飲んでみる。だめだ、飲めない。一時間後、ムハンマドがボトル水を持ってきてくれた。まだ売っているスーパーがあると誰かが教えてくれたのだ。

戦闘が近づいている。イスラエル軍が西と北から近づいてきている。私のアパートがあるサフターウィーに近いトワム地区で、銃撃戦が繰り広げられていると報じられた。防衛ラインが後退しているため、人々は家を離れることを余儀なくされている。防衛ラインの向こう側では、戦車砲、空爆、軍艦、迫撃砲がすべてを破壊していると聞く。部分的にせよ被害を免れた建物は一つもない。

「さあ、どうする?」ビラールが私に言う。「プレスハウスの前にやつら(軍隊)が現れるまで待つのか?」

「どんな選択肢があるというんだ?」ジャーナリストのアブー・サアドが割り込んでくる。「南へ逃げるのか? 人々は、どこに行っても殺されている。南部の家も、ここと同じように狙われている」

私もそう思う。イスラエル人でさえ、重視するのは「ダメージ」であって「正確さ」ではないと認めている。彼らの「ダメージ」追求のために、私たちはただ死ぬのだ。私たちが下す決断には、拠って立つようなロジックがない。ほんの数ブロック先で射撃が行なわれる音が聞こえてくる。今さら念を押すまでもなく、いつ何時、最後が訪れてもおかしくないのだ。一時間ほどの間、私たちはリラックスしてニュースを見ようと努力した。銃声と爆発音を除いては、他の何にも注意が向かない。

プレスハウスのスタッフの一人、アフマドが、大きなボトル水を持ってやってきた。彼はみんなのためにお茶をいれる。私にとっては、それはお茶ではなく、喉の渇きを癒してくれる液体だ。私は紅茶が好きではない。めったに飲むことはなく、伝統的なアラブの朝食(ザアタルとオリーブオイルとナブルスチーズ[白い塩漬チーズ])とともにしか飲まない。だが今日ばかりは、紅茶は世界で一番おいしい飲み物だ。弟のイブラーヒームから電話があり、私がジャバリアにいないことを確認してきた。イスラエル国防軍がジャバリア難民キャンプの東側を攻撃しているというニュースがあったからだ。

「どこが攻撃されたんだ？」

「アジョール・ベーカリーの裏だよ」

私はまだリマール地区にいると言うと、イブラーヒームは、今夜ジャバリアへ車で戻るときは気をつけるように、西側の入り口も攻撃を受けているから、と警告する。戦車がキャンプの西にあるトゥワームとサフタ－ウィーに発砲しているらしい。いざとなったら、東側からキャンプに入る道を探そう。そのためにはナズラを通り抜けてジャバリアに回り込まなければならない。帰宅のたびに、新しいルートを考えなければならないのだ。

Day26
11月1日（水曜日）

昨日、イブラーヒームから電話でジャバリアにいるかどうか聞かれたとき、爆撃がこんなにひどいものだったとは知らなかった。昨晩、リマール地区から北に向かって車を走らせジャバリアに向かう道すがら、途中で車の一台も、歩行者の一人も追い越すことはなかった。耳をつんざくような銃声と爆撃音があちこちから聞こえていたのに、それは不気味だった。ガザはいつも人でごった返している。こんな光景は見たことがなかった。

サフターウィーに近づくと、イスラエル軍のロケットやミサイルの残骸が道路脇に転がっているのが見えた。切断された電線が道路に垂れ下がり、レンガやコンクリートの塊が道に散らばっている。私たちはゆっくりと、道路をジグザグに運転しなければならなかった。集合住宅も、オフィスも、庭も、スーパーマーケットも、すべてが腹を切り割《さ》かれたかのように内容物が道路にこぼれ落ちていた。このルートを進むのはばかげている。やはりジャバリアをいったん迂回してナズラを通り、東から回り込むルートを試す必要がある。それが当初の計画だったのだが、私の「ハーラ」（居住区域近）が襲撃されたという最新情報が入ってきたので、できるだけ早く家に戻りたかったのだ。息子のヤーセルを置いてきたので、電話をしたが連絡が取れなかった。ムハンマドがイブラーヒームに電話したときも、ヤーセルは彼の傍にいなかった。イブラーヒームは、襲撃の一〇分前に彼を見たと言っただけだった。

海岸とジャバリア難民キャンプを結ぶ道路の右側に目をやると、懐かしい私のシカモアの樹があった。この樹がまだ立っているのを見て、不思議な安堵感が私を襲った。樹は私と同じくらいくたびれているようだった。ぐしゃぐしゃになり、擦り切れて、それでもまだ生きている――私のように。

これは攻撃ではなく、皆殺しだ。まるで戦争映画の最終シーンのようだ。すべてが破壊されている。五〇棟ほどの建物が倒壊していた。そのほとんどが二階建てか三階建てだった。この界隈の標的になった区域は完全に消滅していた。自分の目が信じられなかった。建物は互いにもたれかかるように潰れていた。まるで眠りに落ちてもたれかかったが、それによって隣の建物も倒してしまい、もはや両者の区別がつかなくなっていた。ジャバリアの名物であった古い裏通りや狭い路地は、すべて消滅した。すべてが一つに溶けてしまった。ここはスナイダ地区と呼ばれる場所で、一九四八年にデイル・スナイダ村から避難してきた人々が住みついた地区だ。この村は、ガザ地区の北端にある国境のすぐ北に位置している。エレツ国境検問所を通って出国できる少数の幸運なガザ住民にとっては、検問所を通り過ぎて最初に左手に見える場所がこの村だ。

スナイダ地区はほとんどが全壊した。私はこの場所を自分の手のひらのように熟知している。すべての建物を知っているし、それぞれの建物に誰が住んでいるかも知っている。誰が誰と結婚して、何人子どもがいるかも知っている。彼らの諍いも、自分の家族のことのように知っている。ここは私の街だ。ここで生まれ育ったのだ。消滅した路地の多くは、私の子ども時代の重要な場面が展開した場所だ。一つひとつの路地で起きた物語を、何十も語ることができる。私は心の地図に、それらの路地を再び描き、境界線を引き直し、建物をスケッチし直すことができる。建築家と一〇〇億ドルを私にくれれば、ゼロからつくり直してみせよう。

ハーラというものは、建物や道路だけでできているのではなく、そこに住んだことのあるすべての人々の、すべての思い出と、そこに長い時間をかけて育まれた人間関係で構成されている。自分が生まれた場所というだけでなく、その場所独自の物語が自分のそれと溶け合った場所なのだ。そこは自分の一部であり、自分もそこの一部なのだ。この場所についての何かを人に話すと、いつも聞かれる。「なぜ知っているの？」

答えはいつも、「私のハーラだからさ」。

それは私が生まれる前に起きたこと、あるいはナクバ以前にまでさかのぼることかもしれない。時には自分でも、なぜ知っているのかわからない物語もある。私の唯一の説明は、私がこの土地の人間だということだ。

ヤーセルは無事だった。幸い、標的になったエリアにはそれほど近くないところにいた。ヤーセルが父の家の近くの路地を歩いていたとき、石積みが周囲に崩れ落ちてきたという。頭を手で覆いながら、一番近い大通りへと走った。みんなが同じ方向をめざして走っているところへ、戦闘機が立て続けに九発のミサイルを発射した。あたり一帯を囲み込んで「炎の環」ができた。何が命中したのか正確にわかるまで一〇分はかかった。煙と粉塵がすべてを覆いつくし、みんな何も見えなかった。人々は粉塵の中を走り回り、飛んでくる爆弾の破片や落ちてくるコンクリートに当たって怪我をしたりしないように必死だった。

私は二時間ほど救援活動を手伝い、生存者の捜索や遺体の収容にあたった。誰もが自分の役割を果たしている。私が参加したグループは、廃墟の真ん中で素手で瓦礫を掘り返していた。ハーラの友人であるラーイドは、実家への攻撃を生き延びたが、今は家族の探索に懸命だ。彼は、爆撃されたときに家族が座っていたに違いないと思う場所を指さす。「いつもは、この二つの部屋のどちらかに座っているんだ」と、かつてその二つの部屋だったと推測されるコンクリートの山を指さして説明する。私たちは素手で石やコンクリートの塊を取り除き始める。コンクリートの下には本がたくさんあった。ラーイドが言う、「やっぱりそうだ。ここが居間だ。この本は親父のものだ！」。一瞬、私は本の表題を読まずにはいられなかった。突然、私たちは髪の毛に触れた。どうやら女性の頭部のようだ。慎重に扱わなければならない。一〇分ほど瓦礫を引っ掻き回して、まわりのじゃりや砂を取り除くと、やがて切断された頭部と胸部を取り出すことができた。それを毛布の上に置き、残りの遺骸を探し続ける。一時間ほど作業しても、ばらばらにちぎれた遺体の一部しか回収できなかった。腕の一部。指が数本。脊髄の一部と脚。シュールな世界だ。誰かが鋤を持ってきてくれたので、私はさらなる遺体を探して掘り返した。ラーイドは、残りの遺体はこの下にあると確信している。

数メートル東で誰かがうろたえる声が聞こえたと、若者が叫ぶ。「シーッ！」と誰かが叫び、声を聞き取るため沈黙させる。確かに、誰かがこちらの世界と話そうとしている。次の仕事は、足元から聞こえてくる音の正確な発生源を突き止めることだ。私たちが瓦礫に開けた穴から酸素を供給するため民間防衛隊に要請すると、すぐさま隊員が到着した。一時間後、その青年は救出され、病院に運ばれた。あたりはすっかり暗くなり、私は疲れ果ててしまった。両手は汚物で真っ黒、服もぜんぶ汚れている。家族の家まで歩いていくのもやっとで、そこで顔を洗い、古い水で服を洗おうとした。身体は汗まみれで、何かに汚染されたような気がする。新鮮な空気を吸おうと屋上にのぼった。もう耐えられない。屋上に寝転んで空を眺めながら、何百もの答えのない質問を投げかけた。

眠りたいが眠れないとわかっているので、再び通りに出ていき、攻撃が起きたときたまたま近くにいた人たちの話を聞いた。いつものように夕方にそこを歩いていたら、殺されていたかもしれない。幸運なことに、そのとき私はプレスハウスにいた。ハンナは、ヤーセルと話をしたので今は落ち着いている。とはいえ、ヤーセルが話したのは今さっき見た恐怖の出来事についてだった。

ファラジュの家に戻って、私たちは黙って座っていた。いま目撃したことが信じられなかった。戦争が終わるころには、私たちの仲間は全員殺されてしまうだろう、みんなそう考えていた。誰ひとり残らない。三時間にわたって私たちはおしゃべりを続けた。亡くなった知り合いの名前をわかち合い、その人物についての思い出を語り、古い記憶を呼び覚ました。話しているうちに、最近は消息が途切れている旧友たちのことを思い出し、まだ生きているのだろうかと考えた。アドハムはいとこを二人亡くした。上の息子は奇跡的に生き残った。彼は携帯電話で息子と話そうとしたが、息子は今、話すことができない。彼は大きなトラウマを負っているのだ。実のところ、私たちはみんなトラウマを抱えている。

今朝はとても早い時間にプレスハウスに着いた。支配人のビラールとアブー・サアドは戸外に座って日向ぼっこをしている。アブー・サアドは外国のパスポートを持っており、ラファの国境検問所から出国する許可を今日受け取った。彼の名前はエジプト側のリストに載っている。彼は南へ向かうため、家族の者たちが荷物をまとめるのを待っている。私たちは彼の知らせを喜んだ。彼の兄弟はウクライナのパスポートを持っており、モルドバに直行するという条件付きで出国を許可された。ラファに向けて出発するための呼び出しを待っている。彼は一つの戦場から別の戦場へ行くのだ。ガザからキエフへ。

車が窓から白い旗を突き出してコーニッシュ通りを走り去っていく。プレスハウスの前に座っているのはビラールと私だけになった。いつもは端から端まで人であふれているシャハーダ通りに、今は誰もいない。怯えた犬が近くで吠えて、付き合ってくれるだけだ。私はビラールに言った。「自分がいなくなっちまった。アーティフが恋しい。自分でいたい」

Day 27
11月2日（木曜日）

アドハムは昨夜の空爆で息子のアベドを失った。アドハムと私は隣り合って横になり、眠ろうとしていた。真夜中頃、大きな爆発音が近隣を揺るがした。私はマットレスの上に座り、膝を立て、両腕で抱え込んだ。アドハムはタバコに火をつけ、私に尋ねた。

「今のやつ、どこだと思う?」

「遠くないね」と私は言った。「あそこかな」

私は南側にある建物を指さした。手がかりがあるわけではなく、近いような気がしただけだ。こんなときは暗闇が敵だ。こんな一撃があった後は、ほどなく若者たちが通りに出てきて、今起きたことの情報を集めようとし始める。アドハムがタバコを半分も吸わないうちに、下の通りから声が聞こえ始めた。私の親戚で地声の大きいアラブが、今のはハーラの南側だったと言っていた。私たちは二人とも窓際に行き、下の連中と質問を交わした。空気は埃だらけで、煙のために息苦しかった。

私たちが建物を出る頃には、さらに多くの人が街頭にいた。みな、携帯電話の明かりをかざして埃の先を照らしていた。まるでキャンドル・ビジルの集会のようだ。どこが攻撃されたのか、誰も知らなかった。「お宅の近くだった?」と誰もが尋ねるが、そうだと答える者はいない。私たちは、粉塵と煙が一番濃密にたちこめるほうに歩き、発生源を突き止めることにした。アラブの言う通り、それは南の方角だった。私たちは目だけでなく鼻も使って、煙の発生源を追跡した。ハーラの中でももっとも狭い路地に導かれてきたので、慎重に進まねばならない。救急車の音が近づいてきた。この時点では、アドハムは他のみんなと同じように救援にあたっていた。彼はこの路地を熟知しており、攻撃された建物は車が入れない区域にあると感じている。このあたりでは、幅が一メートルに満たない路地もあった。

この二週間、アドハムは私の夜のルームメイトだった。戦争が始まった最初の週に、彼は家が一部損壊したため、そこを離れた。彼の妻は何人かの子どもを連れて実家に移り、残りの子どもたちは祖母や叔父の家に移った。長男のアベドは、つい二日前にイスラエル軍がジャバリアで行なった大虐殺の目撃者だった。あの夜の大虐殺の数少ない生存者の一人だったので、私は何人かのジャーナリストに話をしてもらえないかと頼んだのだが、彼は父親の携帯電話を介して、話すことができないとメールしてきた。アドハムの説明では、アベドは事件から六時間経っても話すことができなかったのだ。ひどいトラウマのせいだ。

私たちが突き止めようとしていた昨夜の空爆は、アドハムの実家を直撃していた。アベドは死んだ。祖母も死んだ。叔母も死んだ。アドハムは一瞬にして三人の家族を失った。私たちはみな、救助隊がよく見えるように携帯電話のライトを灯し続けた。私は、まだ眠そうな目をした少年（たぶん一〇歳くらい）の手を取り、救急車に乗せようとした。彼はとても疲れた声で、「放っといて」と言う。

「ママを待ちたいんだ」

「お母さんは大丈夫だよ」と私は言う。

「そんなことない。どこにいるの？」

しばらくして、一人の女性が担架で運ばれていく。私たちは男の子を連れて、その女性の身元を確認する。母親じゃなかった。一五分後、彼の母親が瓦礫の中から引き上げられた。生きていた。彼はようやく救急車の中に入ることに同意し、彼女の横に座った。

一時間半前、また攻撃があり、私たちの通りの東端にある「アンバール」と呼ばれる五階建てのビルが破壊された。前日の蛮行を免れた数少ないビルの一つだった。その隣のビルも被害を受けた。この二棟の間には一五〇人ほどが住んでいた。被害の状況に心を痛め、瓦礫の下に隠されたすべての命に思いを馳せていたとき、不思議な記憶がよみがえった。「アンバール」ビルの一階には、アドハムの兄弟が経営する有名な床屋があった。シャラウィ理髪店という店だ。二三年前に結婚したとき、私はそこで髪を切ってもらった。

この二日間は、これまででもっとも多数の死者が出た。昨夜、日没の一時間前に、私はジャバリア難民キャンプのファルージャ地区に住む友人たちに電話をかけてみた。最終的に、二人の友だちとフェイスブックで交信することができた。誰の家が被害を受けたかを自分で確認するため、私は車でその地区に向かうことにした。ジャバリアの大虐殺から息つく暇もなく、イスラエル軍はキャンプの西側にあるファルージャ地区を攻撃し、一八棟の建物を破壊し、約一〇〇人を殺害した。瓦礫の山が巨大すぎて遺体の回収作業が遅々として進まず、死者の正確な数はいまだにわからない。

一〇年以上の努力の末にようやく子どもを授かったばかりのマルワンは、この爆撃で父親と姉妹、彼女たちの家族を失った。マルワンが大きなコンクリートの塊の上に座っているのが見える。彼の顔は黒い汚物で覆われ、服も汚れている。彼の目に浮かぶ涙は、小さな石の連なりのように見える。私は彼を抱きしめた。彼は泣いている。幸いなことに、彼の妻は子どもを連れて実家に身を寄せていた。彼は、巨大な瓦礫の山の一つを指さし、家族八〇人が瓦礫の下で行方不明になっていると、泣きながら私に説明してくれた。彼の父親は、ビルに到着したときに爆弾が直撃し、ビルに踏み入れる前に亡くなったと思われる。まるで地獄のような光景だ。マルワンを助ける言葉はない。多くの人々が廃墟のさまざまな場所に座り込み、泣いている。日が沈んで、私はファラジュの家に行き、彼とアドハムと一緒に無言で座りながら、その日の唯一の食事をとる。

昨日、私はパンを見つけるのをあきらめるしかなかった。多くの友人に電話して、余分なパンはないか、あるいは手に入れるのを手伝ってくれないかと頼んでみた。ある友人は、私とビラールに一斤ずつ入手すると約束してくれた。プレスハウスで何時間も待ったが、彼はもう電話に出てくれなかったので、結局あきらめた。その代わり、ひまわりの種とナッツを買って、これが今日の食料だと自分に言い聞かせた。ムハンマド、ヤーセル、私の三人でそれらを頬張りながら北に向かって車を走らせていると、ビラールから電話がかかってきて、ついにパンが届いたと告げられた。直ちに私たちは引き返し、ビラールのオフィスで待っている貴重なお宝を取りに行った。

今朝、アーイシャの夫マーヘルの妹夫妻と三人の子どもが、ザイド・ロータリーの近くにある彼らの家を狙った攻撃で全員死亡したと知った。彼女はUNRWAの学校の教師だった。私はアーイシャとマーヘルに会いに行ったが、マーヘルはそこにいなかった。彼は父親や兄弟と一緒に墓地で親族を埋葬していた。

日ごとに、街は前日よりも悲しく見える。希望を見出せるものは何もない。私たちはみな疲れ、苦しんでいる。

Day28
11月3日（金曜日）

アル＝シファー病院に朝早く行くのは初めてだ。ここに避難している人々の大半は、いまだ地面の上で眠っている。シーツをかぶっている人もいれば、少数の幸運な人は自宅の残骸から持ち出すことのできたマットレスの上に横たわっている。病院はまだ目覚めていない街のように見える。廊下を歩くと、いたるところで人が寝ているので、どこに足を踏み入れていいのかわからない。

階段を移動するのはさらに難しい。もはやそこは民家になっているようだ。廊下のつきあたりの片隅で、若い女性がまだ寝ている子どもたちのためにサンドウィッチを用意している。小さなパンの塊にチョコレートを塗りつけている。彼女が持ってきたヤカンから湯気が立ち上り、いつもの朝の風景を私に思い出させる。この光景の単純さが、日常性への憧憬を掻き立てる。寝ている人々の間をつま先立ちで進みながら、彼らを見下ろしているうち、おそらくこれが数週間ぶりの休息なのだろうと気づく。緊急治療ホールのテレビカメラさえも眠っている。

ジャバリアから出発したのは午前七時半だった。サフターウィーを通り抜け、ジャラー通りを下ってリマール地区に向かって走った。戦争にしては、ごく普通の朝だった。数軒のパン屋が営業しているようで、店の外には見たこともないほど長い行列ができていた。

いまや私は、ガザ市とジャバリア難民キャンプの両方にあるすべてのスーパーマーケットと食料品店の名前と住所を覚えている。ここ数週間で、行ったことはおろか、聞いたこともなかった店やスーパーにも足を運ぶようになり、この道のエキスパートとなった。しかし、在庫が減るにつれ、まだ営業しているスーパーや食料品店の数も減っている。ある日入ったスーパーが、次の日には閉まっていたということも日常茶飯事だ。現在、ガザ全体でまだ営業しているスーパーマーケットは、両手の指で数えられるほどしかない。大きなスーパーの中には、小さなスーパーの残りの在庫を買い上げて営業を続けているところもある。もちろん、閉店した店の多くはまだ品物でいっぱいなのだが、店主たちは店を開けておくのは危険だと感じている。まだ開いている店で買い物をする者には、日に日に選択肢が減っていく。

それと並んで、露天商や彼らが売っている街角にも精通する必要がある。彼らはポップアップ方式のスークのようなもので、ロバに引かせた荷車に野菜を積んで売っている。私はこれらも全部知っている。ジャラー通りの北の端にある屋台、アル＝シファー病院の外の屋台、ナーセル通りの屋台、ファミリー・ベーカリーの近くの屋台、そしてナファク通りの巨大スーパーマーケットの近くの屋台。この四週間、私はそのほとんどの店で野菜を買ってきた。まだ売られている野菜の種類は限られてきている。ジャガイモ、トマト、ピーマン、キュウリ、ナス、タマネギ、そして運が良ければズッキーニ。

薬局の名前と場所もすべて把握しなければならない。とはいえ、今は全部閉まっているのだが。そして、これら全部（スーパーマーケット、食料品店、露天商、薬局）とは別に、精通すべきもっとも肝心な分野が残っている――ベーカリーだ。私自身は、ジャバリヤからガザ市に至るまでのすべての道路にある営業中のベーカリーを記憶している。

今夜、イスラエル軍はガザ市と北部ガザ県を南部から完全に孤立させたと言われている。ガザ市とワーディー・ガザを結ぶ海岸沿いの街道であるアッ＝ラシード通りを戦車がパトロールしている。アッ＝ラシード通りは、ガザでもっとも美しい道路の一つだ。ガザ市民が一人でぶらぶらと歩き、海と夕日の眺めを楽しむのが好きな場所だ。そこを歩いていると写真を撮らずにはいられない。この通りは、アッバース朝の有名なカリフ、ハルーン・アッ＝ラシードにちなんで名づけられた。アラブ世界に繁栄と知識、科学をもたらした指導者であり、偉大なベイト・

アルヒクマ（「知恵の家」）を創設した人物だ。でもいまや、この通りは激しい破壊の舞台と化している。ガザ市と北部ガザ県を、ガザの残りの地域（ワーディー・ガザより南）とつなぐのは、東のサラーフッディーンと西のアッ＝ラシードの二本の大通りだけだ。あとは農民だけが使う未舗装の細い道が二、三本あるだけで、それ以外には何もない。

イスラエル軍は昨日、リマール地区のすぐ北にあるアル＝シャーティ難民キャンプ上空からビラを撒き、キャンプから退避するよう求めた。ビラには、約束どおり「圧倒的な力」による攻撃を行なう前の、これが最後の警告になるだろうと書かれていた。ビラの色は赤だった。これまでのビラも色付きだった。第一弾は緑色、第二弾は黄色だった。私たちの生命と運命は色分けされているらしい。しかし、これはイスラエル人が昔から使う戦術だ。例えばパレスチナ人の誰かがエレツ検問所を通過しようとすると（そんな特権のある人は、ほとんどいないだろうが）、イスラエル兵たちはその人物の危険度をカラーコードによって判断する。名前の下に引かれた線の色が、その人物がイスラエルにとってどの程度の脅威なのかを示しており、ゆえに通過が許されるかどうかも示している。同様に、西岸地区では、パレスチナ人がイスラエル人入植地やイスラエル国内（ほとんどの仕事がここだ）で働くために労働許可証を申請する場合、自分の名前を彼らのウェブサイトで確認することができる。緑色で書かれていれば就労は許可されている。黄色なら検査中。赤ならあきらめろ。そしてもちろん、どんな色が付けられていても、それに抗議する手段はない。私たちが「死のビラ」と呼ぶようになった例の警告文は、同じように馬鹿馬鹿しいほど単純だ。

アル＝シファー病院からナーセル通りを車で走ると、北に行くほど銃声が明瞭に、そして鋭くなる。空は煙でいっぱいだ。シェイク・ラドワンに入ったあたりで、このまま進むのはもう安全でないと悟った。イスラエル軍はアル＝シャーティ地区とその周辺の道路に集中砲火を浴びせているようだ。最近みんなが話題にしているのは、アル＝シファー病院に戦車でのり込んだイスラエル軍の意図だ。「ニュー・ガザ」と呼ぶ人も出てきたように、この病院にはいまや四万人もが移り住んでいる。だが、彼らが集まったのは癒しのため（シーファは癒しを意味する）ではなく、爆撃を避けるためだ。

昨日、ワーディー・ガザの南にあるブレイジュ難民キャンプの集合住宅が襲われ、ファラジュの妻の親族が全滅した。彼女の母親、二人の兄弟、二人の姉妹。この全員が、子どもたちも含めて殺された。幸運なことに、ファラジュの妻はブレイジュで家族と二週間過ごした後、ラファの国連シェルターに移っていたので、生き延びることができた。ファラジュが彼女と話して慰められるように、三時間にわたって私たち全員が彼女に電話をかけようとしたが、電波が弱すぎた。

昨夜は早く寝るつもりだった。しかし、息子、母親、娘を失ったショックからまだ抜け出せないでいるアドハムは、泣くのが止まらなかったので、間に合わせにつくった寝室に一人で閉じこもった。残された私たちはニュースを聞いたり話し合ったりしたが、心の中では彼のことを考えていた。今は放っておいたほうがいいと、私は言った。他人の同情なしに、自分ひとりで泣くことが必要なときもある。夜一〇時頃、私は部屋に入り眠った。午前二時半頃、アドハムが電気をつける。彼は眠れないと言う。二時間ほど話をした後、私は眠らなければと彼に告げた。午前五時、窓の下から通りが活気づくのが聞こえてくる。行列でいい場所を確保しようとパン屋に向かう人、ソーラーパネルのある家を探してバッテリーを運ぶ人、親戚の家で寝た後、マットレスを担いで自宅に戻る人。野菜売りはキュウリがあるぞと呼びかけ始める。ミルク屋はおらず、菓子屋もない。戦争は選択肢を与えてはくれない。

Day29

11月4日（土曜日）

死が間近に迫ってきたのは、日没間近のことだった。死は私を抱きしめて、片道旅行へと連れ去ろうとした。そのとき私は、友人のムハンマド・モカイアドと話していた。彼は怪我をした妻の看病のため、アル＝シファー病院に滞在している。ウィサームを見舞った後、病院の正門近くで彼と出会った。一〇分ほど立ち話をしてから、祈りの言葉を交わし再会を約束したそのとき、ミサイルが病院の正門に命中した。

それは私が立っていた場所から七、八メートル離れた場所だった。その少し前まで、私は教師をしていたころの知り合いの青年と立ち話をしていた。彼はアル＝シャーティ難民キャンプの出身だが、今は家族とともに病院に避難している。彼は、ヤーセルと一緒にここに移ったらどうかと言ってくれた。戦時中の典型的なやりとりだった。それから私は、また歩き始め数メートル行ったところでムハンマドに出会った。そのとき、爆発音が聞こえた。もちろん、私たちはいつでも爆発音を聞いているし、それはいつも数メートルのところで起きたように感じられるのだが、今回は本当にそうだった。

みんな飛びあがり、思い思いの方向に逃げた。爆撃がどこに落ちたのかわからなかったのだ。それから空を見上げて、噴煙の流れをたどると、門のあたりに行きついた。人々は大声で叫びながら、走っていた。攻撃があったとき、ちょうど出勤しようとしていた多くの救急車が、方向転換してドアを開いた。五台の救急車が、怪我人の救護にかけつけた。この門の周辺は、家族連れ、セールスマン、車両、ジャーナリスト、医師、看護師などでいつもごった返していて、この新しい、ありえないほど人口過剰な仮設の「都市」に行き来するときに通り抜けなければならないボトルネックとなっている。イスラエル軍はそれを承知の上でここを爆撃したのだ。逃げなければならないが、いったいどこへ？　ムハンマド・モカイアドは、これが「炎の環」の最初の一撃かもしれないと恐れていた。そうだとすると、彼らはこの一画の反対側の端も攻撃するだろう。北側の端、そして東側の端を攻撃し、そうして囲い込まれたエリアの内側にあるものを全滅させるのだ。「輪の外に出よう」と彼は私に向かって大声で言った。通常、この輪は四方を幹線道路で囲まれた正方形のブロックだ。そこで私たちは北に向かって全力疾走した。幸いなことに、このときの攻撃では「炎の環」がつくられなかった。東のジャラー通りに向かって車を走らせながら、もしも何らかの理由で、昔教えていた若者とおしゃべりを続けていたならば、今ごろはもうお陀仏だったなと考え続けていた。

後で聞いたところでは、この攻撃で一六人が死亡し、救急車も複数が損傷したという。ハンナに電話して、ウィサームと連絡が取れたかどうか聞いて、彼女の無事を確かめた。

私はウィサームがさらなる治療を受けるためにエジプトに送られることを願い続けている。現在、毎日のように新しい患者が治療のためにラファ国境を通ってエジプトに運ばれている。ウィサームの名前もそのリストに載っている。彼女は今日が出発の予定だったのだが、短いメモで明日になるかもしれないと告げられた。延期の知らせに彼女はがっくりした。アル＝シファー病院では麻酔なしで治療が行なわれるからだ。彼女は一日じゅう、痛みに悲鳴を上げている。彼女にとって最悪の瞬間は、看護師が傷口を拭いてくれるとき、あるいは追加の手術を受けなければならないときだ。彼女は、シナイ半島にあるアリシュ病院に搬送する準備はすべて整ったと聞かされていた。しかし、海岸沿いのアッ＝ラシード通りがイスラエル軍の戦車砲にさらされて以来、ラファ国境に向かう動きはこれまでになく鈍化している。昨日の午後、数十人がアッ＝ラシード通りを下って南へ向かう途中で殺された。道路に散乱した彼らの切断された遺体（あるいは遺体の一部と言うべきか）の映像は衝撃的だった。彼らはただ、イスラエル軍に求められた通りに南に向かっていただけだ。だが、その褒美は粉々に吹き飛ばされることだった。

さらに衝撃的だったのは、サフターウィーの小学校から送られてきた映像だった。私の部屋からほんの百メートルほど南にある学校で、私の二人の子ども、ナエムとヤーセルが六年間通ったところだ。今では、この一帯はあまりに危険で少し近寄ることもできない。戦車は西のトゥワームやスダニアからやってくる。サフターウィー通りからジャバリア難民キャンプに向かって車を走らせることさえ、最近では非常識なことだ。ムハンマドは通常、この道を走るのを拒否するのだが、私に言わせれば東側からジグザグに回り込んで誰にでも見える場所で時間を費やすほうがもっと危険だ。

ミサイルが直撃したのは、二つ並んだ学校（女子校と男子校）のうちの一つだった。両校には何百もの家族が避難していた。彼らの家は西部の海岸寄りの地域にある。攻撃されたのは男子校のほうで、亡くなった子どもたちの大半もその学校の生徒だった。子どもたちは算数を学ぶ代わりに死ぬことを学んだのだ。回収された死体に、完全なものは一つもなかった。彼らは痕跡も残さず抹消された。その光景は、まるで自分の仕事が大好きな肉屋の店先のようだった。彼は楽しみのために切り刻んでいるのだ。

ニュースが多すぎて、きちんと追うのは難しい。こんなときにできることは、まず自分の身の安全を確保し、それから身のまわりの人たちの面倒を見ることだけだ。サフターウィーの学校での大虐殺と並行して、別のミサイル攻撃が、インドネシア病院（北ガザ県の主要な医療施設）に近い別の学校を襲った。この攻撃による榴散弾の破片や建物の残骸が、病院の多くの病室を貫通した。多くの人が亡くなったが、その数はまだわかっていない。ファラジュから、「ブリンケン国務長官の中東歴訪と、イスラエルの攻撃が激しくなったこと、特に学校や病院を狙っていることとの間に何か関係があると思うか」と尋ねられたが、私は何も答えられなかった。

プレスハウスに戻り、コーヒーをいれた。お湯は沸騰させない。ガスを食いすぎるし、ボンベが空になっても補充する場所がないだろうと心配になってきたのだ。お湯が温かい。それで十分だ。戦時において、味は問われない。飲むものがあるだけで十分だ。昨夜、私はパンを手に入れることができなかった。友人たちも一切れ分けてくれることができなかった。代わりにマカロニを茹でて塩を加えて食べた。最低限の食事だったが、私たちは美味しく食べた。それで十分だった。「明日はパンを手に入れるぞ」と私はヤーセルに約束した。さて、これを書いている今はもう、問題の「明日」の正午だが、どうやってパンを確保すればいいのか見当もつかない。開いているパン屋は少なく、まだ営業しているパン屋の前にはこれまでにないほどの長い行列ができ、誰もが自分の家族を優先している。一日を終える頃に、果たして私たちのためのパンはあるのだろうか？　ないとすれば、何か他の食べ物を考えなければならない。まだマカロニの小袋が一つある。それがあるだけでも私は恵まれている。しかし、私たちがいかに恵まれているかをヤーセルに納得させるのは、また別の話だ。

今朝、ファフーラの複数の学校が爆撃され、一二人が死亡した。そこはジャバリア難民キャンプの北西部に位置していて、二〇一四年の戦争でも同じ学校が攻撃された。何百もの家族がそこに住んでおり、その人々は学校に冠された国連のロゴが自分たちを助けてくれると信じていた。なんという世界だ。

Day30

11月5日（日曜日）

昨夜の空爆で左足を負傷した。今のところ、空爆にもっとも接近した体験だった。それは午後七時頃のことだった。私たちはファラジュの家からそう遠くないところに車を停め、あとは家まで歩いて行くつもりだった。すると、そこに父親の姿を見つけた。彼は二〇メートルほど離れた五階建てのアパートにある異母妹アミーナの部屋に向かうところで、暗闇の中で一人で階段を上るために助けを求めていた。ヤーセルがその役を引き受けて、彼の手を取って付き添っていった。ヤーセルが戻るのを待っていると、道の向かい側を旧友のファフリーが横切るのが目に入り、声をかけて立ち話をした。ファフリーは私より年上だ。彼はこの界隈ではもうあまり見かけなくなった、まだ左翼政党に所属している人物の一人で、つい前の晩にも私に向かって、真の左翼は決して宗教的な派閥に所属を変えることはない、なぜなら宗教派閥は本質的に右翼的だと考えているからだ、と説明していた。彼は以前の仲間たちが最近になって急に宗教心に目覚めたことを揶揄していたのだ。私が声をかけると、彼は今トイレに行くところだからすぐ戻る、と言った。その「すぐ」が、彼を死に追いやり、私を死から遠ざけた。

突然、私の目の前でミサイルがけたたましく破壊的に炸裂した。炎の壁が私を貫き、煙が立ちこめた。気がついたときには、私は砂煙の中に立っていた。私は逃げようとした。大量の瓦礫が私たちに降り注いだ。両手で頭を覆い、細い道を南に向かって駆け抜け、身を隠せるものを探した。いつのまにか靴をなくしてしまった。私は裸足で、弟のムハンマドとイブラーヒームと並んで走った。二〇〇メートルほど走ったところで、息が切れて立ち止まらなければならなかった。ひと休みすると、飛散した瓦礫やコンクリートに直撃された建物から人々が叫び声を上げて逃げ出してくるのが聞こえた。しばらくして、私は車に向かって歩きながら靴を探した。それまで何も感じなかったが、そのとき初めて、足に温かいものがついていることに気づいた。血だった。大量の血だ。私はそれを手で拭い、狙われた家々に向かって歩いた。五棟の建物は完全に崩壊していた。通りを挟んだ向かい側の家々もほとんどが損壊していた。救急車がまだ到着しないので、私たちは自力でやらなければならない。私の親戚のファドの家が出火していた。半分倒壊していたので、中に入るのも難しかった。何人かが、中に入るために側壁を引きはがしにかかった。誰かが敷地の外で、木の傍の瓦礫の下に人がいると叫んだ。私たちはみな、コンクリートやセメントを取り除こうと全力を尽くした。恐ろしいことに、そこに倒れていたのはファフリーだった。死んでいた。救急車が到着し、民間防衛隊もやってきた。

私たちはファフリーを担架で運んだ。ファドは彼の家のドアの近くで見つかった。幸い、顔のまわりに落ちていた瓦礫を取り除くことができたので、呼吸ができるようになった。一〇分後、彼を助け出すことができた。しかし、彼の妻のマハーと五人の子どもたちは消息不明だ。マハーはハンナのいとこでもある。彼らはみんな爆撃後の火事で死んだものと思われる。それ以前にやられていなければだが。もう一人の私の親族、ニハーという女性も、彼女の寝室で横になって死んでいるのが発見された。そのビルは通りの反対側にあったが、標的になったビルから飛んできたコンクリートのまぐさ石が直撃したのだ。

私は突然、とても疲れた気分に襲われ、あまりのことに打ちのめされ、耐えきれなくなって目眩がしてきた。ムハンマドは、私を助けて瓦礫から降ろし、車まで送ってくれた。彼は私を連れて病院に行こうと提案したが、他の人たちが腕や足を失っているのに、こんな小さな傷で駆け込むのは馬鹿げているように思えた。「自分で何とかするよ」と言って、彼を安心させた。ファラジュの家に着くと、傷口を水で洗い、布で覆った。私が傷に包帯をまいている間に、他の者たちは大忙しだった。ファラジュの家は一部損壊していた。窓ガラスはすべて吹き飛ばされ、鏡や写真、ドアまでもが床に散乱していた。床一面がガラスの破片で覆われ、他の残骸も散乱していた。アドハム、ファラジュ、ヤーセル、ムハンマドの四人は、私たちが寝られる場所をつくるため、懸命に掃除してくれた。彼らはただ黙々と働いていた。

私は今日のほとんどをプレスハウスのベッドで横になって過ごしている。傷口の痛みが増してきたようだ。もう一度、傷口を洗い（今度は塩水だ）、新しい布で覆う。一日じゅうほとんど何もせず、ただ休息して前日の出来事を心の中で再現していた。もし私が死んでいたらどうなっただろう？　誰がヤーセルの面倒を見てくれる？　私は道を渡ってファフリーのところへ行こうとしていた。数秒後に瓦礫の下敷きになっていたのは私だったかもしれない。ほとんど一日じゅう、眠って過ごした。ジャバリアに戻る途中、ウィサームに会いに病院に寄る。階段を上るのがとてもつらい。気が遠くなりそうだ。病院は何も変わらず、ただ死傷者が増え、苦痛が増し、死者が増えただけだ。病院管理者たちは、死体安置所として使われていた脇の白いテントを撤去し、臨時の遺体収容施設に取り替えた。しかし、遺体の数があまりにも多いため、コンテナに収容しきれない多くの遺体が外の地面に置かれている。死んだ後でさえ、場所が見つかればラッキーなのだ。閉所恐怖症を感じながら、私は空を見上げ、そこにあるものを思い出す。

かわいそうなハンナ。次から次へと失われていく。今度はいとこだ。もう一度、私は電話で彼女が何度も泣き叫ぶのを聞いた。私には慰めてやる言葉がない。そんなもの役に立たないとわかっているからだ。ファラジュの家に戻る前に、アーイシャの家で少し休んだ。毎日のように、私たちは悲しみが深まっていく。

Day31

11月6日（月曜日）

今朝、友人のムハンマド・アル＝ジャージャが家族もろとも殺された。ニュースを聞いたときには、とても信じられず、泣いてしまった。昨日、プレスハウスで一緒に過ごしたばかりだった。彼は私の面倒を見てくれて、負傷した足の手当ても手伝ってくれた。この四週間、ムハンマドは「ＰＲＥＳＳ」と記した青い防弾ジャケットを着てプレスハウスにやってきては、私たちと一緒に座っていた。彼はジャーナリストとしてだけでなく、福祉団体や救援団体でも働いている。彼はこの戦争のほとんどの時間をパン屋やスーパーマーケットとの交渉に費やし、ＵＮＲＷＡの学校に避難している人々にパンや食料品を届けようと奮闘してきた。こうした仕事の合間を縫って、私たちは状況の深刻さをじっくり考察し、過去の猛攻撃の記憶と比較して、戦争が終わった後の将来の計画を練る時間をひねり出していた。でも、もう彼には待ち望むべき未来はない。本人にもその家族にもだ。昨日、私はプレスハウスの玄関で彼と立ち話をし、ナーセル地区にあるアパートには泊まらないほうがいいと勧めた。あそこは危険すぎる。彼が住んでいる部屋はアル＝シファー病院と同じ通りにある建物の二階だった。ビラールは彼に、その晩のうちに家族を連れてプレスハウスに移るように言った。

ムハンマドはその考えを一笑に付し、去り際に「また明日」と言った。

ウィサームを訪ねたとき、病院の外の地面に、前の晩のアル＝シャーティ難民キャンプとナーセル地区への攻撃の犠牲者である数十の遺体に混じって、彼の遺体が横たわっているのを見た。私は最初、それがムハンマドだとは気づかなかった。ただ彼の青い防弾ジャケットを見て、「なんてこった、またジャーナリストが殺られた」と思っただけだ。彼かもしれないとは思いもよらなかった。「そんなはずはない、昨日も一緒に過ごしたばかりだし、その前の日も、前の週もその前の週も一緒だったのに……」

これで昼休みにパンを借りる相手がいなくなった。この一週間、ムハンマドは毎日予備のパンを五束持ってプレスハウスにやってきて、友人つまり私たちに配ってくれた。だから一週間以上、私はパンの心配をするストレスから解放された。もちろん、彼だってパンを買いそびれることもあり、手ぶらでやってくる日には罪悪感を感じていた。「大丈夫だよ、人はパンがなくても生きていける」と私は言ったものだ。さて、これから私たちは彼なしで生き延びなければならない。今、私は携帯電話に入っているムハンマドの写真を見ながら、前日の会話の続きをしている。戦車が倉庫に戻り眠りについた後の時代に対する彼の不安と野望。彼は妻と子どもを連れてヨーロッパで休暇を過ごす計画を立てていた。

「まるまる一カ月は過ごすつもりさ」と彼は言った。

「移住を考えているのか?」私は驚いて尋ねた。

「いや、将来はガザのほうがいい」と彼はきっぱりと言った。本気だった。彼は人生とキャリアのすべてを、ガザとガザの人々を助けることに捧げていたのだ。

ビラールと一緒に座って、何も言わずに長い時間過ごした後、私は沈黙を破った。「一人たりない。この部屋には三人いた。今は二人だ」

私たちは三銃士のように、自分たちは戦車が玄関先にやってくるまでは断固ここに踏みとどまる覚悟であり、退去するのは手錠をかけられて(あるいは結束バンドのほうがありそうだが)強制的に追い出されるときだけだと想像していた。イスラエル軍がガザ市と北部県から私たちを退去させる目標を達成するのに手を貸す意味もいわれもない。南に行ったところで、同じように危険なのだ。保健省によれば、死亡の42パーセントは南部で起きている。昨日も、その前の日も、イスラエル軍のスポークスマンは、市民は午後一時から四時の間にサラーフッディーン通りを通って南へ避難することができると発表した。多くの人々がこの指示に従ったが、それでも避難の途中で爆撃されて殺された。イスラエル軍はいつでも「安全保障上の配慮」を持ち出すことで、これまで言ってきたことをすべて反故にすることができる。道から外れたり、立ち止まったり、兵士の疑いを招くようなものを持っていたりすれば、突然「安全上の配慮」の対象にされるかもしれない。また、いつ何時、それまで使っていた車や交通手段を捨てて、そこから三、四キロの道のりを徒歩で歩かされるかもしれない。男性はイスラエル兵に服を脱ぐように言われ、下着一枚にさせられたという報告もある。こうした屈辱的な扱いを見聞きして、多くの人が北部に戻ることに決めた。

アル＝シファー病院の五階の窓から見下ろせば、想像を絶する光景が広がっている。死体がそこらじゅうにばらまいたように横たえられている。カメラ取材班が取材対象者のまわりに群がっている。少女たちの一団がおもちゃで一緒に遊んでいる。一組の男女が家族のためにテントを張り、自分や子どもたちのためのスペースを確保しようとしている。三台の救急車が到着し、昨夜の襲撃による死者をさらにもっと運んでくる。床屋の屋台の前には一〇人以上の男たちが列をつくり、散髪の順番を待っている。若い女の子がヒジャーブのずれを直している。一時間ほど、私はこの新しい町、アル＝シファーを見渡していた。アル＝シファーは、かつてガザとして知られていた都市からの難民でつくられた町なのだ。

昨夜の大空襲で、アル＝シャーティ難民キャンプは北部のほとんどが消滅した。看護師の一人が負傷した男性に尋ねた。

「何が起きたのですか？」

「覚えていない。思い出せる最後のことは、台所の携帯用給水ボトルから水筒に水を詰めていたことだ。部屋には一五人いた」と彼は言う。

その夜の間に、F16戦闘機がファラジュの家のすぐ近くにあるヤーファ・モスクを攻撃した。こんな近くに攻撃があっても、もう慣れっこだ。私たちのアパートには、どの窓にもガラスが残っていない。最後の窓ガラスも昨晩の攻撃で吹き飛ばされた。ドアもちゃんと蝶番についているのは一つもない。轟音も、爆発も、硝煙も、火災も、すべてもう普通のことになった。午前二時一五分だった。窓の外を見ると、ほどなくして煙が空に昇っていくのが見えた。今回は瓦礫の飛散はなかった。怪我人も出なかった。少なくとも私たちのアパートでは。家は前の晩の損傷でまだぐちゃぐちゃだが、生活していくには問題ない。私は睡眠に戻った。正直なところ、私はこの生活スタイルに慣れてしまった。可能なときはいつでも枕に頭を沈め、眠れるうちに眠っておこうとする。どうせ、次の爆発で目が覚めるまで長くは続かないのだから。今できることを最大限に活用しなければならない。

今朝起きてから、何にもあまり集中できない。プレスハウスにいると、今にもムハンマド・アル＝ジャージャがやってきて、ニュースやジョーク、そしてパンを届けてくれるんじゃないかと考え続けてしまう。

ガザ市はどんどん小さくなっていく。日が経つごとに、私たちが利用する空間、動き回り、眠り、呼吸する場所がどんどん狭まっている。スーパーマーケットが減少し、パン屋が減少し、食料品店も、薬局も、大切な人たちも数が減っていく。街は縮小し、煙と粉塵の中に消えていく。瓦礫と残骸にがんが転移したかのように、そこらじゅうに病気が広がっていく。ガザ市はまるで、被写体がフェードアウトしていき、背景だけが残った写真のようだ。

Day32

11月7日（火曜日）

ガザ市は急速に空っぽになり、流出がおびただしい。生鮮食料品はほとんどなくなり、店に残っているのは乾物や非生鮮食品だけである。給水所に並ぶ人の列はさらに長くなり、人々の姿は消えていく。ガザ市や北部県にとどまる市民は大半が都市の中心部に住んでいる。そこならば戦車の侵入も起こりにくく、攻撃されにくいだろうと彼らは考えているのだ。中心部から離れたところや小さな町や村は、ほぼ完全に避難が完了している。住民たちはもうこれ以上は攻撃に耐えられなくなっている。ベイト・ハヌーンやベイト・ラヒアといった場所は、今はまさにゴーストタウンのようになっていると聞いた。

ジャバリアの町やジャバリア難民キャンプの東部地区、またもっと新しいキャンプ西地区のカラーマ、ティワーム、ムハーバラート・タワーズ、サフターウィーの西部地区もそうだ。ベイト・ラーヒヤーより西側にある海岸沿いの地区、特にスダニアとアームーディーもそうだ。どこも閑散としていると友人から聞いた。ガザ市に限って言えば、南部地区はほとんどが空っぽで、特にシェイフ・イジュリーン、タッル・アル＝ハワー通り、ゼイトゥーン地区の一部などがそうだ。アル＝シャーティ難民キャンプも今では半分からっぽになっているし、ナーセル地区の多くの部分も同様だ。それとは対照的に、残りの地域は以前よりずっと人口密度が高くなっている。ガザ北部では、ジャバリア難民キャンプが相変わらず活気にあふれており、ナザールの町とジャバリアの町を結ぶ道路は、住む場所を失ったガザの人々の避難場所となっている。ジャバリア難民キャンプは引き続き、F16による空爆に一日数十回はさらされているが、人々はむしろ戦車のほうを恐れている。ただ、この地域は戦車が入ってこられないほど住宅が密集していると彼らは考えているのだ。

ガザ市でもっとも重要な避難所は、もちろんアル＝シファー病院とその周辺だ。人々はこの病院を一つの町のように扱っている。報道によれば、現在四万人のガザ人が病院とその周辺に住んでいるという。それに加えて近隣の建物や学校にはさらに数千人が居住している。近くのアル＝シャワー文化センターという、劇場と図書館のスペースでさえ、一〇〇〇人以上が詰め込まれている。病院周辺のどの通りにも、両側の歩道に沿ってテントが張られ、必死に居場所を求める避難家族に新しい家を提供している。ジャラー通りにも、ナーセル地区に近く西側は戦場になっているにもかかわらず、人々が密集している。リマール北部やナーセル南部には、ガザ市中心部にかけての市街地にはまだ人が住んでいる場所がある。シュジャイヤ、トゥーファ、ダラジのような場所だ。この三つの地域は、「戦闘地域」となったゼイトゥーンと合わせて、「旧市街」とでも呼ぶべきものを形成している。戦闘があったにもかかわらず、ゼイトゥーンの中でもウマル・アル＝ムフタールの大通りに近い地区は、いまだに生活が存在する証しとなっている。

どうやら、これらのエリアは、周辺が現在イスラエル軍に支配されている中で、一種の「飛び地」を形成しているようだ。戦闘レベルは地区によって異なる。西部は非常に苛酷で激烈だが、北部はより安定しているようで、戦車がサラーフッディーン大通りを完全掌握してからは特にそうだ。人々はこうした飛び地に退避し、そして再び退避することを繰り返している。現在、こうした飛び地の面積は、避難してきた人々が普段暮らしていた地域の三分の一以下になっている。

新たに出現した「安息所」でさえ、絶え間ない砲火にさらされている。避難してきた人々にとって、問題は「どこなら安全か」ではなく、「どこなら危険が少ないか」なのだ。

これに加えて、まだ営業している店でも、あらゆる種類の果物や野菜がすっかり店頭から姿を消している。ガザ地区の農業地帯のほとんどがイスラエル軍の完全な支配下にあるためだ。二〇一四年の侵攻のときと同じように、戦車やブルドーザーが耕地を踏み荒らし、すべての作物、果樹園、灌漑システムを破壊している。もちろん農民の家屋も破壊している。まだ蹂躙されていない農耕地は、ハーン・ユーニスの東側とワーディーの南にあるマワースィーの西側の地帯だけだ。しかし、ガザ地区が南北に分断されたことで、南の農産物は新たに囲い込まれた北には届かない。これに加えて、ほとんどの貯蔵品や輸入品もいまや手が届かない。それらは、イスラエルとの東部国境に沿って設けられた工業地帯の倉庫に置かれており、完全にイスラエルの支配下にあるからだ。

食料の調達はどんどん骨の折れる仕事になり、ほとんどの場合、実を結ばない。街はますます狭くなり、生活はますます困難になっている。今日もほとんどのパン屋が閉まっている。数少ない営業可能な店の外には、何百人もの行列ができている。かつては四時間待ちだったものが、今では七時間以上かかる。眠りにつく前に考えるのは、明日の食べもののことだけだ。正確に言えば、何を食べるかではなく、どうやって食べるかだ。

昨晩、ジャバリアの町の中心街に肉を探しに行ったが、到着が遅かったので肉屋はどこも閉まっていた。夜は何か美味しいものを用意すると、私はファラジュに約束していた。最後に赤身の肉を食べたのはいつだったか覚えていない。一〇日ほど前に鶏肉は食べたが、赤身肉は食べていない。私はファラジュに小麦粉を買ってくるように頼んだ。

「小麦粉？」

「そうだ、いいから信じてくれ」と私は言った。

今夜はツキが回ってきたらしく、七面鳥を売っている屋台を見つけたのだ。男はテーブルのまわりに群がる人々から注文を取るのに忙しそうだった。私たちが待っている間に、助手が七面鳥を屠殺し、もも肉、胸肉、手羽肉に切り分ける。どの部位でも注文に応じて一定の限度までは売ってくれる。私は何とか一キロ半の肉を手に入れることができた。

私たちは、まだ完成していない二階の床で火をおこした。私は小麦粉に水と塩を混ぜた。ムハンマドの助けを借りて、その生地を塊に分け、焼き上げる準備を整えた。火の上に金属の一片を置くと、それは熱せられて手作りの「フォルノ（かまど）」になった。小さなパンを二〇個焼き上げ、それからスライスしておいた七面鳥の調理を始めた。巨大な鍋を火にかけ、玉ねぎと胡椒を炒めてから肉を混ぜた。キッチンからスパイス類を持ち出してきて、私たちは食事をした。これが薪だけで作る料理「サージヤ」だ。なんというごちそうだろう！

今朝、私たちの街は古いヒロシマの写真のようだった。廃墟と瓦礫が延々と広がっている。まだちゃんと立っている数少ない建物から外を見ると、なんとも不思議な気分になった。アル＝シファー病院の前で、負傷した二人の男性がロバが牽く荷車の上に横たわっていた。三台の救急車が前夜の襲撃による死体を五つ運び込み、その後を追っかけて一人の女性が叫んでいる。「私の息子はどこ？」

誰も答えられない。息子が亡くなったことを悟り、彼女は泣き続ける。

ヤーセルが、なぜ野菜屋にはレモンしかないのかと尋ねる。

「レモンしかないからだよ」と私は答える。

「でもさ、それ、みんな何に使っているの？　レモネードだってペットボトルの水が必要なのに、そんなものもう誰も持ってない」

私は微笑んで、二日前の晩にアーイシャのところでスープを作るのに使ったジャガイモが、ガザ地区で最後のジャガイモだったかもしれないねとヤーセルに言った。

Day33
11月8日（水曜日）

昨夜、初めて弟のムハンマドのいびきが恋しくなった。いつもなら、彼のいびきがやんだときはいつでも、そのとたんに爆発音や爆撃音がはっきりと意識されるようになる。ここ数日は、彼のいびきが一種の慰めになっていた。爆発のたびに襲ってくる恐怖の中で、私の相手をしてくれたのだ。暗闇に横たわりながら、私はしばしばロケット弾の金属音とそれに続く爆発音を数え、それに続いて砲弾が当たった場所を推理するゲームにふけってしまう。弟のいびきだけが、この暗い強迫的なゲームから私を引きはがし、正常に近いところへ連れ戻してくれる。睡眠を取ろうとする男が、同じ部屋で寝ているもう一人の男のいびきに悩まされるという、正常な感覚へと。彼のいびきを聞くと、他の音はいっさい忘れて、この単純で自然な煩わしさで頭がいっぱいになる。皮肉なことに、このイライラが私をこの現実から逃避させ、結果として眠りにつかせるのだ。

しかし昨夜は、困ったことにムハンマドはいびきをかかなかった。最初は、これが普通なんだ、彼には沈静が必要なんだと自分に言い聞かせていた。しかし、一時間経っても彼はいびきをかかない。私は彼を起こして眠り方を変えさせ、もっと深い、いびきをかく眠りに入るようにさせようとした。いびきをかくのは寝ている姿勢のせいだと言われる。そこで私は彼に寝返りを打たせようとした。もうロケットのことは考えたくない、もうたくさんだ、一息つかせてくれ。ある意味、私は彼にいびきをかくよう懇願していたのだ。でも彼はそうしてくれない。

昨日はほとんど何も食べなかった。チョコレート一枚と、ヤーセルが車の荷台で見つけたビスケットを二、三枚だけだ。スーパーマーケットがあり、買うものがあった古い日々の名残だ。コーヒーを一杯飲んだ。他には何もない。ファラジュの家に着くと、小さなパンを二つくれた。私は大丈夫、とお腹が空いていないふりをして、一つはヤーセルにあげたが、もう一つはファラジュに明日の朝食用に取っておくように言った。夕方には、前日に茹でておいたトルモス（ルピナスの種）を食べ、オレンジの皮を剝いたが、熟していなかったので半分しか食べなかった。それが昨日の食事だった。

出勤する前に、友人のサリームと彼の母親に、彼の弟マージドの死を悼みに行った。マージドは最近、イスラエルの刑務所で、兵士に投薬治療を拒否されて亡くなった。ここ数年、彼はがんを患い、特別な治療を受けなければならなかった。戦争が始まった後、彼はイスラエルで他の多くのガザ出身の労働者とともに逮捕された。刑務所では、兵士たちが彼の薬を取り上げて捨てた。彼は死んだ。いつ死んだのか、誰も正確には知らない。私たちが彼の死を初めて知ったのは、他の労働者たちがイスラエルの刑務所で数週間を過ごした後、ガザ地区南部に強制送還されたときだった。最初、この労働者たちの何人かが、彼が死んだことをメールで報告してくれた。他の人々は、彼はまだ生きていると、相反する証言をしていた。今日になって、イスラエル当局が正式にパレスチナ自治政府に彼の死を報告した。

彼の母親の望みはただ一つ、埋葬される前に息子に会うことだ。つまり、彼の遺体をガザに持ち帰ることだ。それが今日の状況ではいかに不可能なことであるか、彼女は知っている。だが、母親としての心はそうではない。

今朝リマール地区に向かう途中、開いているパン屋はなく、スーパーマーケットや食料品店も一つも開いていなかった。路地裏の屋台でさえ、すべて閉まっている。ナズラの町まで戻って、まだ開いている小さな店を探す。そこで、ヤーセルにチョコレートやお菓子、ビスケットを何でもいいから買ってくるように頼んだ。車に保管しておいて、他に何も見つからないときに食べるためだ。私たちの横を、一台の車がふらふらと走り抜けていく。死体らしきものを乗せて、アル＝シファー病院に向かっているようだ。空爆から数日経ってから多くの死体が発見された。ビラールが鋭い眼差しで私を見る。

「あとどれくらいだ、アーティフ？」

私はその眼差しの意味を知っている。戦争は私たちのどちらが予想したよりも長引いている。

「いったい、いつ?」彼が何を言いたいのか、私にはわかる。私は降参した。明日になったら、南へ向かう計画を立てよう。ヒロイズムはいらない。「銃口を向けられて引きずり出される」こともない。三銃士ともさよならだ。おそらく明後日には実行する。一緒に行動することを約束する。もう選択肢はない。亡くなった友人、ムハンマド・アル゠ジャージャには考える時間がなかったことを、彼は私に指摘する。もう躊躇している時間はない。すると次に浮上する疑問は、南部でどこにとどまり、どうやってやっていくのかだ。ワーディー・ガザを渡れば、多くの困難が待ち受けている。

プレスハウスでこれを書いていると、外の通りから男や女や子どもの叫び声が聞こえてくる。何が起こっているのかと、表玄関に出てみた。何百人もの人々が所持品を抱えて通りを走っていく。「いったい、何事だ?」と尋ねると、一人の男性がそれに応えて、彼らはみな、海岸沿いの魚市場に近いUNRWAの学校に避難していたのだと教えてくれた。通りに戦車が入ってきたので、退去せざるをえなかったのだそうだ。戦車とブルドーザーが近づいているから、気をつけるようにと私たちに言う。彼によると、戦車は現在、プレスハウスからわずか五〇〇メートルのところまで迫っている。この通りの西の端では、戦車が進むのにじゃまだという理由だけで、多くの人が殺されている。別の男性は、戦車とブルドーザーが学校近くのモスクやまわりの別荘を破壊しているのを見たと言う。「やつらは何もかも燃やしてしまうんだ」と、彼は走るスピードを落とさずに叫んだ。

2章——包囲網

Day34 11月9日……… Day44 11月19日

Day34
11月9日（木曜日）

昨日がプレスハウスでの最後の日だった。私は自分の所持品をまとめ、この場所に別れを告げざるをえなかった。もう戻ることはないないだろう。あの界隈はすっかり人がいなくなり、戦車がほんの二本先の通りまで来ていた。プレスハウスはもう長くもたないだろう。ほとんどの人は数日前に出発していた。市の中心街をめざして東に進む人々の流れを見たとき、リマール地区のこの地域は終わったのだと直感した。では、次はどこへ？　私は荷物をまとめにかかった。この三週間、ビラールと私が日勤を担当するのに対して「夜勤」（寝る場所として使う）で駐在していたワディア一家は、すでに荷物をまとめて出発の準備を整えていた。ビジネスで成功をおさめ、ガザ、アンマン、カイロに数多くのオフィスを持っていたにもかかわらず、彼らは突然ホームレスになったのだ。戦争状態の中では、どれだけのものを所有しているか、どれだけの金を持っているかいないかは、関係なくなる。金で安全は買えないし、平和や中立も買うことはできない。標的はいつも同じ――おまえの魂だ。兵士たちは命令とノルマを与えられ、目標を設定されている。

イスラエル軍は常に、自分たちの任務が、ガザ地区全体の民族浄化であることを知っていた。ある地区に侵入したとき、「二〇〇六年にハマスに投票したのは誰だ？」とか、「将来、ハマスに投票しそうなのは誰だ？」とか聞いて、その対象者だけを「浄化」するようなことはしない。彼らが浄化しようとしているのはハマスではない。アラブ人なのだ。私たちを見かけたら、殺すか強制退去させるか、どちらか早いほうを選ぶだろう。選択の余地はない。死ぬか、去るか。平和的にここにとどまりたい、占領者に迷惑はかけないと約束するという訴えはできない。多くの人は選ぶことすらできず、ミサイルの餌食になる。

私は、ノートパソコン、書類、充電器、そしてドレスシューズを持ち出した。ドレスシューズは最初にここに着いたときに、公式の機会のために裏庭に放置していたものだが、一度も使う機会はなかった。一カ月以上、私はスニーカーで走り回っており、その赤と白のストライプが、いまや私の正装の一部になっている。「走り回る」というのは、言葉のあやではない。ここでは落ち着いて歩いている者はいない。走るのだ。例えば、私は荷物を抱えて車にむかって走り、ムハンマドは冷蔵庫に走って食べられそうなものは全部持ち出した。半分になったパンの包み、オレンジジュースの瓶、タマネギの半分など。とうとう車で出発したとき、誰も振り返らなかった。

そのときは気づかなかったが、朝になって、アル＝シファーに、かつてリマール地区に住んでいた四人の男の死体が横たわっているのを見つけた。そのうち二人はアブー・シャアバーンの家族だった。彼らは、有名な野菜店がある建物の地階に住んでいた。私は毎晩、プレスハウスを出るときに彼らに挨拶していた。私たちはしばしば言葉を交わし、心配事や願い事を交換した。最後にここを出発したときも、私は彼らに手を振り、彼らが荷造りに追われているのを見た。私は短い希望の言葉を叫び、戦乱が終わったらまた会おうと約束した。こんなにも早く、こんなにも恐ろしい再会をすることになろうとは。

シャハーダ通りはリマール地区に残る最後の生活の砦の一つだったが、いまやゴーストタウンと化している。美しい並木が続くこの通りに、人影はない。この三〇日間、私たちはみな、この古典的な地中海の通りに出現した活発な戦争コミュニティの一員だった。だがいまやそこは放棄され、戦車が狼藉の限りを尽くすにまかされている。

誰もが東に向かっているようだった。彼らはウィフダ通りにあるヤルムーク運動場に向かっているのだと、誰かが言っているのを聞いた。アル＝シファー病院にはもう空いた空間はなく、周辺のシェルターも同様だった。イスラエル兵は、アル＝シファーからも退去するよう避難民に命令していた。

昨夜、私は父親をファラジュの家に滞在させるために連れてきた。彼は私の実家で一人きりになっていたからだ。彼の妻は息子（私の異母弟のムーサー）を連れて引っ越していった。異母妹のアミーナは、四階建てのアパートに宿泊するのはもう安全ではないと思ったのだ。だが父はそこにとどまることを望み、私は反対したが聞き入れてもらえなかった。実家の建物は、四方を他の高層ビルに囲まれているため、もしどこかのビルが攻撃されれば、彼の住む建物も被害を受けるだろう。私が粘り強く主張した結果、父はファラジュの家で私たちと一緒に過ごすことになった。

午後一〇時半頃、父に起こされた。彼は咳き込み、喘ぎ、私に覆いかぶさって立っているのがやっとだった。病院に連れていってくれと父は言った。彼は呼吸器系の病気を抱えている。今どこかに移動することは難しいと、私は彼に告げた。

F16戦闘機は動くものすべてを攻撃する。猫でさえ攻撃されたと聞いている。救急車を呼ぼうにも電波が届かない。アドハムは、父の呼吸を助けるために薄いプラスチック板で扇ぐことを提案した。アドハム、ヤーセル、私が交代でそうした。私は父の傍に座り、三〇分ほどプラスチック板を振っていた。二時間ほどして、彼は気分が回復してきて、トイレに行きたいと言う。「これはいい兆候だ」とアダムは言った。

やがて父は落ち着いたが、私は眠れなかった。病院に電話できないことを思うとパニックになり、自分自身で連れていかないと決めたことが恥ずかしくなった。もし彼が死んでいたら、そう判断した私はどうやって生きていけばよかったのだろう。たとえ私が何とか彼を病院に連れていったとしても、この七〇代後半で簡単な治療が必要なだけの男性には誰も関心を示さなかっただろう。他にすべきことが山積しているのだ。

　今朝、ビラールからのテキストメッセージで目が覚めた。昨日の朝、彼がプレスハウスから退避して以来、彼と連絡を取ることができずにいた。メッセージは別のネットワークの新しい番号からだった。彼に電話すると、シェイク・ラドワンの実家に滞在していると言う。

「アーティフ、どんな計画を立てているんだ？」と彼はいつものように尋ねる。

「待つよ」。私のお決まりの返事だ。

「何を待つんだ？」

「待って様子を見ることができることは何でも」

　結局、私たちは二日後に会い、そのときに次のステップを決めることにして電話を終えた。つまり、昨日の南下計画は延期することになったのだ。

　アル＝シファー病院の外には、死体が長い列をなして並べられている。多くの死体が、身元確認され、家族によって埋葬のために運び出されるのを待っている。ロバの荷車が三体の部分的に焼け焦げた死体を運んでくる。電気ショック死と思われる三人の美しい青年。そのうち一人の頭部は切断されていた。顔は毛布で覆われている。一人の足は奇妙な角度にねじれている。革靴は真新しい。まだ磨かれたばかりのように光っている。首を切られたとき、彼の指は何かをしていたようだ。手を振っているような、あるいはギターをかき鳴らしているような。まるで洋服屋の窓ガラスに倒れこんだ美しいマネキンのようだ。

　帰り道、シェイク・ラドワンにある店でファラフェルを買うために四〇分並んだ。これが私たちの今日の食事だ。

Day 35
11月10日（金曜日）

現場の状況は日に日に悪化している。今朝は、ガザ市のアル＝シファー病院へ車で行くのにここを通ればいいと知った小さな路地を通ることができなかった。ジャバリア難民キャンプとガザ市を結ぶ大通り、例えばサフターウィー通りなどは、もちろんとっくに封鎖されている。だから私は、迂回してジャラー通りの北端まで行けるように、ナズラの町の小さな路地や道を試した。しかしナザールからジャラー通りに抜ける道を半分ほど来たところで、立ち止まらざるをえなくなった。通りには私以外に誰もいない。すべての建物が空っぽのようだ。四方から爆発音が聞こえる。これ以上進めば、戦場のど真ん中につっこむことになるだろう。前方のビルに戦車の砲弾が突入していくのが見える。爆発音が近づいてくる。撤退しなければならない。車の向きを変えなければならない。

今朝は、予定通りにウィサームに温かい食べ物を持っていくことができなかった。私は鶏肉を買うために、夜明けに市場に行った。期待してはいなかったが、まさかの鶏肉が見つかった。

私は妹のアーイシャに、ウィサームに持っていくための鶏肉を一羽料理してもらえないかと頼み、鶏肉にはライスを詰めてはどうかと提案した。「スープも一緒に！」と付け加えて。途中、ガソリンスタンドの前で一〇分ほど車を停め、アル＝シファーへの新ルートを考えた。アル＝シファー病院が戦車の攻撃を受けていることを、通りすがりの人たちから聞いたのはそのときだった。すでに何人もの死傷者が出ていた。戦車は、病院の特定の箇所を狙っていた。同様に、町の別の場所にあるナーセル通りのランティシ病院も戦車に包囲されていた。病院に避難していた多くの人々が、外に出ようと白旗を掲げていたにも関わらず、撃たれていた。ジャラー通りの北側も攻撃を受けていた。つまり、ガザ市の西半分がまるごと再び占領下に置かれたのだ。二〇〇五年の再来だ。

後で知ったことだが、このときすでにウィサームは南部に移されていた。彼女の叔父が彼女を車椅子に乗せ、サラーフッディン通りを通ってハーン・ユーニスへ向かったという。病院の裏で砲撃と銃撃の音がするのを聞いたとき、彼女は叫び始めた。ミサイルが自分の家を直撃した日のことを思い出したのだ。「ここから出して、出して」と彼女は叫び始めた。「病院から出して」という意味なのか、瓦礫の中から掘り出されたときのことを思い出しているのか、誰にもわからなかった。救急車は病院の敷地から出ることができなかったので、唯一の脱出の道は昔ながらの方法だった。徒歩だ。彼女の場合は、車椅子だ。何千人もの人々が、彼女と一緒に病院から逃げ出したという。

しかし、車の中にいた私が知ることができたのは、道行く人々から聞いた話だけだった。ニュースもインターネットもなく、携帯電話の電波もほとんど届かない。ウィサームがハーン・ユーニスに到着し、彼女の叔父から電話がかかってきて初めて、私は彼女が移動したことを知った。電話をかけてきたとき、叔父はまだ彼女を現地の病院に入院させようと動き回っていた。

私の住む地区に日が沈み始めると、誰もが翌日のことを考え始めた。ここにとどまるか、南へ向かうかを今晩決めなければならない。選択ができるのは、これが最後のチャンスかもしれない。ガザ市が侵攻された今、イスラエル兵が次にとる行動はジャバリア難民キャンプへの侵入だろうと思われた。立ち去るべきなのか？　私はビラールに電話をかけたが、つながらなかった。ハンナは退去するように懇願している。少なくとも南へ行けば、危険は少なくなるだろう。ファラジュにとっては苦渋の決断だった。移動に車椅子を必要とする九〇歳の母親を残して去ることはできなかった。ムハンマドは、みんなで手を貸して彼女を押してあげようと言った。今度も私は言った。「このまま様子を見たらどうだろう。戦車がこの通りに入ってくるまで待ってはどうか？」。そのときにはもう、私たちは廃墟の下に埋もれているだろうとアドハムが言った。この言葉に、全員がうなだれた。まるでみんな一緒に殴られたかのようだった。

「どうなるのだろう。やつらの魂胆はなんだ？」と私は尋ねた。

「再占領なのか？　本当に占領するつもりなのだろうか？　そんなことを、やつらは望んでいるのか？」と、ムハンマドが言う。

この事態がどこに向かっているのかは誰にも想像できないが、私たちが恐れるシナリオの中でもっとも恐ろしく、ディストピア的なのは、「ガザ地区北部」から完全に避難させられてしまうことだ。それは端的に言えば、新たなナクバだ。たとえイスラエル側が、これは期間限定の一時的な強制退去だと約束しても、信じる者はいないだろう。まさにそれが、一九四八年に起こったことだからだ。私の祖母は、ヤーファの美しい家から退去させられたとき、数日後には戻ってこられるだろうと思っていた。七五年前の出来事だ。この集団的な喪失を思い出すとき、私たちの心は痛む。私たちはみな、それがどんなものだか知っている。つまり、今のような感じなのだ。

どうやら、事態はターニングポイントを迎えたようだ。ジャバリア難民キャンプは際限なく縮んでいく檻に変わってしまった。イスラエル軍はいまや西のサフターウィー地区のあたりに到達し、ジャラー通りは封鎖された。だから、ここ数日中に脱出する唯一の道は東側の玄関、つまりサラーフッディーン通りを下る「新ナクバ通り」だ。

昨夜、ジャバリアの東にあるインドネシア病院の周辺に「炎の環」が降り注いだ。空からミサイルが降ってくるのが見えた。爆発音と、さらに多くの建物が倒壊する音が聞こえた。病院の側面が被害を受けたが、衝撃の大部分は周囲の建物が受けた。その後に聞こえてきたのは救急車の音と市民防衛隊の到着だった。

サフターウィーの私のアパートがどうなっているのか、まったくわからない。あの界隈にはもう戦車が来ているとみんな言っている。私の本はどうなったのだろう。この三五年間、あそこで正真正銘の図書館を築いてきたのに。瓦礫の下に埋もれてしまったのだろうか？ もう亡くなって久しい作家たちの初版本は、私にあてた直筆のサイン入りだ。そこに集めた本のおかげで私は作家となり、今の私がある。そのいずれもが私の心の中に特定の位置を占め、私の知的な成長の一部を形成している。私はアパートの隣人に電話して、何か知っていないか尋ねようとした。それでわかったのは、彼が今、南部のデイル・アル＝バラフにいることだった。むしろ私から何か知っていることを聞けると彼は期待していたのだ。イスラエルの指揮下に入った地域は、その瞬間に暗転し、私たちのスクリーンから消えてしまう。そこからのニュースはまったく聞こえてこない。住民のほとんどが退避したり、殺されたりしたからだ。

アーイシャの家に行き、アルジャジーラのニュースを見る。アル＝シファーに関するニュースがすべてを圧倒している。しかしもう、現地からの報道は何もない。特派員とカメラマンは退去して、南へ向かったのだ。暗くなってきた。爆発は続いている。家が左右に揺れる中で、私たちは次に何が来るのか待っている。

Day36

11月11日（土曜日）

アル＝シファー病院は包囲されている。目下の最大のニュースなのに、そこから発信される報道はない。耳に入ってくるのは、遠くから響いてくる爆弾と爆発音だけだ。そこの住民の大半は避難を余儀なくされているが、移動によって死亡するリスクは滞在するリスクよりも大きい。マイ・アルカイラ保健相は、病院の電力不足のために約五〇人の新生児が死亡すると公式に推定している。病院の建物から別の建物へ移動するところを目撃された者は、その場で射殺される。看護師による内部からの報告によると、現在、建物の中には救急車が二台しかないという。誰も出入りできず、戦車の砲弾だけが飛び交っている。

幸いにも、ウィサームは南部に移動した。それが彼女のためになるのかどうか、最初は確信が持てなかった。しかし、今彼女は、ハーン・ユーニスのヨーロッパ病院で医療を受けることができている。この病院はずっと条件が良く、電気があり、インターネットが使え、携帯電話の電波も入り、食事もきちんととれる。私はそこに住む知り合いを通して、病院のマネージャーに頼んで個人的にウィサームを訪ねてもらい、彼女が快適に過ごせるよう病院側が最善を尽くすことを保証してもらった。ただ問題は、私がもうウィサームを訪ねることはできなくなってしまったことだ。彼女はイスラエルによって新たに設けられた「鉄のカーテン」の向こう側にいる。イスラエルはワーディー・ガザを境界にしてガザ地区を南北に分断したのだ。知人を通して聞いたところでは、ウィサームの精神状態は改善している。痛み止めを処方され、傷口もより丁寧に洗浄されているのだ。

ガザ地区の北半分にある三つの病院、アル＝シファー病院、インドネシア病院、ナーセル病院は、絶え間ない攻撃にさらされている。昨夜、私はインドネシア病院の周辺の爆発音で二度目が覚めた。報道によれば、これらの病院の内部にはすでに電気もなく、明かりもない。医師たちは携帯電話のトーチ機能を使って手術をする術を学んでいたが、それは爆撃が始まる前のことだった。一晩中、戦車の砲撃と銃撃戦の音が聞こえてきた。クレッシェンドがついているような感じだった。

朝が来て、アーイシャとムハンマドが朝食の支度をする。昨夜、ムハンマドとヤーセルは、ファラフェル・ミックスを作るためにひよこ豆を挽いた。このささやかな儀式のために家族が集まって、母が使っていたような古めかしいグラインダーで作業するのを見るのは、とても貴重な喜びの時間だった。私たちが子どもの頃、母と父を囲んでファラフェル・ミックスの準備を手伝ったことを思い出した。できあがったファラフェルを食べながら、私はアーイシャに丁寧に言った。「インシャーアッラー、この戦争が終わったら、またこんな食事を作ってね。私たち全員がそのときまで生きていますように」

「巡礼するより高望みのお願いね」と彼女は言う。彼女の言う通りだ。

もうジャバリア難民キャンプを離れる勇気はない。動き回れるエリアは日に日に狭くなっている。この二日間、私はもっぱらキャンプで過ごし、街を歩き、旧友と話をするくらいしかしていない。友人たちは立ち寄って、何度も何度も戦争の話をしては去っていく。この界隈の登場人物は同じままだ。四〇代前半のムスタファーは子ども相手にキャンディーを売り、サミーは新しい手押し車で食料品を売り、ワフィーはジュースやソフトドリンクを売っている。人々はグループになって座り、おしゃべりをしながら何が起きているのかを分析し、現地の新しい動きについて意見を交わす。誰も答えられない大きな疑問は、「彼らはキャンプを侵略しようとしているのか?」。どうやら衆目の一致するところは、「アル＝シファーの陥落」の次に標的になるのはジャバリアだという見立てだ。ほとんどのパレスチナ人の集団意識において、ジャバリア難民キャンプは典型的な抵抗の拠点であり、反抗の砦である。故アラファート大統領でさえそう思っており、イードのたびにキャンプを訪れ、この場所を「革命のキャンプ」と呼んでいた。しかし今夜、私はこうした会話の中に恐怖が漂うのを感じる。

私たちは七人で、ハーラ（居住区域）に一〇〇はあると思われる典型的な横丁の狭い路地にある椅子に座った。弟のイブラーヒームは、「ストリートＷｉ－Ｆｉ」を提供する近くのハブが他のどこよりも速いので、私にここで仕事をすることを勧めた。何が起きているのか、みんなさまざまな見方をしている。疲れ果てて、うんざりしているらしい者もれば、何が何でも今すぐすべてを終わらせたいという者もいる。冷笑的な者もいれば、大言壮語を使い、すぐに興奮する者もいる。

「でも、もし本当に明日、突然戦争が終わったらどうする？ 俺たちは、いったい何をする？」と一人が聞いた。

「お祝いだね」と私は答える。「でも、住むところのない人が何千人も残るだろう。何万人もの人が帰る家を失った。この人々は、どこで暮らせばいいんだろう」

私たちは顔を見合わせる。

「国際社会が介入するだろう」と誰かが言った。

「国際社会は新しい家を建ててくれるのか？」

確かに、ガザ地区の再建には少なくとも五年はかかるだろう。

「それまで俺たちはどうすればいいんだ？」

「その何万人もの家のない人々は、UNRWAの学校に、この先五年間も住み続けることになるのか？」

「どんなふうに展開するか、誰にもわからない」と私は言う。

みんな沈黙する。もちろん、この会話を始めた人の言う通り、戦争が終わっても地獄の状況だろう。でも今は、現行バージョンの地獄から逃れる必要がある。それなのに今のところ何の働きかけもない。休戦も、停戦も、その言葉を口にする勇気ある西側の政治家もいない。皆無だ。彼らがその勇気を見つけるまで、私たちはただここに座って死を待つだけだ。

その後、私はベイト・ラヒヤの親戚に会った。戦車に農場を破壊されて、ジャバリア難民キャンプへと逃れてきた人たちだ。この系統の親戚（ニーマとナワールという二人の年老いた叔母の息子たち、娘たち、孫たち）の死者の人数と名前の最新情報を確かめた。私たちは悲しみとつらい心情を交換した。親戚の一人は、畑を失ったことも嘆いている。

「今年は作付けのチャンスさえなかった。息子たちと私は貯金をはたいて種子を仕込み準備作業をしたのに。すべてをつぎ込んで、豊作の年に賭けていたんだ。もう私たちには何も残っていない」

彼らは以前、イチゴを専門に栽培していた。ガザの最北部にある叔母たちの家に滞在し、太陽の下で眠りながら新鮮なくだものを頬ばった思い出は、今でも忘れられない。今年はガザにイチゴはないだろう。

ここで思い出すのは、先日、漁師のアーマッドと交わした会話だ。この時期、海にはたくさんの魚がいるのに、誰も漁ができないと彼は嘆いていた。私は彼を励まそうと、いずれ出航すれば、大漁で大儲けできるよと言った。

「そんなことはない。軍隊が港を破壊し、漁船が係留していた岬を粉々に粉砕したんだ」と彼は答えた。

そしてこう付け加えた。「数日前、イワシの大群が岸近くを泳いでいるのが見えたので、友人たちと網を持って泳ぎ出し、一網打尽にしてやった」

自分の漁船について何かわかったか（まだ姿をとどめているか？）と尋ねると、彼は表情を曇らせた。「何も聞いていない」

Day 37
11月12日（日曜日）

昨夜はとてもぐっすり眠った。目が覚めたとき、誰もが夜の間の攻撃の激しさについて語っているのに驚いた。私は何も気づかず眠っていた。それほど疲れきっていたのだろう。枕に頭からぶったおれたのは午後八時頃だった。次に目を開けたときには、午前五時三五分になっていた。ファラジュはファジルのお祈り［日の出前の祈祷］をしていて、彼がバスルームに行くために灯した明かりが私の目をくらませた。九時間以上も眠るなんて、私にはめずらしいことだ。そうは言っても、結局また横になり、もう少し寝ていようとした。こんなに朝早くには、することがない。もう一時間寝ていられれば最高だったろう。しかし、外を歩く男や女の話し声がそれを許さなかった。ファラジュは私の隣に寝そべって、携帯電話のチャンネルでニュースを聞こうとしていた。

昨夜、私たちは新しいラジオを手に入れた。下の階に住むファラジュの母親がラジオを持っていて、時々コラーンを聴くのに使っている。九〇歳の彼女にとって、ラジオはニュースよりも、友だちとして必要なのだ。しかし、この一週間は、その役割も果たしてくれない。動かなくなったのだ。ファラジュは直してみると母親に言って、ラジオを二階に持ってきた。二時間ほどいじってみたが、ちっとも解決しない。信号がない。何もない。色あせた赤いラジオは壁に掛けられて、まるで昔の肖像画のようだ。過ぎ去った日々を思い出させるセピア色の写真のような。そんなわけで、昨夜私が眠っている間、ファラジュは爆発音に聞き入っていたが、それ以外の情報はいっさい得られなかった。

今朝の空は曇っている。雨が降りそうだ。通常であれば、これは良いニュースだろう。一一月も半ばに差し掛かろうとしているのに、今年はこれまで一度も雨が降っていないのだから。乾いた冬には、一滴でも雨が降ってくれればありがたいものだ。しかし、この状況ではそうはいかない。学校や、野外や、窓のない場所（爆発の風圧で吹き飛んで久しい）で暮らす何十万もの人々、教室を転用した大人数用の部屋に宿泊し、冷えた固い床に並んで眠る人々にとって、冬は地獄になるだろう。降る雨が部屋に流れ込み、毛布を濡らすだろう。ましてや排水処理はどうなることやら。雨が強く降れば下水溝の水位が上昇し、通りや路地に逆流してくるだろう。

「雨が降りそうだね」と私はファラジュに言う。内心、太陽が顔を出し、雲が過ぎ去りますようにと祈っている。比較的快適なこのアパートにいる私たちにとってさえ、降雨は災難だ。この建物の窓はすべて吹き飛んでいる。バスルームのドアは、なくなっている。他の多くのドアも、破損していたり、片方の蝶番でぶら下がっていたりする。それでもここは、おそらく現在のガザ地区でもっとも被害の少ない住宅の一つだろう。ガザでは、無傷の窓など一つもない。このところの暑くて乾燥した天候は、この時期としては普通ではないが、私たちにとっては神の恵みだ。神はきっと、私たちがこれ以上苦しむことを望んでいない。

ファラジュとアダムは今朝、三時間かけて窓ガラスの補修を試みた。ガラスがまったく残っていない窓にはすっぽり毛布をかけ、枠に沿ってぴったりと引き延ばした。まだ割れたガラスの残っている窓にはナイロンシートを張った。ファラジュの母親が住む二階にも同じ処置をする。そんなに優れた仕事ではなく、しょせん一時的なものでしかないが、これで雨が降っても、侵入を遅らせるぐらいはできるだろう。いずれは毛布がびしょびしょになり、そこからアパートの中に水が滴り落ち始めるだろう。でも、これ以外に寒さを防ぐどんな方法があるだろうか。ひどい冬になりそうだ。もう外の街は見えず、家の中は急に暗くなった。

昨夜、アーイシャの家のすぐ近くの建物をF16戦闘機が攻撃した。この家の所有者は、一カ月以上も前に避難していた。東からのミサイルや戦車の砲弾を恐れたためだった。しかし昨日の朝、突然はっきりした理由もなく、彼らは戻ってくることに決めた。その晩に攻撃され、彼らの九人は遺体で発見され、残りは瓦礫の下に埋もれている。私はアーイシャと子どもたちの安否を確認しに行った。彼女の通りに着くと、隣人たちから奇跡的に助かったという話を聞かされた。ある夫婦は、初めて台所で寝ることにしたのだが、夜中に子どもたちが寂しがって、台所まで追いかけてきた。そして子どもたちの寝室はミサイルで破壊されたが、家族は偶然にも全員が助かった。

昨夜はまた、キャンプの中心市場でずっと親しまれてきた香水店が破壊された。このことを知ったのは、数日分の買い物をしに市場に行ったときだ。めぼしいものは見つからず、冷凍食品しか売っていない。三日前に来たときにはスークはもっと混んでいたが、今は数十人の客がちらほらと冷凍食品を買っているだけだ。親戚のマフムードが、この占領期間中はみんなで断食することにして、食事は一日一回だけにしようと提案した。

「でも、すでに一日一回しか食べてないじゃないか」と私が言うと、

「それでも進んで断食をすれば、神に近づくことになる」と言う。

「満腹のほうが神に近づくよ。そのほうが役に立つから」と私は言い返した。

何もかもが、ひどく値上がりしている。多くの商人がこの状況につけ込んで、商品を買い占め、通常価格の少なくとも三倍、ものによっては一〇倍の値段で売っている。小麦粉一キロは、以前は四シェケルもしなかったのに、今では一二シェケルだ。こうした商品は基礎的な食材であり、誰も独占すべきではない。

アル＝シファー病院からのニュースは相変わらず私たちを不安にさせる。インドネシア病院

からの報道も同様だ。今朝、さらに多くの家族が南へ向かった。私たちのように残った者は、ただ運を天に任せている。友人によれば、南に移動した人々は、北にいる人々と同じように、基本的な生活物資の不足に苦しんでいるという。それならば、なぜわざわざ南へ行くのか？ここにとどまれば、少なくとも避難民ではない。友人は電話の向こうで言った。

「トイレに行くだけで三時間も並ぶなんて、想像できる？」

ああ、想像できるとも。だからそんな生活には陥りたくない。少なくとも選べるうちは、ごめんこうむる。イスラエル人の中には、ガザ地区の北部を巨大なアミューズメントパークにつくり変える、すなわち植民地支配者と入植者のためのディズニーワールドにすることを政府に要請する者もいる。イスラエル人はそれと同じことを一九六七年にもやったと私はファラジュに指摘した。彼らがイムワス、ヤロ、ベイト・ヌーバーという三つのパレスチナ人の村を破壊し、すっかり解体したときのことだ。彼らはそこを「カナダ・パーク」と呼んだ。それはヤーファからエルサレムに向かう道のすぐ脇にある。

「他人の墓の上で休暇を過ごそうなんて思うかな？」とファラジュが聞く。

「イスラエルの観光業は、すべてその上に築かれているのさ」と私は言う。「さあ、いらっしゃい。パレスチナ人の墓の上でパーティーだ」と世界じゅうに呼びかけている。「世界最大の刑務所の隣で、陽気に楽しく踊りましょう。リラックスして、思いっきり遊んでください！」

Day38

11月13日（月曜日）

今朝は三時間ほど街を散歩し、歩きながらいろいろなことを考えた。昨夜もまた凶暴な夜だった。包囲網はアル＝シファーに迫っている。昨日、病院の管理者たちはすべての死者を埋葬するために、建物の正面の集団墓地を掘り返さなければならなかった。その作業中も、銃弾を浴びないよう警戒しなければならない。もっと近所では、インドネシア病院が未明に再び攻撃されたと聞いた。多数の民家も被害を受けた。この病院へのアクセスは不可能になった。電話をかけるのもあきらめた。電波がまったく届かないのだ。妻のハンナは、私がネットにつながらない状態が長く続くことに慣れてしまった。戦争が始まったころは、一時間ごとに連絡を入れなければ、彼女は心配して怒ったものだ。だが今では、何日も続けて電波が途絶えることがあるので、それが連絡しない理由だと知っている。

落ちぶれ果て、汚れて見えても、街はまだ活気に満ちている。人々が集まり、話をする。時には喧嘩に発展することもあれば、笑い声が聞こえることもある。もちろん、みんなピリピリしている。私は歩き続ける。故郷の町で過ごした時間は、この四年半の間で今回が一番長い。

近所の若者、ウマルと通りすがりに会話した。彼は二時間かけて二〇〇リットル入りの水タンクを満タンにしてきたのだと言う。満タンになるのを見守るのは、長い時間のかかる、じれったい作業だ。とうとうタンクが満杯になり、彼はそれを持ち上げて車椅子に乗せ、家まで押して戻ろうとした。ところが、その途中で、車椅子のバランスが崩れてタンクが倒れ、中身が道路に流れ出てしまった。ウドゥ（礼拝の前に身体を清めること）用の水だったのだが、どうやら神は彼が礼拝するのを望んでいないようだから、水の汲みなおしはやらないことにした、と彼は言う。冗談を言っているのかどうか計りかねて、私は言った。

「アッラーの思し召しやお祈りとは関係ないだろう？」

「アッラーは私が祈ることを望んでいないよ、先生。もし望んでいたなら、なぜ私の水が全部こぼれたのか？」

歩き続けていると、別の男性に呼び止められた。彼はアラアと名乗り、私と同じ高校に通っていたと自己紹介する。「私の一年先輩でしたよ」彼は微笑みながら、ドローンはまだ私と一緒に食事をしているのかと聞いてくる。以前に私が書いた戦争日記の表題［*The Drone Eats With Me: Diaries from a City Under Fire*］のことを言っているのだ。

「やつが止まったことはないよ」と私は答える。

「テーブルの上には何も残っちゃいない」とアラアは笑う。「ドローンは我々の家も故郷も食っちまった」

悲しいことに、ドローンは今まさにたらふくむさぼっているところだ。当時の私は知らなかったが、二〇一四年のものは、これに比べれば、ほんの「前菜」だったのだ。それからアラアの質問はもう少し普通の、現在の状況や将来についてのものになる。彼のいう「将来」とは、この戦争が終わった後のことだが、それを予測できる者はいない。私は彼の家や家族について尋ねる。「今のところ、すべて大丈夫」と彼は言う。「じゃあ、そのままでいられますように」。私は付け加えた。

「我々はみんな、大きなプレイステーション・ゲームの駒みたいなものさ」とアラアは言う。「私たちは登場するキャラ、彼ら（イスラエル軍のことだ）がプレイヤーだ。彼らが動かせば、私たちは動く。彼らが死なせれば、私たちは死ぬ。彼らが私たちをコントロールする。私たちは人間ではなく、ゲームの登場人物なんだ」

何と答えていいかわからない。彼は微笑み、先へ進みながら叫んだ。

「君の友だちのドローンに遊ばれてるんだよ、アーティフ」

私は一人になって通りを歩き続ける。携帯電話網がダウンしている現在のガザでは、会話はこんな感じだ。そこらを歩き回って、顔見知りに出くわすと、立ち止まって話すが、ほんの一分と続かない。その前の晩に起きた最大の出来事について最新情報を交換するだけだ。今日、みんなが一番知りたがっているのは停戦や一時休戦の話し合いがあったかどうかだ。一分間の短い会話の中で、人々は政治家の発言をおさらいし、素早くそれを分析する。人々は、この事態がどれだけ長く続いているか、そして自分がまだ生きているという事実を思い出すことで、心を落ち着かせようとする。彼らはいろんなことに慰めを見出す。タンクにまだ水が残っていれば安心するし、ボンベにガスが残っていればもっと嬉しい。ソーラーパネルがあろうものなら、もう王様の気分だ。私たちは、まだできることによって慰めを感じる。

ファラジュが、戦場となったガザ北西部の海岸にあるアル＝シャーティ難民キャンプに一週間も閉じ込められている娘のマルヤムに、何とか連絡が取れたと言った。彼女は脱出に成功し、夫と子どもを連れて南部に逃れたという。すべてが昨日の出来事だ。それまでの一週間は、彼女のいた建物のいたるところで銃弾が飛び交い、壁や窓を突き抜けていたのだ。彼女たちが生き延びたのは奇跡だった。アル＝シャーティの他の多くの人たちは、動かずにじっとしている。食料も水もない、とマルヤムは説明する。赤十字社に助けを求めてみたが、誰も来なかった。危険を冒してサラーフッディーン街道に向かって逃げ出した人たちもいたが、たどり着けるかどうかはわからない。途中で撃たれる者も多い。マルヤムによれば、多くは自宅の玄関を開けた瞬間に撃たれたという。サラーフッディーンへ向かう途中、マルヤムはすべての行程で死を目の当たりにした。戦車、兵士、ロケット弾が四方から建物に突っ込んでくる。空には今、死が充満しており、地上もそれと同様だ。イスラエル兵が道の両側を取り囲み、避難する群衆の中からしばしば若者たちを道の片側に呼び出して尋問する。多くの場合、彼らは逮捕される。とはいえ、マルヤムは自分が脱出できたことを喜んでいる。これから彼女には新しい人生が始まる。難民の人生だ。いや、すでに難民キャンプの出身者なのだから、「再難民」の人生ということになる。

アル＝シャーティ難民キャンプはこの二週間、包囲された状態にある。イスラエル軍は西側と北側から攻めてきた。海岸線を固めている海軍がキャンプの西側を制圧し、戦車が北側を制圧した。「シャーティ」とは浜辺の意味である。そこに住む難民の最大集団は、もともとはヤーファの出身の人々だ。かつて私の亡き叔母ハドラがそこに住んでいたので、私は子どもの頃、夏休みの多くの時間を彼女の家やその周辺で過ごした。このような場所が包囲されると、ニュースから完全に消えてしまう。特派員も記者も立ち入れず、通信も遮断されるためだ。この二週間、アル＝シャーティで侵攻作戦が行なわれていることは知っていたが、その詳細はまったくわからなかった。今朝、イスラエル軍はキャンプに残っている人々に、ユースフ・アズマ通りを使ってサラーフッディーン大通りまで逃げるよう命じた。彼らは、西の端から東の端に向かって歩くように言われたのだ。それだけでもけっこうな距離だったが、そこからが本番だった。ワーディー橋にたどり着くには、さらに五キロ歩かなければならなかった。アル＝シャーティ難民キャンプへのイスラエル軍の侵攻による死者の数は誰も知らない。弟のムハンマドの義理の親戚の何人かは、アル＝シャーティ北部にあるＵＮＲＷＡの学校に避難している。この一週間、彼らとは連絡が取れない。ファラジュは、夜明けにもう一度電話をかけてみたらどうかと言った。その時間帯には電波の状況がましだからだ。そこで、ムハンマドは今朝四時半頃に起きて電話をかけた。コールしたがつながらなかった。午前一一時頃、ようやく彼は娘と話すことができた。娘によると、彼らは五日前にシェイフ・ラドワーンの叔母の家に逃げ込んだそうだ。私はムハンマドに、今日か明日にでも、彼らに会いに行くことを提案した。家を捨てて逃げた彼らは、精神的な支えを必要としている。

Day39
11月14日（火曜日）

昨日、プレスハウスで働いていた若者、アフマド・ファーティマがイスラエルの攻撃によって殺された。彼に最後に会ったのは五日前、プレスハウスで私が過ごした最後の日だった。いつものように握手を交わし、戦争が終わったらまた会おうと約束した。侵攻が始まってからの一カ月間、私は毎日彼に会っていた。アフマドはプレスハウスのビュッフェ係だった。ビュッフェを開けるのも、閉じるのも彼の役目だった。一〇代でこの組織に入った当初も、お茶やコーヒーをいれたり、会議や講習会の準備をしたり、後片付けをしたりと、似たような仕事をしていた。その後、彼はカメラマンに昇格し、独学で他のスキルも身につけ、最終的には、信頼され定評のあるジャーナリストとして、経験豊富な記者たちとともに働くようになった。

最後に会ったとき、彼は私に心配事を打ち明けた。彼の家族は前日の夜、隣の建物が被弾したため、道端で寝泊まりしていた。「目下、我が家には壁がないんだ」と彼は冗談を言った。彼はUNRWAの学校の外で家族と一緒に三時間も待ち、彼らの場所を確保しようとした。

彼はよく私に、「先生、さあ書いて、書いて」と催促したものだ。毎朝、彼は私のために場所を空けてくれ、私のノートパソコンが完全に充電されていることを確認し、インターネットにつないでくれた。そして小さなカップにコーヒーを入れて持ってきてくれ、私の一日を快適にしたことに満足を感じていた。毎回、私はコーヒーはグラスに入れたのが好きだと教えるのだが、いつも彼は微笑んで言うのだった。「大丈夫、次はそうします」

支配人のビラールが集めた会議室の小さな図書コーナーの本を、彼に読む時間があったとは考えにくいが、アフマドはすべての本の題名と著者名、またテーマも記憶していた。英語の本でさえそうだったが、発音には苦労しただろう。つまるところ彼の仕事は「プレスハウスの番人」であり、何がどこにあり、どのように動いているかを、すべて把握していることだった。

昨夜、私は妹のアーイシャのところで二時間過ごした。彼女にとっては毎晩が、前の晩よりも危険なのだ。ほんの数百メートル離れたインドネシア病院にイスラエル軍が攻撃を強めている。彼女の子どもたち（二人の男の子と一人の女の子）は怯えていた。私は彼女の六歳の息子、シャウキーと、枕で叩き合ったり、かくれんぼをしたりして遊んだ。それから私は、「怖いの？」

と彼に尋ねた。すると、彼は急に笑顔を消し、「うん」とはっきり答えた。

その夜、ファラジュの家に戻ったムハンマドと私は、家族や友人など、殺された知り合いのリストを作り始めた。しかし、八〇人ぐらいになったところで止めてしまった。あまりに気が滅入りすぎる。それに、いろんな質問項目に答えが見つからず、「不明」に分類されるものが多すぎる。アフマドのことが頭を離れないし、二週間前に殺された友人ムハンマド・アル＝ジャージャのことも考えずにはいられない。明日、あるいは来週には、いったい誰のことを考えることになるのだろうか。今でもアフマドの声が耳に響く――「先生、さあ書いて、書いて」。ああそうだね、いま君のことを書いているんだよ。

ファラジュの妻は、ラファで合流しようと彼に懇願している。彼女は家族全員（ブレイジュ難民キャンプの母親、姉妹、兄弟）を失い、もうこれ以上は誰も失いたくないのだ。ファラジュは、北部にいても安全ではないと確信するようになった。しかし、九〇歳になる母を残して去るわけにはいかないし、どうやって彼女をワーディー橋まで連れていくかもわからない。ファラジュは、毎朝の最初の数時間を母親の身づくろいと食事の世話に費やしている。母親は自分ではほとんど動けず、車いすを使って移動させようとするとパニックに陥る。しかし今日、ファラジュは危険を冒し、苦痛を背負う覚悟ができたようだ。「聞け、いつかは俺たちも出発しなければならない。だったら、戦車の無差別な砲撃で吹き飛ばされる前に、今すぐ実行したほうがいい」と彼は言う。妻からのプレッシャーが彼をこのような立場に追い込んでいることはわかっている。私は彼を安心させようとする。「ファラジュが決めたことなら、それが正解さ。移動するときはみんな一緒だ」

イスラエル軍は南へ向かう人々を全員チェックしていると聞いている。彼らが呼び止めるのは主に若い男性で、どこの検問所でもやっているように、尋問し、時には逮捕する。もしも歩いている途中で携帯電話や何かを落としたとしても、取りに戻ろうなどとは夢にも思ってはいけない。逮捕され、殴られることになるのは、目に見えている。ワーディー橋までのほんの数キロの行進は、生から死の世界へ渡るような気分になると人々は言う。あるいはその逆かもしれない。それは、そこで自分の身に何が起こるかによる。

今日の大半は、ファラジュの家の近くの狭い路地に座って過ごした。ここでは、一日三時間ほどネットに接続することができる。この細長い路地で、一〇人くらいが一緒に座り込み、ほとんどの時間はうつむいて携帯電話に没頭している。ときおり、お互いに最新情報とそれについてのコメントを交わす。路地の一方の端は、巨大な瓦礫の山で閉ざされている。Ｗｉ－Ｆｉの電波が届くおかげで、この路地は徐々にこの地区の中心地になっていく。若い男たちが集まってきて、ログオンを試みながら、立ったり座ったりする場所を見つけようとする。そこは「ロイヤル・アリウェイ（王様の路地）」と呼ばれるようになり、ここ二日間は、私たちの巣になっている。

午後三時頃、大きな爆発音と同時にコンクリートの破片や瓦礫が路地にいる私たちに降り注いできた。新しい瓦礫で路地が埋まり始めたので、私たちは逃げ出すしかなかった。みんな両手で頭をかばって走ったが、髪は粉塵まみれになった。私は息子のヤーセルをぴったり引き寄せた。一分ばかり過ぎると、あたりは徐々に落ち着きを取り戻したが、空には濃い煙が立ち込めている。このごろの空は、ほとんどいつもこの種の雲でいっぱいだ。黒や灰色の暗く細長い柱が何本も立ち上がり、上空にいくほど広がっている。後になって、F16戦闘機が大通りの東にある五階建てのビルを攻撃したことがわかった。事件からまもなく負傷者の報告があったが、その時点で死者はいなかった。どうやら、ビルは空っぽだったらしい。たまたま食料品店に行く途中の少年が通りかかり、落下した瓦礫に巻き込まれて死亡したというニュースも入ってきた。

昨夜、また雷のような爆発音が轟いた。それはとても近くに聞こえた。私は眠れなくなった。どこもかしこも真っ暗だ。みんな寝ていた。イスラエル軍はジャバリア難民キャンプ南部のナディ地区を攻撃していた。八軒の家屋が破壊され、数十人が死亡した。また別の攻撃がキャンプ西側のファフーラ地区を狙った。死傷者が出た。一晩中、さまざまな襲撃に関するニュースが続々と入ってきた。WhatsAppでみんなと話すうちに、この夜の虐殺のスケールの大きさがだんだんと見えてきた。もう、これ以上の悪いニュースは勘弁してほしい。私は携帯電話を置いて階段を上った。雨が激しく降り始めた。アパートが湿って住めなくならないように注意しなければならない。雨の音と木々を揺らす風の音が、井戸から水を汲み上げるように記憶を掘り起こす。

Day 40

11月15日（水曜日）

もう四〇日目だ。こんなに長く続くとは誰も予想していなかっただろう。イスラームでは、四〇日は一つの期間として大きな意味を持っている。誰かが死んだら、四〇日間喪に服すことになっている。しかし、ここで重要なのは、私たちは四〇日が経ってもまだ死なずに、この世にとどまっているということだ。

昨日の夕方、イスラエルのF16戦闘機がキャンプに閃光を放ち、空全体を明るく照らした。小一時間ほど、夜空が昼間のように感じられた。午後五時半頃のことだった。夜が訪れたばかりで、すべてが穏やかに見えた。ムハンマドと私は父のもとへ向かう途中だったが、突然、歩いていた細い道の向こうの端から二本の光が差してくるのが見えた。戦車かローリーの明るいライトがこちらに向かってきているのだろうと思った。少し眩しかった。すると突然、そこらじゅうが明るくなった。見上げると、空が燃えているようだった。近隣一帯が偽りの日光に照らされているようだった。やがて、明るいのは一部だけになった。キャンプ内のある部分は照らされ、ある部分は消灯された。消灯された部分にいると、曇り空の暗闇で、何も見えなくなる。このような明かりは、地上にいる兵士の視界を明瞭にするために、ドローンから照射されていた。イスラエル軍によるガザ地区へのハイテク監視はもう二〇年以上前から続いている。光学、赤外線、無線とありとあらゆるレンジのさまざまな装置を使って、ガザ地区を隅から隅まで監視しているらしい。監視気球が境界壁の上に漂っている。境界線に沿った緩衝地帯には監視カメラがワイヤーにぶら下がっている。水平線からは軍艦が監視しているし、とりわけ重要なドローン監視機は、非常にたくさんの数が、昼夜を問わず上空をパトロールしている。この「デジタル占領」は、そんなに侵略的ではないと思われるかもしれない。しかし、イスラエル軍は境界壁の向こうにいたとしても、彼らの情報収集活動はガザ地区の奥深くまで浸透している。それとは対照的に、パレスチナ人は何も持っていない。空軍はなく（滑走路さえない）、海軍も、ハイテク機器もない。私たちがこうしたものを持つことは許されていない。そうすると、次の疑問が浮上する――どこまで非対称な関係になれば、その戦闘行為はもはや「戦争」とは呼べなくなるのか？　そんなものは、ただの虐殺だ。

私は父親と連絡を取るのをあきらめた。ムハンマドは、この照明はF16戦闘機や戦車が目標をもっとはっきり確認するためのガイドかもしれないと言った。そうであれば、屋内にいたほうが安全だ、と彼は言う。私はファラジュの家の窓から、この照明付きのドローンの数を数えてみた。

同じ日の日没直前に、F16戦闘機がジャバリア難民キャンプ内にあるアル＝マドゥフーン家とマフディ家の所有する二つの屋敷（有名なシャワルマ・レストラン「モハンナズ」のすぐ裏）を攻撃した。二つの屋敷は完全に破壊され、そのまわりの建物もすべて損傷を受けた。壁がなくなってしまった建物も多い。巨大な残骸の山に登り、正面の壁が吹き飛んでしまったアパート群に周囲を取り囲まれて、他の者たちと一緒に立っていると、一瞬、劇場のバルコニーや個室の観客から拍手喝采を浴びる舞台俳優のような気分になった。アパート群はとても不思議そうに私たちを眺めていた。

民間防衛隊は一〇代の少女を救出しようと忙しく働いていた。彼女の姿が見えた。まるで眠っているような姿だった。攻撃が起きたとき、彼女は眠っていたに違いない。赤いトレーニングウエアを着ていた。彼女の身体は横たわり、左手は胸の上に置かれていた。一瞬、おとぎ話の登場人物のような、眠れる森の美女のような印象を受けた。天井のコンクリートが落ちてきて、彼女をベッドに釘付けにした。男たちは遺体を引き出そうと、両脇から瓦礫をかき出し続ける。まるで彼女を深い眠りから覚ましたくないかのように、彼らは細心の注意を払って作業していた。こんなことが四〇日間も続くと、なぜ世界はこれほどまでに狂ってしまったのだろうかと不思議に思う。やめろ、もうたくさんだ、終わりにしろ、と思いきって言うことができないのだ。その言葉さえ言えないというのは、まるで目の前の巨大なコンクリートの塊の下に私が見ているものよりも、言葉のほうが恐いかのようだ。

イスラエル軍は昨夜、アル＝シファー病院に突入した。軍事行動は今もまだ続いている。病院内部には電気もなく、薬もなく、赤ん坊は麻酔なしで出産され、保育器もなければ暖める熱源もない。病院に避難している人々も多くが殺され、負傷している。病院で負傷するのだ！

この一週間というもの、病院が「正当な標的」とされ、戦闘行為の行なわれる戦場と化している。それなのに、国際社会は黙って見ているだけだ。兵士たちは、患者が大量破壊兵器を隠し持っていると非難し、あろうことか患者の傷を再び開いて、そこに何が隠されているのか確かめることさえする。病院に対する軍事攻撃は、ガザ地区全域で採用されている戦略だ。イスラエルはナーセル地区のランティシ病院も侵略した。アル＝アウダ病院もまもなく占領されるだろう。残るのはインドネシア病院だけになる。ムハンマドは熟考の末、「もう長くはもたない。ガザ市の半分以上が完全に占領されている」と言った。

今朝、義父の家から帰る途中、近くのビルが攻撃された。ダワス・ベーカリーの近くだった。医療チームが老人とその孫とおぼしき子どもを蘇生させようと努力しているのを、私は通りの反対側から見ていた。最終的に、彼らは担架で運ばれて行き、その顔は覆われていた。傍で一緒に働いていた一人の女性は、泣きながら手伝っていた。家族全員を失ったという事実を受け入れられないのだ。コンクリート板を持ち上げようとする以外は、懸命に死体から生命を呼び出そうとしていた。

今朝はどこもかしこも悲しげで、曇り空さえ悲しく見える。太陽は姿を消し、人々は重い足取りで一日を過ごし、次の攻撃を待ち構えている。次はどこだろう？　今度は誰が殺されるのか？　誰が生き残るのか？　そんな疑問が生活を耐え難いものにしている。

また雨が降り始めた。この雨は、ここ数週間にわたって大気を汚染してきた砂ぼこりをたっぷり含んでいる。

「空気はきれいになるよ」と私は言う。

「でも、避難民の生活は地獄になるね」とムハンマドが答える。

友人からメールが来て、彼女の家族は南部にたどり着いたと知らせてきた。だが、イスラエル軍は彼女の父親と弟を逮捕したと彼女は付け加え、泣き顔の絵文字を最後につけてきた。彼女は一時間後にまたメールを寄こし、父親は釈放されたが、弟は拘束されたままだという。私は彼を知っている。若いジャーナリストで、プレスハウスやアル＝シファーでよく見かけた。イスラエル軍はここから四キロ離れた橋に検問所を設置し、ガザ地区の北と南を分断している。そこを通る男性の多くが拘束される。

イスラエルの命令に従って南部へ逃れていき、連絡をくれた人々の多くは、その道中や検問所での嫌がらせ、向こう側のひどい状況などについて不満を漏らしている。今朝、ムハンマドの友人が電話で、脱出したのは間違いだったと話しているのを耳にした。「水の他は何でももらったよ。トマトも、ジャガイモも、いろんなものがある。ただ、水がないんだ。水は底をついているようだ」

爆発音が続いている。キャンプ内の建物の三分の一が破壊された。その多くはとても狭い路地や裏通りに面して建っているため、瓦礫を撤去し、人命を救助するのは困難をきわめる。車両は近づけない。大通りからの接近を遮っている建物を破壊しない限り、現場にたどり着くことはほぼできない。「戦後」の問題は、この地域の住民にとって、とりわけ難しいだろう。再建のために、まず破壊しなければならない。しかし、それはずっと先のことだ。私たちに考えられるのは「今」のことだけ、そして爆撃の「終わり」が本当の終わりをもたらすかどうかだけだ。私たちはみな、このシュールな映画にエンドロールのクレジットが表示されるのを四〇日間も待っている。しかし、たとえそれが来ても、後から続編やスピンオフ・シリーズが制作されるのは間違いない。

Day 41

11月16日（木曜日）

昨日、私はジャバリア難民キャンプの西部に住む妹のアスマーに会いに行った。前の晩に、戦車砲が彼女の建物を直撃していた。幸運なことに、砲弾が当たったのは階段の吹き抜けのある部屋で、そこはビルでもっとも堅牢な部分だった。階段はもちろん損傷したが、砲弾をそこで止めることはできた。アスマーの夫は、三つの大きな砲弾破片を五階の玄関前に飾っている。しかし、五人の娘たちはそんなおどけた気分にはなれない。

「次の爆弾は、寝ているところに落ちてくるわ」と一〇歳のファーティマが言った。

「そんなことないさ」

「近所の家では寝室に落ちたわ」とファーティマは答えた。「女の子が死んだの。知ってる子よ。同じ学校なの」

アスマーはポップコーンを作ってみんなに配り、私たちはこの四〇日間の出来事を次々と思い出した。まるで映画を見るようだった。

アスマーの家の向かいにある学校には、私のもう一人の妹、ハリーマが二週間前から避難している。ベイト・ラヒアにある彼女の家は損壊し、もう住むことができない。村全体がイスラエル軍によって作戦基地に使われている。噂によると、この地域に家はもう一軒も残っていないそうだ。ハリーマとその家族は、夫が毛布でつくったテントの中で暮らしている。彼女に会いに行くと、コーヒーをいれてくれた。

「戦争が終わったら、どこへ行けばいいの？」

「まずは戦争を終わらせよう。後のことは、それからだ」

彼女は私の返事にまったく満足していない。

「戦争が続く間は、避難場所がもらえるわ。けれど、終わったとたんに、ここから追い出される」

「戦争が続いてほしいの？」

「いいえ、私は家に帰りたいのよ」

その前の夜、この避難所の支配人ハディール・アル＝マスリーという女性が、戦車砲に腹部を直撃されて死亡した。ハリーマの夫イスマーイールは、彼女の内臓が面前の地面にこぼれ落ちる様子を話してくれた。砲弾は剣のように彼女を切り裂いたそうだ。ファラジュは、こうした砲弾を「めくら」と呼ぶ。砲筒を離れた瞬間、弾は勝手に飛んでいき、どこにでも、なんにでもぶち当たる。誘導する技術は装備されていない。

家に戻る途中、近所の墓地の無残な姿が目に入った。数えたところ、周囲の六軒の家が破壊されていた。私は、墓に眠る死者たちのことを思い浮かべ、生きている者たちが地上でたてる騒音にどれだけ迷惑していることだろうと思った。この攻撃が起きたとき、自分にそれが聞こえなかったのに驚いた。

「いいや、間違いなく聞こえていたはずさ。ただ、以前のように注意を払わなくなっただけだ」とモハンマドは言う。

「でも、泊まっているところから、たった二五〇メートルしか離れていないんだよ」と私は抗議するが、彼は肩をすくめるだけだ。

ファラジュは新しい朝の習慣を身につけた。ラファにあるＵＮＲＷＡの学校に避難している妻に電話をかけるのだ。彼は午前四時半頃起床し、かろうじて電波が届く三階へ向かう。夜明け前のこの時間だけは、必ず電波がつながる。一時間ほど経つと、また途切れてしまう。彼は電波がつながっている限り、妻や子どもたち、嫁いだ娘と話をする。ラファにいる彼の家族も全員、この再会のために早起きしなければならない。それが終わると彼は階下に降りてきてまた眠る。

アドハムもかつてはこの時間帯に起きて、朝の電話でみなの無事を確認するのが日課になっていた。妻に始まり、母親、姉妹、兄弟、叔母、と続いていく。ある者はラファに、ある者はマガーズィー［ワーディーのすぐ南］に、ある者はまだジャバリアにいる。それぞれの会話は長いが、要点はとても短い――おまえは無事か？　まわりの者もみな無事か？　しかし、息子と母親と妹を失った後、アドハムはこういう意味のない電話をやめた。

公式発表によると今日、すべての電気通信とインターネット信号が切断される。送信機を動かす燃料が不足しているためだ。とはいえ、現在のところ（正午だ）携帯電話ネットワークはまだテキスト・モードのみ機能している。しかしインターネットは使えず、通話もできない。

今日はアーイシャの娘タスニームの誕生日だ。彼女は九歳になったが、誕生パーティーはない。ケーキもない。アーイシャの子ども三人も、夫のマーヘルも、この戦争の中で誕生日を迎えている。つまり、これまでに四回のパーティーがキャンセルされたことになる。一家は明らかに一〇月と一一月の誕生日に特別の思い入れがあるようだ。というのも、アーイシャの誕生日は一一月二三日なのだ。

「それまでに戦争は終わっているかしら」

そうアーイシャは言うが、みんな、それを疑っている。彼女は言う。

「私たちの本当の誕生日は、戦争が終わったときよ」

私は、戦争が終わったら、誕生日を逃したみんなのためにアーイシャが特大の手製タルトを作ることを提案した。マーヘルの妹とその家族を失った悲しみが一家を覆っており、誰も何かをする気分になれない。「そうしたくても、きっと材料が見つからないわ」

私はとっておいたチョコレートの箱を持参していた。タスニームにそれを渡すと、「シュクラン（ありがとう）」と言って、ちょっと微笑んだ。ハッピーバースデーの歌は今はふさわしくないと思われたので、代わりに私たちは、これからの一年が彼女にとってより良いものになりますようにと祈った。

いとこのナイームが今朝亡くなったというニュースを聞いた。彼はこの五カ月間、ガザ市のアル＝ワッファ・リハビリテーション病院で治療を受けていた。腎臓の機能不全だった。彼はこの街で定評のある建築家で、多数の有名なタワーや建築の計画に参画していた。目下の課題は、彼の遺体をどうやってジャバリア難民キャンプに持ち帰り、埋葬するかだ。イスラエル軍の戦車が病院前の道路を走っているので、誰も近づくことができない。戦車とスナイパーは、動くものはすべて殺す。ナイームの兄弟のニハードは、亡くなった知らせを聞いてすぐ、ジャバリア難民キャンプの救急車両センターへ行き、ナイームの遺体を運び込めないかと頼んだ。

センターの主任は、今こんな地区を走るには特別な走行許可の書類（「調整」と私たちは呼ぶ）が必要だから、ほぼ無理だろうと言った。「じゃあ、それをやろう。調整をつけてくれ」とニハードは返答した。もちろん、それは何の結果も生まなかった。イスラエルは誰とも調整しない。

今朝、イスラエルのジェット機が新たなビラを投下した。またもや、みんなに南へ移動するよう促している。ビラは高飛車な口調で、「あなたたちは人間の盾にされています」と私たちを脅迫する。ご忠告ありがとう。私たちの土地に侵略し、人を殺し、民族浄化を行なっているのはおまえたちなのに、まるで道徳的に優越しているかのような態度じゃないか。我々はBBCやCNNじゃないぞ、と彼らに言ってやりたい。こんな文句をやすやすと受け入れると思ったら大間違いだ。イスラエル軍はまた、ハーン・ユーニス（南部の都市）の東部の住民にも避難を命じている。この地域が新たな戦場となる見通しだからだ。攻撃はすでに今朝、始まっている。現在ウィサームが治療を受けているヨーロッパ病院はこの地域にある。彼女のことが心配でならない。このニュースを聞いて彼女に電話をかけてみたが、信号がない。ハーン・ユーニス東部のこの一帯は、イスラエル軍の命令に従って移動してきた避難民であふれかえっている。いったい彼らはどこに行けばよいのか？

Day42
11月17日（金曜日）

昨夜は学校の避難所に泊まらなければならなかった。こうした学校の一つに滞在している妹のハリーマを訪問していたとき、突然イスラエル軍の攻撃があちこちで激しくなり、それはジャバリア難民キャンプ全体に広がっているようだった。そのうちに暗くなったが、爆発はさらに拡散していた。この時間に通りを移動しているところを見られるのは危険すぎると、誰もが私に忠告した。しかたなく、私はここで夜を過ごすことにしたのだ。

学校の中では、人々がまったく新しい生活を自力で築いている。ある者は教室を住処とし、ある者は布や毛布でつくりあげたテントで暮らしている。学校にあるトイレは五つだけで、それを何百人もが利用している。日中は、これらのトイレを利用するために行列ができ、何時間も待たされる。しかし夜間になり、明かりが消えると、人々はテントの中に置かれたバケツで一時的に用を足す。ただし小便だけだ。

ハリーマのテントに腰を下ろすと、周囲のテントで交わされている会話がすべて聞こえてくる。大きな声を出せば、簡単に敷居を越えて参加できる。こうして隣の会話に割り込んでいき、ゴシップや自分の考えなどを交換するのは極めて自然なことだ。ここにはプライバシーなど存在しない。隣人との間にあるのは薄っぺらな布の一枚だけだ。イスマーイールが南側のテントにいる隣人たちと冗談を言い合う。夜八時に消灯になると、みんな自分の蓄電池を取り出して小さな電球を灯す。

午前二時三〇分頃、私たちのテントからそう遠くない運動場に巨大な建物の残骸が落ちてきた。コンクリートの破片が、テントが張られたエリアの一画にせり出した金属製の高い天井を直撃したのだ。女の悲鳴が聞こえ、全員が目を覚ました。次々と明かりが灯されていく。イスマーイールが隣のテントに向かって叫ぶ。

「みんな、大丈夫か？」

「大丈夫だ」と答えが返ってくる。「そっちはどうだ？」

「今回は小さな破片だけだった」とイスマーイールは私たちを安心させ、みんな再びマットレスに横になった。何分眠れたかわからないが、夜が昼に溶け込んでいく。私たちと悲鳴を上げた女性との間には布切れ一枚しかなく、どれほど無防備であったたか、戦場のど真ん中で眠ろうとすることがどんなに馬鹿馬鹿しいか、考えずにはいられなかった。それ以外は夜のあいだじゅう、ロケットや砲弾の音を聞き、夜空がライトアップされるのをテントの布地越しに眺めていた。バケツは朝まで必要ないと自分に言い聞かせ、極力使わないようにしていたが、午前四時頃に我慢できなくなった。

眠るという茶番についに見切りをつけると、私は起き上がり、パン作りに忙しいハリーマを手伝った。彼女はパン生地を作り、それを切り分けて小さなローフに丸めた。あとはオーブンで焼くだけだ。運動場には、戦争のために特別にしつらえた粘土のオーブンがある。薪と紙パックを使って火を起こし、三〇分かけてオーブンを温めなければならない。私はそれを助けて、薪を取ってくる。

イスマーイールと彼の二人の息子が起きてきて、私は初めて、彼らが昨夜、私にマットレスを提供し、代わりに毛布の上で寝ていたことに気づいた。ハリーマは私に、朝食まで残って彼女が焼いたパンを食べていけと言う。「また様子を見に来るよ。でも、今回は遅くまでいられない」と私は言う。

こんなに早い時間にもかかわらず、誰もが目を覚ましている。通りには、夜を過ごした「安全な場所」から昼間の家に戻ってくる人々であふれている。私たちは、すれ違うときに「おはよう」と言う代わりに、「アルハムドリッラー（神に称えあれ）、ご無事で」と言う。毎朝が、贈り物のように感じられる。死亡者リストに自分の名前がなければ、追加の自由な一日が与えられたのだ。

ジャバリア難民キャンプの中心部で、昨夜の攻撃の標的となった地域を訪ねた。ヒジャジ、アブー・コムサン、アブー・ダヤールの三家族が所有する六棟の家屋が全壊した。何百人もの男たちが負傷者を探すために瓦礫に登っている。数十人がまだ行方不明だ。アル＝シファー病院はイスラエルの支配下にあるため、負傷者はインドネシア病院に運ばなければならない。アーイシャの隣人の元教師は、彼女の若い娘とその家族が殺されたことを嘆く。彼女の娘は一般開業医だった。一人の男が、亡くなった子どもたちの教科書を集めている。爆発が起きたとき、彼は子どもたちと一緒にいた。いま彼は、子どもたちと一緒に死ねばよかったと思っている。死は望むものなのだろうか？　私の親戚のファドのように、住む家も家族（妻と子どもたち）もすべて失った者は、戦争が終わった後、再び人生をやり直さなければならない。五〇代前半ではなく、二〇代前半のようにだ。家を建て直し、できることなら再婚して、再び子どもを育てなければならない。運がよければだ。しかし、彼は生涯の貯蓄を家につぎ込んでしまった。今では瓦礫の山となった家にだ。建て直すための資本は何も残っていない。運良くまた子どもを授かったとしても、その子の成長を見守るほど長い人生は残されていない。それを考えれば、瓦礫の山の上にいる男が、家族と一緒に死ねばよかったと思う気持ちは理解できる。

ジャバリア難民キャンプをずっと歩いて、通りから通りへ、地区から地区へと通り抜けた。かつて自分の脳裏に焼きつけられていたキャンプが、もはや見る影もない。あまりにも多くの建物、多くの記念碑、多くの路地や裏通りが、痕跡もとどめず抹消され、瓦礫に埋もれてしまった。

現在、誰の心にものしかかっているのが天気だ。歩きながら、ちらちらと空を見上げては、つい太陽を探してしまう。太陽は雲を突き破って顔を見せ、雨を追い払ってくれるだろうか。

この状態で、悪天候だけは勘弁してほしい。戦乱が終わるまで、アッラーが冬を延期してくださいますようにと、誰もが祈っている。もっと秋が続いてほしい。畑には作物がなく、オリーブの実も、摘み取られないままだ。アッラーなら今年のカレンダーから冬を消去することができる。冬はいらない。子どもたちを暖め、ソーラーパネルでバッテリーを充電し、携帯電話を充電し、インターネットを維持するために、太陽が必要なのだ。冬は私たちをさらに苦しめるだけだ。神よ、私たちを冬からお救いください。これが今朝のハリーマの祈りだった。目覚めたときに、冬の風が吹くのを察知したのだ。

イスラエル軍の飛行機が今朝さらにビラを投下して、ガザ市とその近郊の人々に南へ移動するよう呼びかけた。今度は聖典コラーンを引用し、私たちに急ぐよう促している。誰もが自分に都合のいいように神を利用するが、私たちは心の中で、神はもう私たちとともにいないことを知っている。彼はずっと昔に私たち全員を見捨てたのだ。そうではないことを私は願う。どうかハリーマの祈りに耳を傾け、冬を止めてほしい。

「神様は道に検問所をつくって、冬を止めてくれるかもしれないね」と息子のヤーセルが冗談を言う。

私は今、妹のアーイシャの家でこの日記を書いているが、突然、ノートパソコンから飛び退いて、部屋の隅に逃げ込まなければならなかった。爆発音に続いて窓から砂埃が舞い込み、一〇〇個ほどの小石がすべてのものに降り注いだ。ここから一〇〇メートルも離れていない、アーイシャの住む路地の入り口にある建物にミサイルが命中したのだ。次に何が起こるかわからないので、両手で頭を覆ってカップボードの後ろに身を隠さねばならない。数分後、部屋の空気が澄んできて、バルコニーから一筋の煙が瓦礫の山から立ち上るのが見えた。ほんの数分前までアレーニ家の屋敷が建っていたところだ。自分のコーヒーカップを手に取ると、中は砂利とコンクリートの破片と埃でいっぱいだった。

Day43
11月18日（土曜日）

今朝、数千人以上が、家を離れることを余儀なくされた。夜の間ずっと、ジャバリア難民キャンプの周辺地域を標的にした空襲が続いたからだ。午後九時半から午前六時半まで、いっときも空襲はやまず、西、北、東から押し寄せた。

地獄がジャバリアに注ぎ込まれた。何百もの建物が破壊された。太陽が昇ったとき、生き残った人々は着の身着のまま、とにかく逃げ出すしかなかった。ほとんどの者はキャンプの中心部に向かった。学校が満杯なことは誰でも知っているが、他に行くところがない。人の洪水をつくっているのは、大半が北部のベイト・ラヒアとビール・ナジャーに隣接する地域から避難してきた者たちだ。

一晩中眠れなかった。私はファルージャ地区にある妹のアスマーの家で一晩過ごすことにしたのだ。昨日は気分転換が必要な日だった。髪を切り、ひげを剃った。ひげを剃らずにいたのは、これまでで一番長かった。ひげのない自分がどんな顔をしているのか忘れるところだった。いまや私は見違えるようになった。これで気分が変わり、新たなエネルギーがわいてくる、と自分に言い聞かせた。私にはそれが必要だった。沈黙と憂鬱の時間が、日常生活に忍び寄っていた。私たちのほとんどの者に、それが起きている。このような長期戦を覚悟していた者はいない。人々はこの戦争を二〇一四年のものと比較して、二〇一四年は大規模な猛攻撃にすぎなかったが、今回は本当の戦争だと言う。あのときは、五一日間の中で時々は休戦や一時的な戦闘停止があった。今回の戦争では、休戦という観念が戦争そのものよりも複雑化しているようだ。二日前の夜、私が学校のシェルターで寝ていたとき、テントの中で誰もが口々に叫んでいた。男たちは神に祈りを捧げ、女たちは祝福の言葉を口にしていた。今夜、休戦になるかもしれないという噂が広まり、それをみんなが祝っていたのだ。祝賀は三〇分ほど続いたが、やがて、これは自分たちをなだめようと誰かが流した希望的な観測にすぎないと、みんな気がついた。今日でもう戦争は四三日目になり、休戦の議論は、その議論そのものの休戦が必要だ。もはや誰も休戦への言及を真に受けないし、とりわけニュースで流れるものには懐疑的だ。

鏡の中の自分を見る。「これがアーティフだ。かろうじて見覚えのある、細部にまで戦争が刻み込まれた顔だ」。私は痩せて、やつれている。昨夜ムハンマドに、私たちはファルージャのアスマーの家に泊まらなければならないと言った。夜には、彼女やその夫と話したり、五人の幼い娘たちと遊んだりして過ごすのだ。アスマーは私たちのために、居間の二つの青いソファの間にキャンプ用ベッドを三台用意してくれた。私たちはおしゃべりをし、遊び、ラジオでニュースを聞き、そして眠りについた。

攻撃が始まって、建物は真っ暗になる。爆発の閃光が窓からリビングルームに差し込み、すべての写真や鏡をキラキラと輝かせる。ガザ出身者なら誰でも、閃光の後の爆発に耳をすますことを教えてくれるだろう。次に来るのは、瓦礫が雨のように降り注ぐ音だ。それは家の四方から、裏通りや横の通り路地、表の大通りから聞こえてくる。リビングで寝るのは危険だと私は主張し、マットレスを引きずってアパートの一番奥にある、キッチン横の小さな廊下に移動した。私たち一〇人はそこで横になって日の出を待った。この夜が早く明けますようにと神に祈った。私はミサイルと爆発音を数えていたが、一五四発まで来たところでやめた。爆発する前にヒスノイズを発する特殊なミサイルがあった。ムハンマドによれば、それは新しいタイプのものだ。この四年間をガザで過ごした彼は、私よりも精通している。

タッル・アル゠ザアタル学校の避難所で、一発のミサイルで数十人が死亡、数百人が負傷した。

午前五時三〇分、私たち全員が起き始める。窓から通りを挟んだ向かい側にある学校の避難所を眺める。二晩前に泊まった場所だ。二階の教室には、夜のうちにテントを出ざるをえなかった人たちがひしめいている。この頃は、窓際に長いあいだ立っていると危険だ。スナイパーが面白半分に撃ってくるかもしれないからだ。あまり長くは外も眺められない。昨日の夕方、負傷してインドネシア病院で治療を受けている友人のマフムード・モハイセンを訪ねた。やはりそこはとても混雑していて、どの廊下にも弾痕やミサイルのクレーターが見られた。多くのものが、アル＝シファー病院で見たものとまったく同じだった。テントで生活する人々、前庭にキャンバス布でつくられた臨時野戦病院病棟、家を追われた家族でいっぱいの廊下、不十分なベッド数、地べたで治療を受ける負傷者たち……。

今朝、アル＝シファーでは、イスラエル軍が患者、医師、看護師、避難民を問わず、病院内にいる全員に一時間以内の退去を命じた。イスラエル軍の意図は、病院内でこれまで制圧しきれなかった部分まで攻略する最後の一押しだった。病院内には何びとも居残ってはならなかった。報道によれば、イスラエル兵は病院の集団埋葬地から遺体を運び出していたそうで、おそらくは、この穴の下に何か他のものが隠されている可能性を疑っていたのだとされる。

インドネシア病院は小高い丘の上にあり、イスラム風の建築で、アル＝シファーで繰り広げられた大殺戮とは別世界の感がある。とはいえ、この病院もほとんど機能していない。

午後八時、私は就寝し四時間ずっと熟睡した。ムハンマドとヤーセルも同様だった。夢も見ず、悪夢も見ず、五分ごとに目を覚まして爆発音を数えたり、どこに命中したのだろうと考えたりすることもない。こうしてまわりの世界のことは忘れ、遠ざかることも、けっこう必要なのだ。

今朝、ジャバリア難民キャンプを歩き回って、新たに攻撃された地域を確認した。歩けば歩くほど、昨夜の被害が目に入ってくる。だが、あちらこちらで気がついたのだが、被害は何日も前の古いものであり、私が今やっと知っただけなのだ。ジャバリアは消滅しつつあり、日に日に消え去っていく。私たちも消えようとしている。新しい統計によると、ガザ地区の全人口の二パーセント以上が死亡、行方不明、負傷しており、七〇パーセントがホームレスとなっている。今は戦車がファフーラ学校を攻撃しており、初期報道の段階で二〇〇名ほどが亡くなっている。ジャバリア難民キャンプへの北、東、西側からの攻撃は、残った南側の方向へと人々を押しやっている。明らかに、安全な場所に通じる道はどんどん狭くなっている。

Day44

11月19日（日曜日）

目の前のロバの荷車に、四つの死体が横たわっている。死体は明らかにまだ出血しており、それらを覆っている白いシーツの赤い斑点が、みるみるうちに広がっていく。少年がロバにもっと速く進めとせかしている。通常、私たちは死者を見ると、敬意を表して立ち止まり、帽子を取ったり、頭を垂れたりするものだ。だが今では毎分のように人が死に、死体はありふれたものになっている。棺桶や、かろうじて布にくるまれた死体が通り過ぎても、まったく注意をひかない。イスラエルの監獄で三週間前に亡くなったマージドの母親は、「幸運な人もいるものだ」と恨めしそうに言う。彼女が言いたいのは、この死者たちの親はわが子を埋葬することができるという事実だ。彼女は、自分の息子の遺骸がガザに戻され、敬意を払われ、故郷の土地に埋葬されることを切に望んでいる。ガザで死んでいく人々の大半には、きちんとした葬儀をしてもらう尊厳も与えられない。もはや車は走っていないし、馬車もほとんどない。死者を最後の安息の地へと運ぶ救急車も、事実上走っていない。路上のいたるところに瓦礫が散乱し、ほとんどの道路は通れなくなっている。馬車が使えれば一番いい。救急車のサイレンは、攻撃中に聞こえてくるうるさい不協和音に紛れて、徐々に消えていった。おそらく、そのほうが救急車のためになるのだろう。救急車は陸上侵攻で次第に攻撃の標的になっている。多数が攻撃され、無数の救急隊員が死傷している。ガザでは毎日たくさんのものが姿を消していく。今度は救急車の番だ。救急車のサイレンは、かつては夜間に付き合ってくれる友だちだった。少なくとも、誰かが、何かをしようとしていた。今では誰も、暗闇の中では動かない。負傷者は彼らの運命に委ねられる。多くの場合、救えたはずの命だ。もし病院への到着が間に合えば、もし病院が標的でなければ、そして救急車も同様でなければ。

馬に乗った男がこちらに向かってくる。前方の鞍の上に一〇代の若者の死体を載せている。

おそらく彼の息子なのだろう。まるで歴史映画のワンシーンのようだ。ただ馬は弱っていて、動くのがやっとだ。男は戦場から帰還したわけではない。騎士でもない。片手に小さな乗馬鞭、もう片方の手に手綱を持つ彼の目は涙でいっぱいだ。私は彼を写真に収めたい衝動に駆られたが、急にその考えに胸が悪くなった。彼は誰にも敬礼しない。ほとんど顔を上げない。喪失感に浸りきっているのだ。ほとんどの人はキャンプの古い墓地を使っている。そこがもっとも安全だからだ。厳密に言えばずいぶん前から満杯になっているのだが、人々は浅めに墓を掘り、新しい死者を古いものの上に埋葬するようになった。もちろん、そうして家族は一緒になれる。

ファラジュはついに南に出発する決意をした。今朝、彼は着替えと書類をまとめ、妻と子どもたちのいるラファに向かうと宣言した。彼は隣人と一緒に危険を冒すことに決め、手はずを整えた。午前九時頃、彼らをサラーフッディーンまで運ぶ三輪バイクが到着した。ファラジュは私にアパートの鍵を預け、好きなだけ滞在していいと言った。彼は甥に母親の面倒を見るように頼んでおり、母親と一緒に二階に移ってきた甥の妻が世話をすることになった。ここ数日で、多くの人が同じ決断をした。ファラジュが去ると、ムハンマドと私は他に誰が去り、誰が去る準備をしているのかについて話し始めた。眼下の通りでは多くの車がじりじりと進んでいる。車の窓から突き出た棒の先に、これ見よがしに白い旗が掲げられている。自転車や荷車で移動する人もいる。ただ歩いている人も多い。

義弟のマーヘルから電話があり、夜中に建物の屋根に砲弾が命中したと知らせてきた。貯水タンクは破損し、ソーラーパネルのガラスは粉々になっている。家族全体が震え上がり、避難しなければならないと考えているそうだ。タッル・アル＝ザアタルのほとんどの人が同じように考えており、マーヘルの姉妹やその家族も同様だ。アーイシャは彼に、私の助言を求めるよう頼んだ。

「お父さんはどう考えているの？」と私は言う。マーヘルの父親はキャンプの学校の有名な校長で、あと二、三日待つべきだと考えていると言う。

「何のために？」と私は尋ねる。答えはない。おそらく、他のすべての選択肢が残らず検討されたのかを確認するためだと推測するしかない。

昨夜の攻撃で多くのモスクが破壊された。その中には巨大なフラファ・ラシディーン、ハイファ・モスク、ムハンマド・モスク、カッサーム・モスクなどがあった。まだ残っているモスクは、ほんの一握りだ。

タッル・アル＝ザアタルとジャバリア難民キャンプの「ブロック5」の多くの家も攻撃された。私たちは一晩中「炎の環」を見た。まもなく、さらに数千人の人たちが、ここ数日のエクソダス（脱出）スナイダ地区に加わることになるだろう。

キャンプは日に日に縮小している。この三日間でイスラエル軍は、ジャバリア西側では最初にサフターウィー、続いてファルージャ、東側では主にタッル・アル＝ザアタル、北部ではべイト・ラヒアからファフーラまでを次々と夜間に攻撃した。その結果、誰もかれもがキャンプの中心部へと退却することになった。

ニュースでは、イスラエルはジャバリア難民キャンプの全住民を退去させる必要があると話している。私たちにすれば、ここにいるのは決して頑なな気持ちからではなく、路上で暮らしたり南部のキャンプで暮らすという未知の状況のほうが、この場所を彼らが完全占領するまで待つよりも悪く思えるからにすぎない。しかし、それでも人はやがて必ず恐怖心に駆られる。この旅を楽しみにしている者など誰もいない。サラーフッディーン街道のクウェート交差点まで自分と荷物を運んでくれる車が見つかればラッキーだし、荷車なら見つかる可能性がもっと高いが、いずれにせよそこから先は歩くしかない。南への旅が本当に始まるのは、そこからだ。昨日、イスラエルはワーディー橋の検問所を一二時三〇分頃に閉鎖した。だから今朝は、朝七時か八時前にはクウェート交差点に到着することを目標に、人々はとても早く家を出ている。そうやって用意周到にしておかなければ、わざわざ行った道を戻ってくる羽目に陥るかもしれないのだ。

屋根が壊れた後、アーイシャは怯えているようだった。建物の他の部分も、瓦礫の破片が飛んできて被害を受けていたと後に判明した。すべてが損傷している。水も太陽光発電も使えない。ファラジュの居間でこれを書いていると、下の通りで遊ぶ子どもたちの声が聞こえてくる。女の子の声が「主よ、休戦をください」と言う。

3章——喪失と決心

Day45 11月20日……Day48 11月23日

Day45
11月20日（月曜日）

ビラールが昨日、ガザ市から脱出しようとして殺された。わかっているのはそれだけだ。やつらは彼を殺した。ガザでもっとも重要なジャーナリストの一人がどんな運命をたどったのか、それ以上の情報はない。最後に彼と連絡を取ったのは金曜日だった。彼はメールを送ってきて、旧市街からシャイフ・ラドワーンにある家族の家に引っ越したと知らせてくれた。彼は冗談めかして、お互いの場所はすごく近づいたから、中間地点のジャバリアで会えるね、と付け加えた。このメールの二日前、最後となった電話で私は彼にジャバリアへ来て一緒に泊まるよう提案した。「今のところ、ここは大丈夫だから」と私は言った。その後、私は何度も彼に電話したが、いつも電波が不十分だった。一週間前、彼はOoredoo［中東のテレコムサービス］で新しい番号を取得することに成功し、これで電波状況が良くなると期待していた。昨日、私は彼に「無事か？」とだけメールした。返信をもらえずにいたところ、弟のムハンマドがやってきて、ビラールが車で「グレート・エクソダス街道」（サラーフッディーンのこと）をできるだけ南に下ろうとしているときに殺されたと告げた。それを聞いたとき、私は信じるのを拒み、彼の番号に何度も何度も電話した。それから、共通の友人に電話をかけてみた。ヒクマット（通信社SAWAの編集者）とビラールが旧市街で滞在していた先のジャウダト・ホダリーだ。応答はない。

最後に会ったとき、ビラールは希望を失っているように見えた。彼は妻と子どもたちに電話をかけ続けていた。彼らのために、戦争が始まって二週間目にハーン・ユーニスに避難場所を確保していたのだ。私は彼の息子のカラーマの様子を聞き、いまだに詩は嫌いなのかね、と尋ねた。

「詩のおかげでこの戦争が終わるなら、カラーマは詩を大好きになるよ。ただし、その場合に限る」とビラールはふざけた。

ビラールはこの戦争中、起きている時間のほとんどを、ガザからのメッセージや写真を海外に発信することに捧げていた。彼は、外交官や国際ジャーナリストなど、プレスハウスの支配人として知り合った人々を招待して、数多くのWhatsAppグループをつくっていた。インターネットに接続できればいつでも、新しい写真やニュースを送っていた。最後に彼と一緒にいたとき、私は戦争が終わったらヨーロッパで休暇を取る計画を立てようと提案した。EUの交流プログラムの一環として、ブリュッセルに一緒に行ったときのことを、彼に思い出させた。私たちはそこで八日間過ごした。毎日のミーティングに加え、美術館やギャラリー、映画館を訪れ、夜はカフェでワールドカップを観戦した。私が新しい旅について空想を広げていると、彼は言った。

「俺はこの戦争を生き延びられる気がしないんだよ、アーティフ」

私はその言葉を受け入れず、俺たちはみんなで生き延びるんだと言い張った。彼が言うには、戦争の後にプレスハウスが存在するかどうかもあやしく、ましてやその支配人の運命などわからない。

「戦争はすべてを食らいつくす」

その日、彼はいつもより早く退出し、一時間で戻ってくると約束した。これが彼に会った最後だった。冗談まじりに、私たちは一緒にワーディー橋を渡るんだと約束した。

夕方になって、私は階段を上り、ひとり座って泣いた。このような男を死が奪うなんて、どういうことだ！　この戦争のような下劣きわまりない行為が、こんな品位のある男を奪ったなんて許せない！　友人たちがハエが落ちるように倒れていく。この戦争では、ビラールに会わなかった日も、電話やテキストメッセージを交換しないで過ぎた日もほとんどなかった。そして今、戦争はまだ続いているのに、ビラールはもういない。

ファラジュは昨日、南に下るのに失敗した。サラーフッディーンのクウェート交差点まで彼とその荷物を運んでくれる交通手段が見つからなかったのだ。彼は道端で三時間、誰か乗せてくれる人がいないか待っていたが、無駄だった。

今朝、みんなは五時に起きた。午前六時、ファラジュは路上に出て、乗せてくれる人が通りかかるのを待つ。

　今回は、東側から家族連れが逃げてくる。夜明け頃から、ジャバリア難民キャンプの東側に向けて戦車が海岸通りから発砲しているためだ。インドネシア病院が攻撃され、生き残って逃げてきた人々は、病院内で一〇〇人以上が殺されたと、通りすがりに話している。「そこらじゅうに死体が転がっている。病院の手前にも、裏にも、まわりじゅうに」と一人の男が私に言う。人々は西に向かっているが、いったい自分たちは今日どこまで行くのかはわかっていない。ただ、標的にされた地域から、できるだけ遠くに離れたいだけだ。こうしたものを見れば見るほど、そろそろ自分たちも退去すべきではないかと自問することが多くなる。一五歳になる息子のヤーセルは、常に恐怖を感じずにはいられない。彼は、私たちが南へ向かい、国境が開くまでラファにとどまり、それからエジプトのカイロへ行き、そこからヨルダンの首都アンマンに飛び、私たちの自宅がある西岸地区ラマッラーへ戻るべきだと考えている。母親や兄弟、妹に会いたいのだ。

　私たちの近所にも、今朝出発しようとする家族が大勢いる。もし私たちが今日そうしようと決意しても、乗せてくれる人を探すのは簡単ではないだろう。

　友人のユーセフは、この界隈で唯一、まだ燃料の残っている車を持っている。「いまや有名人だ。あの車のおかげでね」とムハンマドは言う。彼がどうやって今まで燃料を節約してきたのか誰にもわからないが、今ではクウェート交差点までみんなを乗せてくれることで有名になっている。でも彼の車は早めに押さえなければならない。理想的には二日前までだ。何しろ予約がしっかり埋まっているのだ。

午前一〇時頃、通りにいた何人かの若者たちが、通りに溜まったゴミを移動して一つの山にしようと提案する。彼らが提案するのは、近所のゴミ置き場が集まっている場所、つまり道路中央にある交通島の中だ。今は自治体のサービスもなく、UNRWAには他に心配することがあるため、ゴミはそこらじゅうに放置されている。このため、救急車の移動が妨げられ、疲れ果てた避難民の通行もさらに困難になっている。みんなが総出で道路の掃除に取りかかり、一時間半ほどでゴミはすべて一つの山にまとめられる。

清掃が完了したとき、一人の男が聞いた。「あと何度ぐらい、この仕事を繰り返すことになると思う?」

「このまま続けば、ゴミの山と瓦礫の山しか残らないだろうね」と私は答える。

新しい日が来るたびに、ジャバリア難民キャンプは静かになり、空っぽになっていく。こういうことは、戦争が終わったとき、どのように記憶されるのだろうか。そして、いったいこの戦争が終わるときが来るのだろうか。私はこの戦争を思い出したくないし、戦争が終わったときにガザの人々を待っている「新しい生活」を受け入れたくもない。私が望むのは、起こったことのすべてを割愛し、削除し、その代わりに、削除されたものを復活させることだ。

Day 46
11月21日（火曜日）

もうこれ以上はここにとどまれない。私たちは決心した。ここ二晩、砲弾はあまりに近くまで迫ってきており、閃光を見たり、爆発の轟きを聞いたりするだけでなく、砲弾が空中を横切って飛行するのを自分の窓から目撃したほどだ。イスラエル軍は刻一刻と近づいている。キャンプの外縁地域のほとんどは、もう完全に占領下にある。夜のうちに、軍隊が北から通り数本のところまで近づいてきた。私たちの通りには、戦車からの砲撃が休みなく続いた。私は目を閉じなかった。「死ぬときは、目を覚ましていたい。その瞬間を見たいんだ」とムハンマドに言った。ヤーセルは眠りにつく前、かつてないほどの恐怖を感じたという。この四五日間、彼はあらゆることに立ち向かう強さを見せてきた。だが、誰にでも限界がある。彼に言ってやった。

「考えてみよう。朝になったら決めよう」

それが二日前の夜のことだった。昨日の朝、父親に会いに行って、一緒に移動することを考えてくれるかと尋ねた。返事はきっぱり「ノー」。父が妻（私の継母）と一緒にいたいと思っていることを知っていたので、私は彼女の避難も手伝うからと安心させた。それでも彼は拒絶した。そして、矛盾した振る舞いだが、父は去ろうとする私に大きな声で呼びかけた、「あの子を安全なところに連れていけよ」。同じように、私は義理の父と母、ムスタファーとウィダードにも会いに行った。七五歳のウィダードは怯えきっていて、ろくに話すこともできなかった。彼女は看病してもらえる病院に行きたいと望んでいる。義父は自分の子どもがいないので、妻ともども一緒に南へ連れていってほしいと私に頼んだ。ヨーロッパ病院にいる孫娘のウィサームのところに夫婦で泊まれば、ウィサームの姉（彼女の名前もウィダードだ）が、ウィサームだけでなく祖母の面倒も見ることができると考えたのだ。

ファラジュは、この時点ですでに出発していた（早朝に家を出た）。それ以降は連絡が取れておらず、旅について尋ねることができなかった。ムハンマド、ヤーセル、マーヘル（私の妹アーイシャの夫）らと一緒に朝のお茶を飲んでいるうちに、翌朝には出発しようという考えが、ようやく私たちの中で固まってきた。これ以上遅れると命を落とすかもしれない。昨夜マットレスに横たわりながら、一五歳の息子が私の決断の代償を払わなければならないのは不公平だと気づいた。彼はこの四五日間は生き延びたかもしれないが、次の四五日間を生き延びることはできるだろうか？　死を免れるチャンスはどんどん狭まっている。私には彼に代わって決める権利はない。ハンナは最後の電話でこう言った。

「私の息子を返してちょうだい。あなたがガザに連れていったのよ。あなたが連れ戻してよ」

翌日には休戦になるという話がニュースにあふれていた。これは絶好のタイミングかもしれない。しばし持ち場を離れて、ラファに向かい、国境が開かれたときに備えて近くで待機するのだ。結局、私にはラマッラーで復帰すべき閣僚の仕事があるのだ。

アーイシャとその家族は昨日の朝、家を引き払った。あの通りにまだ残っている建物は、彼らの家の他には数えるほどしかなかったからだ。これ以上そこにとどまるのは狂気の沙汰だったろう。出発のために、日の出までの時間をあと何分かと数えながら待機していたのだ。タッル・アル＝ザアタルにはもう誰ひとり残っていない。昨日の朝、最後の家族が丘を下ってジャバリア難民キャンプの中心部に向かった。アーイシャは新しい居場所から私に電話をかけてきて、怒った声で私を叱った。「すぐに移動すべきよ。死ぬまでそこに居座るつもり？」私は何も答えられなかった。

移動するのだとしたら、早朝でなければならない。サラーフッディーンの検問所は午前一一時頃に閉まるからだ。正確な時間はわからないが、早いに越したことはない。

前夜、砲弾が窓の外を水平に飛んでいく光景を目の当たりにして、私は確信した。「時には、正しいより賢明なほうが良いこともある。それが理にかなっているのであれば」

賢明なこととは、みんなに生きるチャンスを与えることだ。たとえ、正しいのは、イスラエル人に二度目のナクバを引き起こさせないことであったとしても。

ムハンマドに私たちも移動すべきだと言うと、彼は近くの叔父の家に滞在しているアーイシャとマーヘルに会いに行った。一時間後、彼は私たちの旅の手はずをすべて決めて戻ってきた。まず彼が、「有名人」である燃料節約家ユーセフの車を使ってアーイシャとその家族、そして私たちの弟イブラーヒームとその家族を乗せて朝六時に交差点まで行き、それから彼だけ戻ってきて、今度はユーセフが残りの者たち（私の義理の母と父を含む）を乗せて運転し、みんなを降ろした後に自分ひとり車で戻ってくる。これで、決まりだ。私たちの脱出計画だ。

ようやく朝が来て、私たちの足となる車が戻ってくると、義母をユーセフの車に乗せるのが私の仕事だ。車が出発すると、私たちはみな、これからの長い旅に備えて心の準備をしようとした。クウェート交差点で降りると、アーイシャたちが待っていた。私たちは再結集し、ロバの荷車二台分の支払いを交渉して、私たち全員を交差点からワーディーのすぐ北にある「集合場所」まで運んでもらう。ロバ荷車の乗車時間はわずか七分。平時であれば、家族で海辺などに一日旅行するときに楽しむものだ。しかし、この日の旅は気の滅入るものだ。ロバのオーナーは一頭あたり三五シェケルを徴収する。私たちがそこに着くと、私たちと同じような避難民が何千人も列をつくり、イスラエル軍が横断させてくれるのを待っている。生身のイスラエル兵をガザの中で見るのは、二〇〇五年以来、初めてだ。混乱の中で離れ離れになってしまうかもしれないとわかっていたので、私はヤーセルに、祖母の世話に責任を持つのはおまえだとはっきり告げた。単に車椅子を押し、祖母を快適な状態に保つだけではなく、万一、兵士たちがヤーセルを逮捕して祖母から引き離そうとしたときには、自分が祖母の第一の介護者であることを彼らに知らせなければいけない。私はショルダーバッグを二つ下げて、できるだけ二人の傍にいる。バッグの一つは特に重い。今朝出発する前に、私たち全員の公文書類（出生証明書、資格証明書、権利証書類など）をすべて束ねてこのバッグに入れ、ついでに数冊の写真アルバムも一緒に入れた。これらは私たちの記憶だ。残しておかなければならない。

午前七時二〇分頃、チェックポイントに到着。左手には戦車がずらりと並んでいる。イスラエル兵たちが戦車の上でアラビアコーヒーをすすりながらくつろいでいる。私たちに近いところの兵士たちは、自分たちを見つめる者がいるだけで怒鳴りつける。彼らの前で携帯電話を取り出したりしようものなら、二度とその者の姿を見ることはなくなるだろう。私の前に立っている子どもたちは震えている。何か彼らの気に障ることを言って発砲されるかもしれないと思うと、怖くて話もできないのだ。私はときおりちらっと顔を上げて、どいつが責任者なのか、どいつが私たちの生死を決め、このまま通り抜けられるか投獄されるかを決めるのかを探ってみる。三〇分ほど待つと、一人の兵士が拡声器を通して私たちに話しかけてきた。彼は命令を繰り返す。左を見ず、右を見ず、一直線に進め。まっすぐ前だけ向いていなければならない。さらに命令が続く。こんなことを、彼らはいったいどこで覚えたんだろうとひそかに訝《いぶか》る。赤ん坊の顔を覆ってはいけない、と兵士の声が付け加えた。おそらくアブー・ウバイダ［ハマス軍事部門の広報官］は、これまで彼らが想像していたよりも幼いのだろう。

午前八時頃、再び動き出すよう音声で指示が出る。ここがこの旅で一番の難所だ。道路は泥で覆われ、アスファルトは損傷し、そこらじゅうにクレーターができ、瓦礫やゴミが散乱している。ヤーセルは車椅子と格闘している。クレーターをよけるために義母と車椅子を一緒に持ち上げるのを、何度か手伝わなければならなかった。慎重に動かなければならない。老女が車椅子から落ち、私が抱き上げて席に戻してやらねばならないことが三度もあった。二〇分後、私たちは道路の真ん中に建てられた奇妙な仮設の部屋に誘導された。私たちは列をつくって並ばされ、身分証明書を掲げなければならない。ようやく顔を左に向けることが許されたが、それは兵士が私たちを見て身分証明書と照合するためだ。といっても、彼らは肉眼で確認できるほど近くにはおらず、何メートルも離れたところから双眼鏡で私たちの詳細をチェックしているらしい。彼らは本当に怖くてこれ以上近づけないのだろうか？

いよいよ逮捕が始まる。無作為に選ばれた人々が、一列に並んだ兵士たちのほうに呼び出され、逮捕に備える。兵士の一人がこんなふうに声をかける。

「白いTシャツに黄色いバッグを持った者、こちらへ」。あるいは、「そこの口ひげの男、こちらへ」。

それぞれ自分のバッグを片側に投げ出し、泥の上に膝をついて尋問を待つように指示される。左手の、もっとも離れたところに数十人の兵士が陣取っていて、彼らが立っている砂丘の上には、大きなテントが張られている。中には兵士たちがコンピュータの前に座り、拷問を楽しみながら、公式のものにするためキーボードで何かを打ち込むのが見える。ヤーセルが自分の出生証明書と祖母の身分証明書を掲げた。私は自分のものを掲げた。どうやら見た目だけで呼び止められる人が大半のようだ。私たちの身分証明書がすべて読み込まれ、システムに入力されてから呼び出されているわけがない。彼らは文字通り、逮捕する人たちの外見が気に入らないのだ。残念ながら、マーヘルの二人の兄弟もそれに含まれていた。

私たちが通り過ぎると、兵士が「そこの黒っぽいプルオーバーの者」と呼び出しをかける。ヤーセルは黒っぽいプルオーバーを着ている。私は小声で「動くな」と言う。「おまえのことだったら、車椅子を押している者、と言うはずだ。インシャーアッラー」。私は正しかった。

さらに二キロほど何とか進むと、やがてもうイスラエル軍に囲まれていない道路に出た。背中は痛むし、肩や腕も痛いが、また普通の道を歩けるようになってほっとした。

しかし、ここが一番の難所だ。もう、どっちを向けとは命じられないが、私はヤーセルに厳命する。「見るな。見ちゃだめだ」

無造作にばら撒いたように、道路の両側に沿っていくつもの死体が転がっている。腐乱して、地面に溶けつつあるようだ。すさまじい臭気だ。焼け焦げた車の窓から、一本の手がこちらに伸びている。まるで何かを求めているかのようだ――はっきりと、私から何かを。こちらには首のない死体、あちらには切断された頭部が転がっている。手や足や大切な身体部分がただ投げ捨てられ、腐敗するに任されている。「見るな」と私はヤーセルにもう一度言う。「そのまま歩き続けろ」

私たちはさらに一キロほど歩き続け、ロバの荷車が集まっている地点に到着した。そこで人々を乗せて、タクシーや車が待機している場所まで運んでくれるのだ。

私たちは集まっている車の前で再結集した。私はバッグからチョコレートを取り出し、子どもたち一人ひとりに配った。もう安全だ。生き残りに向けて大きな一歩を踏み出したのだ。アーイシャは車でガザ中部の都市デイル・アル＝バラフに行く。イブラーヒームは別の車でラファに向かう。私はラファとハーン・ユーニスを結ぶ東側の道路にあるヨーロッパ病院まで乗せてくれる車を探すのに苦労する。最終的に、ぎゅうぎゅうに人を詰め込んだトラックの運転手が、私たちを運んでいくことを承知した。トラックの荷台に車椅子を上げ、片方の隅にしっかりと押し込む。ムハンマドとヤーセルが、乗っているあいだじゅうずっと車椅子をしっかりと握っている。トラックには四〇人ほどが乗っている。私たちは値段の交渉をしようとしたが、運転手は燃料の値段が三倍になり、満タンにするのに二一〇〇シェケル支払わなければならなくなったと文句を言う。

このときの自分たちがどんな姿だったか想像もつかない——難民がひしめくトラックの荷台の片隅にしがみつき、必死で車椅子をつかまえているガザ難民。やがて私たちはヨーロッパ病院に到着し、高齢の義母をウィサームと同じ病室のベッドに寝かせることができた。私たちにこのような便宜を払ってくれた病院の責任者を探して、お礼を言わなければならない。

これでやっと、私は休息する場所を見つけることができる。

Day47
11月22日（水曜日）

昨夜は南部で過ごす初めての夜だった。今朝、目を開いたとき、自分がどこにいるのか、すぐにはわからず、あたりを見回した。目が覚めたとき、傍らに息子のヤーセルが寝ていないのは、この戦争で初めてのことだ。やがて私は思い出した。ヤーセルは祖父母を見守るためにヨーロッパ病院に滞在することに同意したのだ。

昨日の午後三時頃、義理の両親を病院に落ち着かせた後、私はハーン・ユーニス難民キャンプに行くことにした。私はヤーセルに、ウィサームたちと一緒に病院に泊まるように言った。「一晩だけだよ」と私は彼に言った。病院にはマットレスも予備のベッドもないと彼は抗議した。椅子があるじゃないか、と私。それだけで、ありがたいと思いなさい。私にとって、南に来るのは悪夢だ。ここには友人もネットワークもない。ハーン・ユーニスは、いろんな意味でガザ市から遠く離れている。ここには、自分が安心できる場所がまるでない。今晩はどこで寝るのか、必要なものはどうやって手に入れるのかと、心配でたまらない。ヤーセルはウィサームの隣に椅子をあてがわれたので、今はそれで十分だと自分に言い聞かせた。私自身のことはまた別に算段しなければならない。ムハンマドは、ラファの叔父の家に滞在している妻のところへ行ってしまった。

私は友人のマアムーンに電話をかけてみた。彼は戦争が始まった最初の週にリマール地区にあったアパートが破壊されたため、ハーン・ユーニスにある実家に避難していた。「連絡を待っていたよ」と、電話に出た瞬間に彼は言った。ヨーロッパ病院の外の道で、私はとても古くおんぼろになった車を止めて、ハーン・ユーニスまで乗せていってくれと頼んだ。南部は燃料価格が高く、ほとんどの車はガソリンの代わりに食用油を使うようになっている（二〇〇七年に最初にガザの封鎖が始まったときも、みんなそうしていた）。そのため車は悪臭を放っていた。とはいえ私はマアムーンの家への道をよく知らず、運転手の男は私の申し出を断わった。歩くしかない。私はこの状況全般にひどく腹を立てていたので、歩くのは実際、自分には良いことだった。歩くことで、少し鬱憤を晴らすことができた。町の中心部のマアムーンの家があるキャンプに向かった。

途中、偶然にもビラールの弟でロイター通信社に勤める写真家のムハンマド・ジャーダッラーに出会った。私たちは互いを抱擁し、涙をこらえきれなかった。二人ともが経験した喪失感の大きさに圧倒されていた。ビラールがいなくなったなんて、誰にも信じられなかった。彼の子どもたちはまだ、戦争が終われば父親は戻ってくると思っている。

町の中心部にあるウエスタンユニオン銀行の支店の前には、海外から送金された現金を受け取ろうと何百人もが群がっていた。ハーン・ユーニスではいたるところで、人々は何かを求めて列をつくっている。パン、水、電気。私は今まで歩いたことのない通りを歩いた。まず驚いたのは、野菜が手に入ることだった。私たちをハーン・ユーニスに運んでくれたトラックの中で、前の座席に座っていた女性が、八百屋の屋台にトマトやキュウリがうず高く積まれているのを見た瞬間、泣き出してしまった。「野菜を見るのは四〇日ぶりなのよ」と彼女は告白した。

ハーン・ユーニスは、普段は一五万人が住む街だが、現在は一〇〇万人が暮らしている。歩く場所もないほどだ。ガザ市や北部だけでなく、東側の村々からも人が集まっている。一時間ほど歩いて赤新月病院に到着した。マアムーンを見つける唯一の方法は、彼に迎えに来てもらうことだと私は悟ったのだ。病院の外で彼を待っていると、北部から引っ越してきた友人たちにたくさん出会った。私はラップトップのバッグを一日じゅう持ち歩いていたせいで、自分が思っている以上に疲れていた。背中の痛みもひどくなっていた。ヨーロッパ病院にいたとき、医者に痛み止めの薬が欲しいと頼んだ。彼は処方してくれたが、必ず食後に飲むようにと言われた。私は前日から何も食べていなかった。

マアムーンの家に向かう途中、私たちはハーン・ユーニスの状況について話した。野菜だけは豊富にあるようだが、他の多くの製品は不足している、と彼は言った。塩とかコーヒーとかだ。ガザ地区が二つに分断されたことから、ガザ市の卸売業者からのサプライチェーンがハーン・ユーニスでは断ち切られている。

マアムーンの家族と夕食をとり、真夜中近くまで話をした。二週間ぶりに自分の携帯電話でインターネットにもつながった。

今朝は午前九時まで寝ていた。起きてすぐ、ヨーロッパ病院のヤーセルに会いに行く。彼は椅子の上では熟睡できなかったようで、不調だった。イブラーヒーム、アーイシャ、ムハンマドと順番に電話して様子を確かめた。私たちは今、南部のあちこちに散らばっている。

ファラジュが電話で、ジャバリアの私たちの通りへの攻撃について何かニュースを聞いているかと尋ねてきた。ラファで会った誰かから、ファラジュの家の隣の家が攻撃されたと聞いたらしい。自分の家もやられたのではないかと彼は心配していた。彼の母親はまだ一階にいる。ジャバリアには昨夜、多くの攻撃があり、そのいくつかは、新たな難民が避難しているUNRWAの学校で起きた。私は一時間かけて、さまざまな攻撃に関するニュースを読んだ。ドローンは私の頭上をホバリングするのをやめない。ブンブンいう音がずっと連続している。それに混じって、ときおり爆発音も聞こえるが、とても弱々しい。いったいこれは現実なのか、それともただの記憶なのか、定かではなく、私は頭を振ってみる。

今日は新しい日だ。

Day 48
11月23日（木曜日）

今日で戦争は四八日目だ。四八という数字が好きなパレスチナ人はいない。昨夜、ヤーセルをヨーロッパ病院まで迎えに行き、友人のマアムーンのところで一晩一緒に過ごした。

その帰り道、私たちは市場を歩いて通り抜けた。人々が物を売り買いしている光景には、何かしら私をうっとりさせるものがある。特に知らない市場だと、そこで人間観察をせずにはいられない。揚げピーナッツを売る屋台もあれば、お菓子やタバコを売る屋台もある。ファラフェルを売る屋台では、薪を燃料にして油を温め、そこにファラフェル団子を投げ込んでいる。ハーン・ユーニスの街頭は、今のところ活気に満ちているようだ。何千もの人々が市場にひしめき、ものを買ったり、食ったりしている。どの店も、どの屋台も、消費者に取り囲まれている。まるで巡礼シーズンのメッカのようだ。男も女も、老いも若きも、みんなせわしく動き回っている。察するに、多くの人は私と同じように北部からやってきた者で、このような市場を見るのは数週間ぶりだったのだろう。

ヤーセルのディナーに、ケバブサンドを二つ買った。少しばかり日常性を取り戻せるのは嬉しい。私たちは、店の男がケバブサンドを作るのを見守った。それから別の屋台に行き、ヤーセルに炭焼き肉を挟んだサンドウィッチも買ってやった。炭の煙の匂いが私の記憶の通路を通り抜け、家族の集まりや海岸でよくやっていたバーベキューを思い出させる。ヤーセルはぺろりと平らげて、「デザートは？」と嬉しそうに尋ねた。私たちは蜂蜜をかけたカスタードの小鉢を二つ買った。

一時間半かけてこの露店市場を歩き回った。私はピーナッツを二つかみ買い、それを食べながらこの町についてヤーセルと話した。町の歴史を少し紹介しようと、私は一九五六年にイスラエル軍がこの町で行なった大虐殺について話した。その際には、ここの難民キャンプに暮らしていた私たちの家族の一部も殺された。イスラエル兵は、フェダイーン［戦闘員］を探すためと称してキャンプ内を一戸一戸しらみつぶしに捜索し、その過程で二五〇人以上のパレスチナ人を射殺した。彼らはラファでも同じことをした。

「カイロにはいつ出発するの？」ヤーセルが突然尋ねた。

「エジプト側が私たちをリストに載せるのを待っているんだ」と私は説明するが、ヤーセルはその答えをすでに知っているはずだ。毎日、数人がリストに追加されて出国する。しかし、この四週間で通過を許可されたのは、二重国籍者や他国のパスポートを持つ者だけだった。前日の夜にオンラインで公表される出国許可者のリストは、すべてイスラエル側によって調整され、エジプト軍はその命令に従っているだけだ。大多数の二重国籍者はすでに出国しているが、大きな例外はエジプトとパレスチナの二重国籍者という一大集団だ。数日後には、私たちもリストに加えられるはずだと聞いている。ヤーセルがこの状況にどれほどうんざりしているか、こんな状況を離れて普通の生活に戻ることをどんなに切望しているか、私にはわかっている。母や兄弟、友人や隣人が恋しいのだ。慣れ親しんだものすべてが恋しいのだ。

「カイロに行ったら、ピラミッドを見られるよ」と私は言った。

「そうだね、でもまっすぐラマッラーに行くほうがいいな。家が恋しいんだ」

マアムーンの家に向かう途中、露店市場のすぐ横にあるナーセル病院に立ち寄った。ここはハーン・ユーニスで一番大きな病院で、もちろん名前の由来はかの偉大なガマール・アブドゥル＝ナーセルである。私はガザの詩人、ファーティナ・アル＝グッラにメールした。彼女は一〇年以上前にブリュッセルに移住したが、戦争が起こったときたまたまガザを訪問していたのだ。病院前の報道関係者用テントで会えないかと聞いてみた。彼女は休日に家族に会いに来ただけだったが、いまやここで交戦地帯にいる。私がナーセル病院を訪れるのは、これがようやく二度目になる。最初の訪問は二〇年前だった。私はヤーセルに、これでガザ地区の四大病院（アル＝シファー病院、インドネシア病院、アル・ヒラール病院、そしてナーセル病院）を巡るツアーを完遂したぞと冗談を言った。

「病院どころか、この町を訪れたのだって、兄弟の中で僕が初めてだよ！」

「よし、じゃあ明日はもっと南へ行こう。ラファへ」

ヤーセルは、それが国境に行くためではなく、仕事のためだと知っている。それでも、その笑顔から、彼が楽しみにしていることがわかる。

マアムーンの家に戻り、前庭でコンロを囲んでみんなが集まった。彼の弟モティーがすでにパンを作っていて、ザアタル、ジブネ（白チーズ）、オリーブオイル、オリーブの実などを並べた軽い夕食を用意してくれた。モティーは、私たちがどれだけ長い間野菜を食べていなかったかを知っているので、トマトとキュウリもたくさん並べてくれた。ヤーセルはすでに市場でお腹を満たしていたので食べられなかった。コンロに火がともる光景と新鮮な野菜の香りが、私たちをうっとりさせた。

「明日は休戦になると思う？」とモティーが尋ねる。噂にすぎないけれど、みんながその話をしている。マアムーンが携帯電話の画面から休戦の条件を読み上げる。そしてみんながその是非について議論する。個人的には、条件なんてどうでもいいと思う。いま必要なのは休戦だ。人々は休憩が必要だ。どうやって今日を生き延びるかではなく、明日のことについて考えるための時間が必要なのだ。条件について私が本当に心配しているのは、北から逃げて南へ行くことはできるのに、南から北に渡ることが許されていないことだ。彼らは一時的なものを恒久的なものにしようとしているように思われる。これは、人々はもう永遠に家を失ったことを意味するのだろうか？　私は空を見上げた。ドローンの音がいつになく大きく感じられた。「休戦が始まる前に、彼らはすべてを特別念入りに監視したいのさ」とモティーは説明した。

噂によれば、休戦は翌朝の一〇時に始まる予定だった。しかしその夜、私たちはハーン・ユーニスの東側で砲撃を聞いた。一分おきに爆発音がした。「休戦の前に殺すだけ殺しておきたいのさ」と私はマアムーンに言った。朝になったら、ここでの攻撃と、ジャバリアなど北部への攻撃について読んでみよう。数十カ所が攻撃され、多数の死者が出たはずだ。しかし、詳細はほとんどわからないだろう。というのも、北部からほとんど情報が入ってこないからだ。あちらではインターネットは事実上つながらず、携帯電話の電波も弱い。

朝になって、休戦がもう一日延期されたこともわかるだろう。障害が発生したのだ。ラファに向かう途中、F16戦闘機がヒルバト・アル＝アダスに近い住宅地を爆撃した。私たちが走っている道路の左手だ。南部に到着して以来、直接の爆撃を見るのは初めてだった。車の中で、しばらくのあいだ目を閉じて、爆撃の音に耳をすます。一瞬、自分が南部にいることを忘れる。

この国境の町までは車ですぐの距離だ。到着すると、まっすぐに赤新月社のビルをめざす。ここで、救援部門で働く友人たちと打ち合わせがあるのだ。ラファは現在、すべての救援活動の中心地だ。ここはエジプトへの玄関口であり、そこからすべての救援が入ってくる。

4章——「休戦」

Day49 11月24日……Day55 11月30日

Day49 11月24日（金曜日）

今朝、ついに来た。休戦だ。四日間が約束された。空爆のない四日間、瓦礫の中から友人や家族を引きずり出すこともなく、いつ何どき愛する人々が、占領者の「戦略」のおかげで奪われるやもしれないという不安もない。この戦争が始まってから四九日目、ようやく少しゆっくり息がつけるようになる。息をついたとたんにすべてが崩壊することはない、とわかっているからだ。「休戦」という言葉そのものが祝福のように感じられる。これがより長い戦闘停止の始まりになるかもしれないとの観測さえ出てきた。もちろん、恒久的な平和が来ると考えるほど純朴な者はいない。ガザの人々にとって戦争は天候のようなもので、私たちはずっとその中に生きている。私たちに発言権はなく、生まれたその日から、戦争はただ、やってきては去っていく。ほとんどのガザ人はこの地区の外に出たことがない。戦争が当たり前でない生活がどのようなものか知らないし、自由が何かも知らない。それを欲していることはわかっているが、実際に味わったことなどないのだ。

昨日は、遅れはしたものの次の朝には休戦協定が発効すると、誰もが確信していた。それはただの噂ではなく、どのニュースチャンネルでも確認されていた。人々はこれから数日の計画を立て始めた。ただし、彼らにできない一つのことは、もちろん、北部に戻ることだった。私が出会った北部からの避難者のほとんどは、その決断を心から後悔している。南部で見つけた避難所の生活環境は悲惨なものだった。しかも彼らの多くは、ここに来る前からすでに数週間もホームレスの状態だったのだ。

ガザ中部のデイル・アル＝バラフに滞在している妹のアーイシャが昨日メールをくれた。彼女は、一人になるといつでも泣いているという。タッル・アル＝ザアタルの自分の家で、自分の手で築き上げた生活が恋しいのだ。子どもたちもそれを恋しがっていた。切実に。

ラファ中心部のアル＝アウダ広場から西のスルタン地区に向かって歩いてみた。それは街全体を突っ切るほどの道のりで、こんなに離れているとは想像していなかった。ほんの三〇分ほど歩くぐらいのつもりだったのだ。今は選べる交通手段が限られている。乗せてくれる車を見つけるどころか、ロバ車を見つけるのさえ難しい。ハーン・ユーニスがそうであったように、ラファは活気に満ちていた。人々は四方八方から集まってきた。荷車、露店、商店が軒を連ねて、柑橘類、オリーブ、オイル、ナッツ、肉、ケバブなどを売っていた。これらの香りに混じって、砂漠の匂いも漂っている。ラファでは、砂漠がいかに近いかが実感できる。南西にはシナイ砂漠、南東にはネゲブ砂漠が広がり、ラファはその両方への玄関口なのだ。この国境の町を通って、アフリカに渡ることができる。かつてはアフリカの人々がアジアへ移動する主要ルートだった。国境を横切る小さな道はかつて「アジア通り」と呼ばれた汚い道で、二つの大陸を結ぶ唯一のルートだった。考えてみると、かつてはここを鉄道線路が走っており、カイロからエルサレムまで乗客を運んでいたのだ。もちろん、一九四八年までのことだ。

ガザの封鎖が始まってからの一六年間に、ラファは、エジプト側からのトンネルを経由した物資の密貿易が盛んになり、経済的に繁栄した。国境の地下には何百本ものトンネルが掘られた。封鎖によって制限されていた物資を持ち込んだだけでぼろ儲けができ、人々は一夜にして無一文から大金持ちになり、パレスチナの億万長者リストに名を連ねる者も出てきた。ラファでは何だって売られていた。

しかし、ここ三年間は、エジプト側が多くのトンネルを閉鎖し、ガザとの貿易を公式に取り決めようと努めているせいで、密輸ビジネスは衰退している。

ガソリン不足のため、ガザ地区の車は現在すべて植物油で走っている。通りに一歩踏み出すと、食用油の燃える匂いが鼻を突き、一瞬、大繁盛の野外キッチンに足を踏み込んだかと錯覚するほどだ。私はサンドウィッチとナッツを買って、ヤーセルと一緒にタッル・アル＝スルターンまで歩く道すがらに食べた。数週間前からそこに滞在している弟のイブラーヒームや多数の親戚に会いに行くのだ。シャーブーラ難民キャンプで妻の家族と一緒に滞在している弟のムハンマドに電話をし、主要道路で落ち合って、一緒に東に向かった。

到着すると、イブラーヒームがどうやって生き延びてきたかを見ることができた。イブラーヒームは避難先の学校に設営した自作の小さなテントを見せてくれた。それをつくるための木材や布や紐は買わなければならなかった。残念ながら、中にマットレスや枕はなく、ただ地べたで寝るだけだ。この学校は、他の学校と同様に人で膨れ上がっている。一つひとつの学校が、小さな町のようになっている。こうした学校の前には屋台が立ち、ファラフェルやお菓子やいろんなものを売っているのが普通の光景になった。避難民の流入にともない、もっとも需要があるのは台所用品（皿、スプーン等）だ。何百もの家族が、ここでゼロから生活を始めなければならず、まず必要になるのは食事をすることなのだ。イブラーヒームの説明によると、彼らはここで地元の人からどんな古い中古品でも買うという。壊れたスプーンとか、錆びたナイフとかを持っている人がいれば、そんなものでも買ってくれる。

イブラーヒームと一緒に、彼が滞在している学校から国連の貯蔵基地まで歩いた。国連貯蔵基地はフェンスで囲まれ、軍事基地に似ていなくもない施設で、昔から難民への救援物資が配布される前に保管されている場所だ。この基地では今、二万二〇〇〇人ほどが避難生活をしている。主にジャバリア難民キャンプとその周辺地域から逃れてきた人々だ。基地はいくつもの巨大な格納庫で構成されており、それぞれの中に数百の家族がテントを設営している。事実上、新しい難民キャンプの誕生だ。

ここに滞在中、私はファラジュを訪ねた。彼はこの基地で四〇日ぶりに家族と合流したのだ。私自身の親戚も何人かやってきて、みんなでご近所仲間の同窓会みたいなものを楽しんだ。

基地はすでに満杯で、これ以上避難民を受け入れることができない。そのため、新たに到着した人々は境界フェンスのまわりにテントを張り始めた。半公認の難民キャンプの外側にある非公認の難民キャンプだ。この新しい状況で「キャンプ」という言葉を使うのは、不思議な感じがする。私が昔から知っている「キャンプ」とは、ジャバリア、シャティ、ブレイジュ、ヌセイラートなど、西側の人々なら「スラム」と呼ぶようなところで、その場しのぎの無計画な建物が密集し、過密で、薄汚れて、貧しいが、それでも町として十分に確立し、しっかり機能している。しかし、一九四〇年代後半の頃に戻れば、それらの場所もすべて、ここと同じ眺めであっただろう。見渡す限り白いテントが続いている。

周囲を見回していると、私が生まれたキャンプ、ジャバリアが誕生した時代にタイムスリップしたような気がした。あのときにどんな新しい通りができ、今はくたびれて目の前の泥に埋もれているのだろう。どんな新しい地区がつくられ、数十年後も街並みに面影を残すことになったのだろう。そういうことを考えずにはいられなかった。

商人や販売員はここにも商機を見つけ、基地の入り口に露店を出し、サービスを提供している。ある老婦人は、小さな道端で火を焚き、甘い団子を作り始めた。長い行列ができている。すでにもう、彼女は早起きして朝から晩まで働き続けなければならないほどだ。

親戚で親友のジュンマにも会いに行った。彼は三週間前にジャバリア北部の家からラファに引っ越してきた。彼は、格納庫のすぐ外側に自分のプライベートスペースをつくることができた。ジュンマの「住処」は、相対的には宮殿のように豪華で、毛布とナイロンでつくられた四つの「テント部屋」でできている。きれいな黄色い砂の感触を素足に感じながら、私は一つの「部屋」から次の「部屋」へと歩いた。「ベドウィンのルーツと再会したんだね」と私は冗談を言う。最初のテントの外側の、砂の上にしつらえた小さな焚火でお茶を入れた。一番大きな「部屋」には一五人の友人や親戚が集まった。ほとんどパーティーのようだった。

私は彼のテントの一つで一夜を過ごした。寒かったけれど毛布は足りていた。私はジュンマに聞いた。

「雨が降ったらどうするんだ？」

「それはまたいずれ考えるさ」

「でも冬が来るよ」

彼は心配していない。冗談めかして言う。

「寒い北部ガザとは違う。ラファではめったに雨は降らないのさ」

たった二〇マイルしか離れていないのに、と私は心の中でつぶやく。

今朝、ユーセフとジュンマの息子を連れて三〇分ほど新キャンプの周辺を散歩し、誕生から日の浅いこの新しい町の様子を少し体験した。その後、ラファの町の中心部に戻るための車を手配した。新しい日の始まりだ。

Day50 11月25日（土曜日）

休戦初日の昨日、多くの人々がサラーフッディーン通りに繰り出した。北部の自宅まで歩いて戻りたいと思ったのだ。もちろん、イスラエル軍はそれを阻止した。二人が撃たれ、すべての道路が封鎖された。イスラエル軍は催涙ガスと実弾で帰還民を脅した。人々は南へ下ることだけが許されており、その逆は許されない。それでもラファでは、歴史の時計の針を巻き戻そうと計画している人たちを見た。彼らは荷物をまとめ、夜が明けてまもなく歩き始めた。休戦は午前七時に始まり、七時一五分にはサラーフッディーン通りが人でごった返した。しかし、午前一〇時には、その多くが来た道を引き返し始めた。これはずっと続くのか？　みんな知りたがっている。そしてまた同じ答え。「誰にもわからないさ」。ガザ市や北部に居残っている避難民の中には、昨日、自分の家に戻ろうとした者もいた。主にガザ地区の北端と西端の人たちだ。しかし、イスラエル軍は彼らに発砲した。数十人が死亡し、残りの人々の多くは逃げ帰った。彼らは自分の所有地を確認し、まだ家があるかどうかを確かめたかっただけだった。知ろうとしただけで殺されたのだ。

何人かの帰還者は、北部に戻る秘密のルートを見つけ出した。兵士や銃の視界から外れた道だ。それは危険な試みだが、今の私たちの存在に危険でない部分があるだろうか？　帰還を果たした者の中には、ガザ市や北部地帯の惨状を写真やビデオに収めた者がいる。もっとも衝撃的な映像は、路上に投げ出された死体がそのまま放置されて転がっているものだ。首を切られた死体、手足のない死体、犬に食べられた死体。動物までもが爆撃によって殺されている。これらの写真を見ると、街はまるでシュールな野外死体安置所か、殺人現場のようだ。ある母親は帰還して子どもたちの遺体を見つけた。四週間経っても何の音沙汰もない子どもたちがまだ生きているなんて、彼女も思わなかったはずだ。彼らには奇跡が必要だったが、この戦争に奇跡はない。

この母親にとって、休戦は新たな悲しみをもたらしただけだった。自分の家が無くなったことを知らねばならなかったすべての人々にとっても同じことが言える。故郷と呼んでいた唯一の場所が突然存在しなくなるのだから、再び未来について考えるなんてとてもできない。誰もが答えのない質問をしている——最後の銃弾が撃ち込まれたとき（それがいつのことであれ）、ガザはどんな姿になっているのだろうか？　ガザのどれだけの部分に私たちは帰還できるのか？　この戦争の次の段階では、私たちはシナイ砂漠に追いやられるのか？　休戦中の今、私たちは将来について考える時間がある。だが、時にそれは、重すぎて考えることすらできない。

私にとって焦眉の問題は、サフターウィーにあるマンションの状態だ。まだ近所にいるかもしれない人に何度か電話をかけてみた。でも誰も電話に出なかった。そんなとき、義父のムスタファーからメールが来て、その地域のビデオを見たら、私たちの建物がちらっと映っていた、と教えてくれた。「どうやら、まだ建っているみたいだ。でも大通りは壊滅状態で、通りの北側の並びの建物は全部解体されている」。彼はそのビデオを送ってくれた。私たちの建物はずっと遠く離れているが、特徴的なオレンジ色のファサードのおかげで確認できる。

最近、私の父と彼の妻からも、妹のアスマーとその家族からも、何の消息も聞かない。何度も電話しているのだが、北部は遮断されているようだ。休戦中の今でさえ、あちらでは電波がないのだろう。北の人たちから直接聞いた最後の言葉は、休戦の直前の攻撃の激しさについてだった。彼らの無事を祈るしかない。

今日、私は難民であることの本当の意味を思い知った気がする。これまでは北部にいて、物事はより危険になり、絶えず命の危険にさらされ、何度も死を間近に見てきた。それでも、少なくとも私は自分の「ハーラ」つまり自分のなわばりにいて、地元の人間であること、コミュニティの一員であることの恩恵を享受し、キャンプや街を細部に至るまで知りつくし、どの界隈が危険であり、どうやってそれを避けるかを理解していた。もしパンが足りないことがあれば、多くの人が差し出してくれることを知っていた。寝る場所がなくても、多くの家族が私に扉を開いてくれた。

ラファのジュンマのテントを離れ、街の中心部まで乗せてくれる者をつかまえる。もう車やタクシーは走っておらず、ロバ荷車を使うか、トラックやローリーの荷台に飛び乗るしかない。ヤーセルと私は、ゆっくりと走っている小型トラックの荷台に飛び乗った。数分ごとに新しい乗客が飛び乗ってくる。トラックの荷台にうずくまり、バッグをしっかり握りしめる。その後の行程は、自分のまわりの足しか見えない。数えてみたら四二本だった。トラックは先に進み、人の身体が出たり入ったりするにつれ、わずかな光が差し込んでくる。町の中心部に近づいたところで、私たちは飛び降りた。ウエスタンユニオン銀行の窓口で現金を引き出すため、私たちより一時間先に出かけたイブラーヒームを待つためだ。私たちは古いガレージのプラットホームに腰かけて彼を待った。数メートル先にムタヒーデン文化センターの看板が見える。とても不思議な感じがする。つい二カ月前に、ここで私は若手作家のための創作ワークショップに参加していた。あれは今世の出来事だったのだろうか？　目を閉じて、あのとき以降に起こったことをまるごとブロックしようと試みる。これまで見聞きした恐ろしい出来事をすべて遮断して、あの日に語られた言葉、すなわちセンターの責任者ハーティムとワークショップのリーダーの若手作家サマーによるスピーチを、もう一度聞こうとする。すると、その言葉が再び、はっきりと聞こえてきた。すべてが摩訶不思議だ。私はプラットホームを離れて、歩き回ることにした。

イブラーヒームと落ち合った後、私たちは歩いてヨーロッパ病院に行き、ウィサームたちを訪ねた。彼らと三時間過ごした後、ハーン・ユーニスに向かう。そこに行く手段は、今はロバ車か徒歩しかない。私はヤーセルの目を見て、どっちにしたい気分かと尋ねた。彼は歩きたいと言うので、四〇分かけて、ついにハーン・ユーニスの町の中心、ナーセル病院に到着した。ヤーセルはここで、サフターウィーでの隣人で、四〇日前に家族とともにハーン・ユーニスに移ってきたハリードと会う約束をしていた。ヤーセルがようやく一緒に過ごせる友人を見つけて、私はほっとした。

ジャーナリストのテントで、RTAの特派員で詩人のサエドと、同じく詩人のファーティナ・アル＝グッラに会った。私たちはそこで、二時間ほどおしゃべりや議論をして過ごした。ハリードは遅れて到着したが、それでもヤーセルと時間を過ごすことができた。

これでヤーセルには、朝にドアをノックして彼の様子を聞いてくれる友人ができた。私たちはマアムーンの家に戻り、マアムーンやアフマドとしばらく話をした。ヤーセルに、午後は私の異母妹サマーに会いに行こうと言う。彼女は、ハーン・ユーニスの西にあるハマド総合ビルに近い学校に身を寄せている。そして明日は、妹のハリーマが避難している学校を探して、彼女にも会いに行こう。今日は曇り空だ。私たちの思考も曇っている。それが及ぶのは一日の終わりまでだ。それ以上の先は見通せない。

Day 51
11月26日（日曜日）

今日は何も報告することがない。空爆も、砲撃もない。休戦二日目は順調に経過し、サラーフッディーン通りで衝突が報告されたものの致命的な事態に発展する直前に解決した。人々は、休戦が恒久的なものになるという希望にしがみついている。少なくとも、休戦は積み上がる困難に立ち向かうチャンスを与えてくれるだろう。彼らにはすべてが逆風だ。水も、電気も、食料も、ガスも足りない。だが、まずは生き延びて、それから他の課題に挑戦すればよい。

ニュースは、囚人と人質のことであふれ、それと並んで世界各国の首脳の声明が伝えられている。彼らが解放されたことを誰もが喜んでいるようだが、そのためにガザの罪のない人々が支払った底なしの代償については、誰も言及しない。彼らの苦しみや、彼らがいま置かれている悲惨な状況について、誰も語らない。一万五〇〇〇人が殺され、三万六〇〇〇人が負傷し、一〇〇万人以上が住むところを失ったことを、誰も口にしない。世界は狂っているのか？　何かの病気なのか？　何千人もがまだ瓦礫の下に横たわっており、まともな埋葬もしてもらえないままだ。私の義理の妹フダーとその夫のハーティム、二人の息子のムハンマドは、四三日間も自宅の残骸の下にいる。彼らのことなど誰も考えていない。世界の指導者たちが自画自賛している間に、私の義理の親族は瓦礫の中で朽ちていく。彼らは統計報告の数字ではない。彼らは人間であり、人間の形をしたたくさんの物語の束なのだ。そこには愛と希望、痛みと失望、奪われた未来などの、限りなく複雑な物語がある。これらの物語こそ、ニュースが伝えるべき本当の話題のはずだ。それなのに、私たちが見せられるのは、政治的ジェスチャーのグロテスクな茶番劇だけであり、道徳がただの空虚なパフォーマンスとして現実の出来事から切り離された世界なのだ。

異母妹のサマーを訪ねた。彼女は現在、ハーン・ユーニスの西の郊外にある学校に避難している。そこはハマド市と呼ばれる新しい地区で、カタールの首長（ガザ地区の最近のインフラ整備の多くに投資している）にちなんで名づけられた。同じように、ガザで過去の戦争や残虐行為の後に開発された地区の多くには、国家や指導者の名前がつけられている。ブラジル・キャンプ、サウジ・クウォーター、ジャパニーズ・クウォーター（ラファ）、ハマド市、オーストリア・クウォーター（ハーン・ユーニス）、ザイド・シティ、エジプシャン・タワーズ（ジャバリア）、イタリアン・コンパウンド（ガザ市）など、これらの地域の再建を支援した国々に敬意を表しての命名であることが多い。

またしても歩かねばならないが、目的地は遠い。一時間と二〇分かけて私たちはハマド市にたどり着いたが、学校は見つかりそうもない。ベイト・ラヒアから家族でここに避難している友人のムハンマド（アル＝クッズ・オープン大学の研究員および教師）に電話する。彼は道順を教えてくれたが、その声からは怒りが伝わってくる。自宅に帰れないことに今も憤っているのだ。彼らがみんな退去を強いられてから、もう三週間が経つ。「ここで暮らすくらいなら、戻って死んだほうがましだ。休戦などいらない、我々の家を返してほしい」と彼は言う。

モハンマドの指示に従い、ようやくサマーがいる学校が見つかった。戦争が始まる二日前に、サマーは三人目の子どもを産んだ。彼女の家はガザ地区の最北端の浜辺に近接している。その家は地上侵攻が開始されてすぐに破壊され、彼女は逃げ出した。当初、彼女は生まれたばかりの男の子と残りの家族を連れて、ガザ市の西にあるアル＝ナーセル地区の学校に避難した。そして二週間前、その学校のある通りを戦車が砲撃し、再び家族全員が逃げ出さなければならなかった。今度は南部へだ。彼女は新生児と所有する財産のすべてを抱えて移動してきた。彼女が私たちを迎えた教室には、その隅の一角に彼女が家族のためにつくった小さな家があった。教室は六つの空間に仕切られており、それぞれに一家族の全員が住んでいる。サマーの夫は漁師だ。彼はこの冬の漁期の仕事が全部失われたことに腹を立てている。今年は豊漁を期待していたのだが、戦争に当てを外された。

気がつけば、ずいぶん遅い時間になっており、ハリーマを訪ねる時間はなさそうだ。彼女は現在アル＝アクサー大学の近くの学校に避難している。帰り道に、吠えながら近づいてくる犬に襲われた。路上には、迷子の動物たちがたくさんいる。その中には、飼い主が死んだり怪我をしたり、避難時の混乱で連れていけなくなったりで、取り残された愛玩動物もいる。この動物たちは、餌も与えられず、家もなく、必死に街をさまよっている。

北部ではまだ携帯電話がつながらない。一部のインターネット接続は再開されたので、弟のイブラーヒームは、ジャバリア難民キャンプに残っていた親戚の一人に父の様子を尋ねるメールを送ることができた。「彼は大丈夫だ」と聞いて、本当に安心した。「［妹の］アスマーはどうしてる？」と尋ねると、「わからない」と暗い声で返事が返ってきた。彼女の隣人たちにWhatsAppで連絡を取ってみてはどうかと、私はイブラーヒームに勧めた。昨日から、さらに多くの人々が北部への帰還を試みているが、イスラエル軍はそれを止めなかった。だが、何とか帰還を果たした者たちからは、惨状を伝える驚愕の証言や画像や動画が送られ、広く共有された。路上で死んでいたり、畑や農場の瓦礫の下で腐敗していたりする死者たちの映像。これらの画像や動画が広まるにつれ、私のまわりの人々にも新たな悲しみの波が押し寄せてきた。

ナーセル病院のあるハーン・ユーニスのメインストリートは、普段は人でいっぱいだ。私が「普段」と言っているのは、戦争中のことだ。休戦が訪れた今はとても静かだ。この通りに隣接する学校も、今朝は静かなようだ。休戦によって、人々はもっと眠れるようになり、息もつけるようになっただろう。

マアムーンの住居には、現在八〇人ほどがガザ市から避難した親戚だ。四階建ての建物全体が一枚のソーラーパネルを電源としているが、その装置が稼働するのは太陽が出ているとしても数時間がせいぜいだ。その数時間にすがりつき、私たちは携帯電話を充電し、ニュースに耳を傾け、できる限りの電気を手に入れようとする。今日は曇っているので、この特権を享受できる者はいない。休戦をあと二日延長するという話もある。ガザへの侵攻は、もっとも長く続いたものでも五一日間だった。二〇一四年のことだ。それ以上にひどいものなどありえないと思っていた。今日でこの戦争は五一日目になる。そしてどうやら、これから第二ラウンドに突入するらしい。

Day 52

11月27日（月曜日）

昨夜はラファの親戚のところで過ごした。場所は国連貯蔵基地のまわりに生まれた新しい難民キャンプの近くだ。私にとっては休憩であり、また夜のために少しばかりスペースを空ける手段だ。というのも友人のマアムーンの家は今、避難してきた親戚であふれかえっているからだ。マアムーンは、私たちが彼の家に泊まるのはいつでも歓迎だと繰り返し言ってくれた。そこで私が立てた計画は、マアムーンのところに二日滞在し、次の二日間は、ラファの難民キャンプの近くに設営したテントで親戚たちと過ごすことだった。そこへ向かう途中、ヤーセルがまた聞いた。

「出発はいつなの?」。もちろん、カイロへの出発だ。

「もうすぐさ」と私は言った。

その「すぐ」は明日かもしれないし、一週間後かもしれない。誰にもわからない。

「エジプト側のリストに名前が載るのを待っているんだ。そうすれば行ける」

自分でさえ納得できない答えだ。私たちは三〇分ほど歩いてハーン・ユーニスの町の中心部に行き、そこでヨーロッパ病院行きの車をつかまえることができた。ウィサームはもうすぐエジプトで治療を続けられるようになると聞いていた。ハンナは電話で私にそれを知らせてきて、

「今回は本気みたいよ」と付け加えた。数日前にも彼女は同じことを知らされ、エジプトに行く準備をするように言われた。でも、それは何の理由もなくキャンセルされた。今回、彼女は必要書類を準備するように言われた。

ハーン・ユーニスからヨーロッパ病院へ向かう途中、ガソリンスタンドの前には給油を待つ車が列をつくっていた。列は一キロ以上にも及んでいた。ドライバーたちは車から出て脇に佇み、ある者はタバコを吸い、ある者は列の中で他のドライバーと最新情報を交換していた。私たちのドライバーは、列に並ぶ値打ちはない、彼らは何日も待たされるかもしれない、と考えているようだ。

「行列がなくなるまで、俺は食用油で我慢するよ」と彼は言う。

「食用油が山ほどあればいいね」と誰かが大声で言い返した。

「わかった、わかった、じゃあ待つよ」と運転手は答え、食用油の値上げについてたらたら文句を言い始めた。

「昔は三リッター容器が一四シェケルだったのに、今じゃ二七シェケルだ。彼らはこの状況を利用して儲けている」

「どんな戦争でも、それで儲けるやつはいるよ」と私は言った。

彼は笑って、「これが当たり前のことだっていうのか？」

「戦争じゃ、何ひとつ当たり前じゃない」と私は答える。

ハーン・ユーニスでは、どこを見ても、ガロンサイズのペットボトルを抱えた人々が混雑の中を苦労しながら通り抜けている。誰もが家庭用の発電装置を動かすための燃料を必要としている。井戸水を汲み上げて建物の屋上にあるタンクまで運ぶポンプを動かすためだ。マアムーンは兄弟やその息子たちを総動員して、週に二回この作業を行なっている。これが一週間で一番大変な仕事だ。何ガロンもの水を肩に担いで階段を上り、屋上タンクに注ぐのに丸一日を費やすのだ。この作業に比べれば、ガソリンを買う列に並んで道端で一日かそれ以上過ごすなんて楽なものだ。

ヨーロッパ病院からラファに向かう途中、私たちはまた別の行列を通り過ぎた。ガスボンベを持って、調理用のガスを補充する順番を待つ人々の行列だ。男、女、ティーンエイジャー、老人。誰もが地面に降ろした自分のボンベの脇に並んで立っている。空のボンベの列は延々と続き、動く気配もないが、それでもみな辛抱強く待っている。補給ステーションはまだ稼働していないようだ。行列は動き出してさえいない。

「国境検問所からタンクが到着するのを待っているのさ」と運転手が説明する。「早めに並んでおこうと思っているんだ」。並んでいる人たちの一部は、明日になってもここにいるのだろうということは、すぐにわかった。これだけ待たされても、おそらくボンベの四分の一ぐらいしか充填できないだろう。シリンダーを満タンにすることは誰にも許されない。休戦の条件の一つとして、ガザ地区に搬入されるガスの量が制限されているからだ。もちろんこれも、私たちを苦しめるための制限だ。休戦の条件はどれもみな、私たちを苦しめるために設けられたものだ。私たちを地面に叩きつけ、殺すか立ち去らせるかするためだ。ガザには通常の供給が必要だ。他の地域の住民と同じように、それがないと生きていけない。

これが休戦の目標なのか？　一万四〇〇〇人が殺され、三万六〇〇〇人が負傷し、五〇日間も恐怖に耐えて、そのあげくに得るのがこれなのか？

「そんなの不公平だ」とヤーセルが言う。今はこれに慣れなきゃいけないのだと、私が言ったからだ。人々は学校か、新しい難民キャンプのテントか、路上で過ごすことになる。テントをつくる材料の木材やキャンバス布の一片をめぐって争うことになるだろうし、一方では、テント布を頭上に見ながら地べたに寝るという贅沢に対して法外な値段を要求する者も出てくるだろう。そんな贅沢をする余裕のない人々は、他人の施しに頼ることになる。でも世界は助けられない。世界は助けたいと思っていない。すでに米国にいる親戚たちは、テントを買うための資金を母国に送金しようとして銀行口座を凍結されている。

今日で休戦四日目だが、誰の状況も改善していない。避難者たちは誰ひとり、支援や食料の流通を実感していない。唯一の喜びは、砲弾と爆撃が一時停止したことだ。五〇日間にわたって、次の瞬間であの世ゆきかもしれないと感じ続けた後では、休戦の時間が祝福のように感じられる。弟のイブラーヒームは、滞在している学校を引き払うことを考えている。彼のテントはとても小さく、料理の場所はなくパンも作れない。人々は生活必需品を手に入れるのに汲々としている。

「この学校には何千人も住んでいて、毎日のようにつまらないことで喧嘩やつかみ合いが起きている」と彼は言う。彼は親戚のジュンマに、どこかテントを張る新しい場所を探してもらえないかと頼んだ。キャンプの外ならどこでもいいが、数日だけでも「普通」の感覚を取り戻せるくらいには離れていてほしい。野心的な要求だ。

今朝、ジュンマは、新キャンプで子どもたちに授業を始めようと提案した。私たちの中には教師がたくさんいるんだからと彼は指摘する。自分たちで学校をつくるべきだ。私はそのアイデアが気に入り、それをやれば士気が高まると言った。彼は、教師をしている親戚の一人に学校づくりを手伝ってくれないかと頼んだが、彼女は、今はとても集中できないと告白した。夫が北部から南部に向かう途中で逮捕され、いまだに釈放されていないのだという。それでも、このアイデアはぜひとも推し進める必要がある。残念なことに、ガザの子どもたちは二カ月分の教育を失ってしまった。この状態がいつまで続くかは神のみぞ知るだが、たとえ戦争が終わったとしても、仮設シェルターとして機能してきた学校が再び生徒を受け入れるまでには、数カ月に及ぶ改修が必要になるだろう。そうなれば、おそらく子どもたちの教育は一年まるごと失われる。ゆえに私たちは今すぐ反撃を開始しなければならない。

Day53
11月28日（火曜日）

避難所で過ごす人々の暮らしは日ごとに厳しくなっている。凍てつくような風から身を守り、暖かく過ごすための毛布や衣服はわずかしかない。私たちは現在、親戚のジュンマがラファ近くの国連備蓄基地「キャンプ」の近くに設置してくれたテントで三日間を過ごしている。人々は毎日、少しずつ生活環境を改善し、「今の暮らし」となったものを快適にしようと努めている。まわりの人たちが助けてくれなければ、自分で何とかする。時間が経つほどに、彼らは、この地獄への適応がどこまで進むのかを認識する。

昨日雨が降ったとき、人々はこれから慣れねばならないみじめさを、また少し学んだ。すでにぬかるんでいた路地やテントとテントの間の道に、雨水が注ぎ込み沼地と化した。風が強まり、多くの家族のテントが吹き飛ばされ、持ち主は何時間もかけてテントを張り直さなければならなかった。天候が悪化するたびに、彼らは何らかの形でやり直しを余儀なくされる。誰にも他の人を助ける時間はないし、エネルギーもない。やり直しのために、新しいキャンバス布や木杭を買うのを支援するカネもない。

夕方、新キャンプに移ったジャバリアの友人たちと会った。スヘイルに会えたのが一番嬉しかった。二〇一四年の戦争が勃発した最初の日のことを彼に思い出させた。当時、私たちは他の友人たちと一緒に近所の床屋の前に座っていた。あの夜の会話をまだ覚えているかと尋ねると、彼は言った。

「ここの、みんなの会話と同じだよ。同じ心配、同じ恐怖」

「新しいキャンプ、同じ会話」と私は笑った。そして、これが私たちの現実なのだ。戦争から戦争へ、キャンプからキャンプへ。一時しのぎから、別の一時しのぎへ。

夜中に、私は起き上がって、ヤーセルにもう一枚毛布をかけてやった。とても寒かった。最初に砂の上にマットレスを敷いたとき、これから数日間がどんなに厳しいものになるかすぐに想像がついた。地面から冷気が湿気のように染み出て這い上がり、マットレスは地面と同じくらい冷たくなった。

今朝、テントでの長い夜を終えてマットレスから起き上がろうと奮闘していると、突然サッカーボールがテントの隙間から私の膝の上に飛び込んできた。外から三人の子どもたちがボールを返してくださいと丁寧に呼ぶ声が聞こえて、私は微笑んだ。すると突然、さらに一〇人ほどの子どもたちが、私たちのテントを他のキャンプ地から隔てるためにジュンマが設置した小さなゲートに集まってきた。私は飛び起きると、ボールをドリブルしながら赤いサッカーシャツを着た九歳の少年を抜き去り（この子が一番熱心にボールを取り返そうとしていた）それからボールを遠くへ蹴り飛ばした。私は子どもたちがボールを追いかけて走っていくのを見ていた。「僕がもらった」「いや、僕だ」と互いに声をかけている。子どもたちがテントとテントの間の路地に入っていくと、彼らの遊ぶ声が大きくなって聞こえる。テントが彼らの声を反響させているのかもしれないし、時間が早いせいかもしれない。いずれにせよ、この少年たちは、悪い状況から最大限のものを引き出すという、実にパレスチナ人らしい振る舞いをしている。私は赤いシャツを着た少年に、学校はさぼったのかと冗談を言った。彼は空を指さして、「戦争」と簡潔に答える。

「学校は好きか？」と尋ねると、

「数学は嫌いだ」。私は笑って言った、

「君ぐらいの年では、私も嫌いだった」

「戦争も嫌いだ」と彼は大声で付け加える。そこは、はっきりさせたかったようだ。

「でも好きな人たちもいる」。私は肩をすくめた。「中毒なんだ」

少年は仲間たちを追って駆け出し、私はひとり残されて考える。なぜこんな小さな子たちに、その中毒のつけが回ってくるのか？　その勘定は、彼らの子ども時代で支払わされるのだ。


目が覚めて最初に聞くことは、「休戦は延長されたか？」だ。昨夜はインターネットも携帯の電波も届かなかったので、どうなったかわからない。わかっている最後のことは、あと二日の延長を仲介者たちがまだ模索しているということだった。どうやら彼らは成功したようで、私たちは平穏な（不安はあるにせよ）日々をもう少し楽しめるらしい。休戦は戦争の終結を意味しない。ただ、先送りされ、不確実で、保留になっているだけだ。これもパレスチナ人にとっては、もう慣れっこの状態だ。占領下での生活は、一回の長期にわたる執行猶予であり、その期間がいつまで続くのかは教えてもらえない。しかし、私たちはみな人間であり、息をつく時間や、損失を悼む時間、深く考える時間、思い出すための時間が必要なのだ。

妹のアーイシャが電話をかけてきて、今では北部を離れたことを心から後悔していると言う。彼女はガザ中部の町デイル・アル＝バラフのアパートに滞在しているのだが、その居心地の悪さに不満を漏らす。

「今どき、快適に感じている人なんている？」と私は尋ねる。

「そうじゃなくて、自分の家にいるときは、たとえ外で爆弾が降っていても安心なのよ。まだ自分の家にいる。そこは自分の属する場所よ。安全でないときでさえも、安全を感じられる場所なの」

「でも、タル・アッザタール［彼女の家のある地域］は危険になっていたよ」と私は反論する。「家族の命も危険にさらされていた」

「戻れないかしら？」彼女は捨て鉢に言ってみるが、その答えは自分でもよく承知している。

もう一人の妹アスマーも電話をかけてきた。彼女の声を聞いてほっとする。アスマーは北部に居残っている（ジャバリア難民キャンプのファルージャ地区に）数少ない者たちの一人だ。アスマーは私たちがどうしているかを知りたがっているが、様子を知りたいのはこっちのほうだ。彼女の声と子どもたちの声に、私の胸は高鳴る。しかし、彼女は義理の兄弟の一人が重傷を負ったことを教えてくれた。建物の瓦礫か砲弾の破片が、寝ている彼の上に落ちたそうで、容体は思わしくない。彼女は休戦の延長を喜んでいる。まだそこにとどまるつもりなのかと尋ねると、「様子を見ましょう」と言うだけだ。

Day54

11月29日（水曜日）

ラファからハーン・ユーニスへ戻る途中、人道支援物資を満載した巨大なトラック一〇台が通り過ぎるのを、五分ほど待たなければならなかった。彼らはラファ検問所からやってきて、スピードを上げて走っていた。まるで休戦が終了するまでに自分たちにはあまり時間がないのを知っているかのようだった。その後は、また渋滞につかまってしまった。ガソリンスタンドの前の道が、ガスボンベの補充のための順番を待つ人々で混雑していたからだ。その地点を通過するのに一五分かかった。スタンドの両側にも行列ができていた。誰もが空のボンベを持って立っており、行列は二キロほど続いている。中には傍らの道路上にマットレスを広げている人たちもいたが、ここで一晩明かす、あるいはどれだけ時間がかかるかわからないが、とにかく補充ポイントに到着するまで待つ覚悟なのだろう。

私たちは妹のアーイシャに会いにデイル・アル＝バラフへ行った。このときは、北部を離れて以来初めて普通の交通手段を使った。バスが完全に稼働を再開していて、ラファから北部の他の町へ人々を運んでいるのだ！　そう、デイル・アル＝バラフやヌセイラは、いまや私たちにとって「北部」なのだ。ヤーセルと私は、それぞれ座席を確保することができた。なんという贅沢！　その後も、バスにはひっきりなしに人が乗り込んできて、乗客はもっと詰めるように要求された。この段階で、乗客のほとんどは立っていた。やっと発車したときには、非常にゆっくりとした動きになった。

デイル・アル＝バラフの町の入り口で降りなければならなかったので、友人のアフマド・サエドに会うちょうどいい機会だと思った。彼の家はここからほんの数メートル先にある。アフマドはガザでもっとも著名なジャーナリストの一人で、遠慮なくものを言うラジオ番組で知られている。彼の番組『The Pulse of the Country（国の脈動）』は、定期的に彼をガザ当局とのトラブルに引きずり込んでいる。彼を訪ね、私たちは居間でしばらくおしゃべりをした。「この状況が恒久的なものになるのが心配だ」と彼は言った。それから彼は、少しばかり家の近所を案内してくれた。家の裏手には私設の避難所が設けられていて、四〇〇人の避難民が滞在していた。アフマドは誇らしげに、友人のアブー・ヤーメンという元プロサッカー選手について語った。彼は自宅の裏に私設の運動場と数棟の建物を所有していて、普段は競技大会のための練習をするチームに貸している。だが今は、そこに避難民を受け入れているのだ。運動場はいまや完全にテントに占拠され、その手前のスペースは焚き火やストーブ、子どもたちの遊び場に割り当てられている。

「休戦になって、彼らに何か良いことはあった?」と尋ねると、「あんまりないね」と彼は答えた。すると誰かが笑って言った。

「たぶん、持ち運びできる水が少し増えたことかな。戦争中ほぼずっと、手に入れるのがすごく難しかった。でも今は少し余裕があるようだ」

値段も下がっていた。二リットルのペットボトルが二シェケルから一・五シェケルになった。その後、アフマドは私をヌセイラートまで車で送ってくれた。彼は万が一のために食用油を備蓄していて、今ではそれを使って走るように車も改造したのだ。よくよく先のことを見通している男だ。

私は友人のサエド・サフタ—ウィーに電話をかけ、彼の家に泊めてもらえないかと頼んだ。サエドとは二〇年来の付き合いだ。ここ数年、彼は西岸地区のラマッラーを拠点にしており、私がラマッラーに移ってからは多くの時間を一緒に過ごしてきた。彼の家はヌセイラート難民キャンプの東端に位置している（ちなみに、私がジャバリアで住んでいるサフターウィーという地区の名前は、サエドの叔父に由来している。その人物は、ガザのパレスチナ解放機構（PLO）とファタハの指導者の一人であった）。

サエドは、同じ道路に沿って建つ六つの別々の家に六人の兄弟と住んでいる。現在、ガザ市から避難してきた三〇〇人ほどの親戚が一緒に暮らしている。幸い、サエドの兄弟が家の近くに庭付きのカフェテリアを所有しており、戦争が終わるまでそこを家族の避難所にすることができた。学校や公共シェルターに避難することを余儀なくされずに済んだのは、彼らにとって幸運だった。

六日前に北部を離れて以来、私はシャワーを浴びていない。今、水は貴重品なので、誰も一滴も無駄にしない。家から家へ、フロアからフロアへと移動する生活の中では、ささやかな快適さが欲しくないわけではないが、一番後回しになるだけのことだ。そんなもののことを、サエドに言おうなんて夢にも考えていなかった。それなのに、今朝私が目を覚ますと、彼はすでにコーヒーをたてて、家の外のくるみの木の傍のストーブに火をつけていた。彼がどこに消えたのか探ろうと、カーテンの隙間から家の裏の細い路地を覗いていると、彼が薪にする木材を割る音が聞こえてきた。彼は三〇分ほど新しい薪をくべ続け、大きな鍋の水がゆっくりと加熱された。お湯が沸くと、彼はだまってそれをバスルームに運び、私にシャワーを浴びるよう勧めた。なんと嬉しい驚きだろう。シャワーの中に一歩足を踏み入れると、暖かいお湯と、私の乾いて疲れた身体の間に会話が始まるのが聞こえるようだった。まるで二人の旧友が近況報告をするのを聞いているようだ。その後、彼はヤーセルにもシャワーを浴びてもらおうと、もう一つ鍋を沸かした。それから私たちは路地でストーブを囲んだ。お茶が暖められ、パンが焼かれた。チーズ、ファラフェル、オリーブの朝食にみんな舌鼓を打ち、これから始まる一日が楽しみになってきた。雲に覆われた二日間が終わり、太陽が顔を出しそうだった。

その後、私たちは表の通りに移動し、太陽の下でしばらく座っていた。この極めて異常な状況の中でも、そうするのが普通のことのように思えた。異常な時代の普通の朝。今日は休戦延長の最終日で、これ以上の延長は望みが薄いようだ。しかし、人々は休戦の延長を切望しており、どんな条件もいとわない。

「これ以上の休戦は必要ない」とサエドは腹立たしげに言う。「必要なのは戦争の終了だ。完全な停戦だ。一時的な休戦の状態のまま生きていく生活なんて続けられない」

私は微笑み、言った。「私たちの人生は休戦なんだよ、サエド」

ヌセイラート難民キャンプは、南に下る人がワーディーを通過して最初にたどり着く場所だ。ワーディー橋を渡るとすぐに見えてくる。サラーフッディーン街道の右側がヌセイラート難民キャンプ、左側がブレイジュ難民キャンプだ。イスラエルが新設した「鉄のカーテン」のすぐ近くにあるため、ヌセイラート難民キャンプは、この七週間で数十万人を受け入れた。北部からの人々は、何とか残った全財産を担いで歩く困難な旅でへとへとになり、いつでも倒れ込みたいと思っている。ヌセイラート難民キャンプがその場所だ。どの学校も超満員で、どの通りも大賑わいだ。

今日はパレスチナ国際連帯デーだ。ほとんどの人は忘れているが、一一月二九日は、一九四七年に国連がパレスチナを分割し、ユダヤ人の国家とアラブ人の国家とすることを、賛成多数で決定した日だ。ユダヤ人の国家は翌年に実現したが、そのために、八〇万人のアラブ人が追い出された。男は撃たれ、女はレイプされ、村には火が放たれ、町の人々は虐殺された。テロが、パレスチナの半分を破壊して、新しい国家を誕生させたのだ。テロだ。パレスチナ人はそれをナクバと呼ぶが、七五年経った今でも、世界の他の人々はその言葉の意味さえ知らない。ちょうど今、私たちがこの戦争を「新しいナクバ」だと言っても、世界は学ぼうとしないように。

Day55
11月30日（木曜日）

昨日、私は赤新月病院に向かって歩き、そこで二人の友人、ハーニー・アルサルミーとアシュラフ・ソフワイルに会った。ハーニーは小説家で、ヤングアダルトが専門だ。私たちは一緒に彼の小さなキオスクの傍に座った。彼はそこで客に温かい飲み物を提供している。ここ数年、この四五歳の作家は苦境に陥り、失業した。エネルギーが供給されない今は、パンを焼くような簡単なことも難しい。ここ数週間、彼は料理をするために薪を集めようとしてきたが、それも難しいことがわかり、最近では書斎の本を燃やすことを余儀なくされていると言う。

これまでに、ハーニーは二〇〇冊の本を燃やした。「子どもたちにはパンが必要なんだ。子どもたちを飢え死にさせてしまったら、本に何の意味がある？」。それから、彼は微笑んだ。「もちろん、お気に入りの本は最後まで取っておく。そこに手をかける前に戦争が終わることを願ってね」

イスラエルがガザを占領していた時代、私は万一の襲撃に備えて、一定の本を隠していた。ガッサーン・カナファーニーの本を、畳んだ布の間に挟んで戸棚に隠しておいたし、サラ・ハラフの『アイデンティティのないパレスチ人（*A Palestinian Without Identity*）』のような、パレスチナの歴史に関する他の重要な文献もそうだった。当時は、こうした本を持っていることが見つかると、最低でも六カ月の禁固刑をくらった。一度などは、一九九〇年の夜間外出禁止令の最中にイスラエル兵たちが近所の家々を捜索していたとき、私はストーブに火をつけ、当時所有していたカナファーニーの三つの小説を燃やそうとした。幸運なことに、ちょうど私が火をつけているところに兵士たちが入ってきて、彼らは別のかたちで怒りを発散させることを思いついた——ストーブを蹴り倒して、家に火が回るのを期待しながら、すぐに立ち去るという方法だ。

アシュラフはアーティストで、ガザ市でガザ文化芸術センターを運営していた。彼と妹のロフィーダのアトリエは、彼らが絵を描き、作品を保管している場所だが、空爆で被害を受けた。数多くの文化センターが部分的に、または完全に破壊されている。いまや瓦礫の山と化したリマール地区のアル＝シャワー文化センターの姿は、なんとも気が滅入る。この文化センターは、ガザ市でもっとも有名な文化施設だった。劇場では私の戯曲三本が上演された。アシュラフは、自分が運営する文化センターのいくつかについては、その運命さえ知らない。ウマル・アル＝ムフルタール通りにあるエルティカ・ギャラリーは一部損壊したが、彼が知っているのはそれだけだ。そこには何百点もの絵画が保管されているが、その多くは焼失したり、修復不可能な損傷を受けたりしているだろう。

ラファには本物のコーヒーはもう残っていないので、私たちが話している間、ハーニーは紅茶かネスカフェを勧めてくれた。赤新月病院は、アル＝シファー病院を思い出させた。人で混み合い、避難民の家族が、廊下や片隅の空いているスペースにくまなく新居をつくっている。正門の外に出現したスーク。人々の虚ろな表情。叫び声。悲鳴。そこにあるものすべてが、アル＝シファーのコピーだった。戦車がそこを第一の標的と決め、私たちが離れざるをえなくなる前のアル＝シファーの姿だ。

ハーニーとアシュラフに別れを告げた後、私は妹のハリーマに会いに行った。ハリーマが歩いて一五分のところにある学校に滞在していることがわかったからだ。でもそこに着いたとき、彼女はいなかった。おそらく夫と一緒に人道支援センターに救援物資を受け取りに行ったのだろう。救援物資を受け取るのには、時には何時間も待たされることがある。ここ数日、国境を越えた援助物資のほとんどは、ガザ市と北部に送られた。地上侵攻によって、すべてのものが失われたからだ。私はハリーマの息子マフムードと二〇分ほど過ごした。彼は、北部から避難してきた人の多くが言うように、状況はあっちのほうがよかったと不満を漏らした。ここでは物価が高いし、商人たちはこの状況につけこんでくる。「これが戦争だ。チャンスを逃すより、最大限に利用すべきだと誰もが思っている」と私は言った。もちろん、それを正当化したいわけではなく、人生は一筋縄ではいかないことを一六歳の少年に理解させようとしただけだ。

避難所では、救援物資の束を持って戻ってくる男女の姿が見られた。彼らは疲れているようだったが、この先の二日間、子どもたちに食べさせるものがやっと手に入ったと喜んでいた。その後はまた、配給の列に並ばなければならない。行列の生活はうんざりだが、他にどんな選択があるだろう。

どこもかしこも行列だらけだ。パンを求める人の列。水を求める人の列。テントを求める人の列。ガザ地区の全体が、一つの長い行列のように感じられる。

土壇場で、カタールの仲介者たちは休戦をもう一日延長することに成功した。昨夜、私たちは彼らの努力の結果がどうなるのかわからないまま眠りについた。休戦は延長された？　延長されなかった？　まるでパズルだった。朝五時に飛び起きてニュースを追った。休戦がもたらしてくれた奇跡の一つは、ハーン・ユーニスや他のいくつかの地域で携帯電話やインターネットの電波が復活したことだ。一方で、ヌセイラートのようにまだ使えない地域もある。今回の休戦は午前七時に終了するはずだった。そして交渉成功のニュースが届き始めたのは六時四〇分だった。アラビア語のことわざに、「臭ったとしても、ないよりまし」というものがある。少なくとも、もう一日が手に入った。いい天気だし、少し肌寒いけれど、ハーン・ユーニスのキャンプの狭い路地を散歩したい気分になる。パレスチナ人の難民キャンプというのは、ガザ地区でも西岸地区でもヨルダンでもレバノンでも、どこも似たようなものだ。

イスラエルから入ってくる状況分析のほとんどは、ハーン・ユーニスがイスラエル軍の次の攻撃目標であることを示唆しているようだ。通りに出てみると、人々がそれについて話し合っているのが耳に入る。休戦の一日延長については、すでに誰もが確信している。心配事は、その翌日からのことだ。

「あれだけの時間とエネルギーを費やして、彼らが我々のために獲得したのは、たった一日か。じゃあ、明日はどうなる？」と老人が不満を漏らす。

「たった数日の休戦のために、ガザの半分を失ったのか？」と若手の男が聞く。ハーン・ユーニスは南部の中心であり、南部に侵攻するならその心臓部を狙うだろう。今ここは、ガザ地区でもっとも混み合った場所であり、小さな爆弾の一個で数百人が命を落とすだろう。

太陽は顔を見せ、ぬくもりを与えてくれそうだ。希望を絶やさないという観点からは、それだけが我々の頼りだ。

5章——戦争オーケストラ

Day 56
12月1日…………
Day 70
12月15日

Day 56 12月1日（金曜日）

戦争が戻ってきた。我々を救う奇跡は起こらず、無期限の延長もない。結局、休戦はただの休戦だった。ただの一時停止だ。戦闘の再開とともにまた襲ってくるのは、死への恐怖ではなく、未知への恐怖である。次に何が待っているのかわからない、ある出来事が別の出来事にどう影響するのか予測できない、戦争という奇妙で非論理的な論理に従うことができない。戦争を生き抜くということは、生きることとの契約を毎日更新しなければならないようなものだ。朝が来るたび新しい契約にサインし、その日の終わりまでその条件に従って生きる。そして、夜がそれを取り上げないように祈る。そして朝が来ると、再び署名欄の点線の上にサインする。一日以上のリース契約はできない。それ以上は許されていない。休戦もこの取引の延長にすぎない。そして結局はいつも、おまえたちが和平を不履行にしたんだといって、生命のリースは引き剝がされるのだ。昨日の状況はそういうことだった。休戦は一日だけ延長された。それ以上はない。

昨夜は誰ひとり眠ることができず、休戦の延長を懸命に祈っていた。真夜中が近づいても、まだ延長の知らせはなかった。不確実性は耐え難いものだった。明日はもう延長はないだろうと思うと気が滅入った。仲介の努力は失敗に終わったようだ。停戦の最後の数日間でさえ、私たちは徐々に対立がエスカレートしていくのを目撃した。ベイト・ハヌーンではスナイパーによって一人が殺された。恐怖が拡大していく。目を覚ましたとき、上空ではドローンが騒音を立てており、休戦前と何ひとつ変わっていなかった。

ここ一週間、休戦が続いている間に、何百台もの貨物車が救援物資を積んでガザに入った。一部は医療品で、残りは食料と水だった。しかし、それだけでは十分ではなかった。数日前、パレスチナ赤新月社の人が私にこう言った。何百台もの輸送車が水のボトルを積んでガザ地区に入ってきたが、自分に言わせれば、それはまったくの無駄だった。なぜなら、たった一つでも井戸を再び機能させれば、その井戸がこれらのトラックすべてより多くの水を供給するだろうからだ。そして、井戸を再び稼働させるために必要なのは、ポンプを動かす燃料だけなのだ。

休戦の大きなメリットの一つは、突然、家族の者と再び話せるようになったことだ。彼らの安否を確認し、この七週間でどんな経験をしたのかをすべてを把握できた。休戦によって初めて、インターネットや携帯電話のネットワークが少しは信頼できるようになったのだ。シェイフ・ラドワーンで夫と子どもと暮らす姪のイマーンが、退屈な生活がどれほど恋しかったかを話してくれた。今の状況に比べると、これまでの生活がいかに退屈であったかを彼女は十分に理解していた。しかし、いま彼女が切望するのはその退屈さだ。もう二度と退屈だという愚痴は言わないと彼女は誓った。

朝食を食べていると、砲弾が周囲のビルを攻撃し始めた。ミサイルがけたたましい音を立てて朝の大気を突き抜けていき、続いて雷鳴のような爆発音が轟く。ナーセル病院の近くに落ちたことが、すぐに判明した。東側の村や町への攻撃の音が、私たちのいる場所でもはっきりと聞こえる。朝食に手がつかないまま、私たちは座って爆発音に耳を傾けていた。北に残っている父のことを思い出す。南へ移ったのは正しい判断だったのかと、またもや私は自問する。

「彼らは南部を侵略するの?」とヤーセルが尋ねる。またしても、答えられない質問だ。それは、次第にニュースで普通に取り上げられるようになってきた一つの可能性だ。考えられないようなことでも、ニュースで普通に語られ始めると、なぜか可能性が高くなる。少し前までは、北部でも侵攻は考えられないことだった。ハーン・ユーニスの人々と話していると、雰囲気の変化を感じる。誰もが急に不安になっている。

イスラエル軍は相変わらず我々にビラを投下している。今回は、ハーン・ユーニスの東側にある村や町の住民に、この地域から避難してラファへ向かうよう求めている。もっと近いハーン・ユーニスではなく、ラファへだ。「ハーン・ユーニスは戦闘地域だ」とビラには書かれている。退避勧告を受けた村は、バニー・スヘイラー、フザーア、アル゠カラーラ、アッバサアンなどだ。アッバサアンの村は二つある。大アッバサアンと小アッバサアンだ。夜が明けて以来、これらの地域は大規模な爆撃を受けている。これが意味するところはただ一つ。次の標的はハーン・ユーニスと、それに隣接するキャンプだ。

ときおり、近所をミサイルが襲撃して建物が揺れる。建物が右左に揺れるジグザグダンスは、ジャバリアのファラジュの家で慣れっこになってしまったものと同じだ。マアムーンが窓のところに行き、隣の通りのビルから煙が立ち上るのを指さした。しかし、この土地に不慣れな私は、今どのビルが倒壊したのかを突き止めることに、ジャバリアにいたときのようには夢中になれない。私はこのようなことにもう慣れてしまったが、マアムーンにとっては、まだ比較的新しい経験なのだ。

今日はマアムーンの家の「水汲み日」だ。週に二回、世帯の全員が協力して何ガロンもの水を井戸から運び、階段を上って五階にある貯水タンクを満たすのだ。たいへんな重労働で、男も女も子どもも袖をまくり上げて作業に参加する。マアムーンの弟のアフマドは今回、発電機に必要な二リットルのガソリンを調達できなかった。だからポンプは使えない。彼は何時間も待ったが無駄だったという。休戦は水道さえ復旧してくれなかった。タンクが満タンになるまで、私たち全員が昼まで働いた。みんな疲れきっているが、同時に達成感を感じて満足している。少なくとも向こう三日間は水がある。

イスラエルが発行した新しい地図は、ガザ地区を何百ものブロックに分け、それぞれに特別な番号をつけたものだ。私たちはこの番号を覚えて、どのブロックが何をすべきかというイスラエルの指示に従うことになっている。私たちが今住んでいるブロックの番号は「＊＊＊」［安全のため伏字］だ。さようなら、美しい名前たち――ジュホール・アル＝ディーク（直訳すれば「雄鶏の巣穴」）のような名前の村々。そして、こんにちは、無意味で、人間らしさを剝ぎ取られた番号たちよ。パレスチナ人は、こんなことには慣れている。ここに存在していることを証明するために、「ハウィーヤ」というイスラエルが発行する監視用のIDカードと番号を取得しなければならない。私たちはただの数字に還元されることに慣れている。だがいまや、私たちの土地からも、その名前が剝ぎ取られ、アイデンティティも歴史も剝ぎ取られようとしている。彼らは、それを強引に推し進めるため古い神話を持ち出す――この土地には誰も住んでいなかった、一〇〇万の思い出が詰まった土地ではない、と。そんなわけで、このニュースを聞いて、私たちはただ笑った。

「おはよう、九六七一三」と私はマアムーンに言った。数字はでっち上げだ。

「おはよう、八三九三二！」彼は笑って返した。

Day 57

12月2日（土曜日）

突如、戦闘が再開され、ハーン・ユーニスはイスラエル軍の主要な標的となった。まるで私の後を追ってきたかのようだ。昨夜は砲撃とミサイル攻撃が四方から聞こえてきた。「炎の環」

スタイルの攻撃は、北部を離れてからは見たことがなかったが、マアムーンの家の床に横たわり、眠り込もうとしていると、戦争オーケストラが再び演奏を始めた。それにともないかつての習慣がよみがえった――攻撃の回数を数え、使用されたロケットのタイプを推測し、それぞれの攻撃がどこに着弾したかを予想する。

昨日の夕方、携帯電話とノートパソコンを充電するためにナーセル病院に行った。ジャーナリストのために用意されたテントの一つに座り、携帯の充電をしながら、そこで働いている人たちと最新情報を交換するのが最近の習慣になっている。戦争が再開されて以来、病院は再び満杯になった。休戦中の貴重な数日間を自宅で過ごした人々は、今また病院敷地内のテントや、以前に彼らを庇護していた廊下や階段の吹き抜けに戻っている。ジャーナリスト用のテントに向かう道すがら、幾重も連なるテントが空いたスペースを隅々まで埋めつくしているのを見た。新たな難民キャンプがここに誕生しつつあり、裏路地や主要道、近隣社会とネットワークが生まれている。焚き火を囲んで料理をしている人たちを見かけた。一人の女性がパンを作っていた。二人の少女がひそひそ話しながら、水パイプを吸う三人の青年を見ていた。新しいコミュニティが形成されつつあった。

ロシア・トゥデイのプロデューサー、ムスタファーによると、そこにいるジャーナリストの多くは、ガザ市から南に下ってきた人たちで、家族と一緒にナーセル病院の壁の隣のスペースに集まってきて、自分たちのテントを張り、そこを住居にしているという。まるでジャーナリストのための特別なミニキャンプのようだ。実のところ、ハーン・ユーニス全体が、今は一つの大きな難民キャンプとなっている。どの街角にもテントが張られている。新しくやってきた人たちが抱く夢は、テントを買い、テントを張る場所を見つけることであり、それ以上の野心はない。昼間の間、ムスタファーをはじめとする多数のジャーナリストたちはカメラの前に立ち、一時間ごとのリポートを伝えている。夜になると、彼らは数メートル歩いて家族のテントの中に入り、父親や母親としての生活に戻る。

朝六時に目が覚めた。マアムーンはすでに起きている。彼は、私が寝ている間に攻撃された場所——家や、通りを列挙した。空爆はあちこちであったが、もっとも激しかったのはハーン・ユーニスの東部地区だったという。そこでは地上侵攻が始まっていて民間人は家を離れるように命じられている。「イスラエル軍はこの近所まで侵攻してくると思うか？」マアムーンが私に尋ねる。北部での経験からは、イエスとしか言えない。多少の時間はかかるかもしれないし、もっと長くかかるかもしれないが、いずれ彼らはやってくる。イスラエル人は目の前にあるものをすべて焼き払う。彼らの後ろには、建物も、樹木も、人間も、立っているものは何ひとつ残らない。何もかも破壊する。

「俺はどこにも行かないよ。リマールのアパートを出たら、いまやもうそこは瓦礫の山になった。ここを離れたら、もう行くところがない。もう動かないよ」。彼の話し方は、ビラールと私がよく議論していた調子を思い出させる。

ガザ地区の北部では、イスラエル軍がジャバリアの西部を中心に作戦を再開した。妹のアスマーに電話をすると、彼女はファルージャの自宅で踏ん張っている。電話の声は怯えていたが、それは昨日、ロケット弾の破片が裏庭を直撃し、植木をすべて焼却してしまったからだ。同じ夜に、近くのスークで大火災が発生し、隣接する団地や学校まで燃え広がった。「何もかもが燃えていた。炎の熱で昼間より暖かかったくらい」と彼女は言う。彼女と話した後、父に電話したがつながらない。

今朝、ハーン・ユーニスの北にあるアル＝カラーラという村から、マアムーンの拡大家族が新たに八〇人ほどやってきた。朝七時頃から到着し始めた彼らは、衣類、マットレス、枕など、持ち運べるものは何でも携えていた。イスラエル軍は彼らの村に発砲し、いくつかの家を破壊した後、まだ生きている者たちに対して退去するように要請した。ここにあるマアムーンの家は確かに大きいが、ガザから避難してきた七〇人の親類を収容しているうえに、さらに八〇人を収容しなければならなくなった。アル＝カラーラ村の二番通りは攻撃の中心標的になり、アブドゥッラー家とキドラ家の屋敷が破壊され、村の周辺の農場や家々でも多くの負傷者が出た。地域の三つのモスクも被害を受けた。この場所が混雑するにつれ、マアムーンにとっては家族が第一であり、彼の優先事項であることに私は気づいた。私たちはラファに移動して、弟やいとこたちのところに滞在する必要がある。

今朝、街は新しい雰囲気に包まれていた。戦闘が再開し、ハーン・ユーニスの人々にとっては、以前よりもはるかに厳しいものとなっている。休戦はみんなを偽りの安心感に浸らせたが、今そのベールは剝がされ、私たちはイスラエルの本当の顔を再び目の当たりにしている。

通りを歩くと、ハーン・ユーニスがどれほど混雑してきたかがわかる。人々は、イスラエル軍の最高責任者たちは、昨夜この市を約五〇回にわたって空爆したと話している。戦車はガザ地区の東の国境から入ってきて、村や農地をなぎ倒しながら、まっすぐこちらに向かってくる。だが戦車が到着する前に、まず避難した人間たちが津波のように街におし寄せる。

ラファに戻るための車を見つけたが、ある交差点で一時間も待たされることになった。道路の真ん中に、昨夜のF16爆撃機のミサイルが直撃した巨大なクレーターができていたからだ。クレーターの両側は渋滞しており、運転手たちはクレーターの縁から車が転げ落ちないように注意している。クレーターを見下ろすと、ここが来たるべき地上侵攻でハーン・ユーニスとラファを分断する新たな境界線になるのではないかと思わずにいられなかった。かつてワーディーが旧北部と南部の自然な境界線だったのと同じように。やがてすぐ、ラファはガザ地区全体の最後の避難場所となるだろう。特にラファの西側、沿岸部がそうだ。誰もがそこに行くように指示されるだろう。それから、どうなる?

Day 58
12月3日（日曜日）

私の実家が昨夜、破壊された。F16戦闘機のミサイルがジャバリアの実家がある地域を攻撃し、他にも六軒の家が破壊された。幸運なことに、家の中には誰もいなかった。家は、一九四八年にヤーファからの難民が最初にキャンプを張ったヤーファ・ロードの近くにある。私が生まれ、育った家はぺしゃんこになってしまった。私が初めて一歩を踏み出した場所、初めて文字を覚えた場所、初めて小説を書き始めた場所。ハンナと私が家庭を築き、最初の四人の子どもが生まれた家。F16戦闘機のパイロットが、この私たちの家を選んだのだ。高度な監視技術を備えているのだから、イスラエル軍はそこが空家になっていることを知っていたはずだ。それでも、昨夜のパイロットの任務は、私の実家と他の六軒の家を破壊することだった。一〇日前にあの場所を離れたとき、それが見納めになるとは夢にも思わなかった。何事も、それが最後になるなんてことは誰にもわからない。私はあのとき、たった数分間過ごしただけだった。父と一緒に座り、いつものように思いを分かち合った――戦争について、さまざまな家族のメンバーについて。そして、別れ際に「気をつけてね」と父に言った。この家に対しては、さようならも「気をつけてね」とも言わなかった。また会えると思っていたのだ。木製の階段にも、卒業式の写真にも、亡くなった弟ナイームの額入り写真にも（彼が投獄されていた間、またその後もずっと壁に掛けてあった）。

父にはもう寝る場所がない。昨夜、砲弾が無差別にキャンプに降り注ぐなか、彼は他の隣人たちと一緒にもっと安全と思われる場所に移動することに決めた。複数の場所が標的になっており、このような時代には、仲間がいるという見通しは心強い。だが今、他の何千というガザの人と同様に、彼にはどこにも居場所がない。今朝の六時半、彼はWhatsAppで私にコールして、「家がなくなった」と、それだけ言った。彼の声は震えており、目には涙が浮んでいた。七四歳の男性がホームレスになった。その理由はただ、誰かが彼を苦しめるという戦略的な決断を下したからにすぎない。ジャバリアの状況は悲惨を通り越している。妹のアスマーに電話をかけてみる。呼び出し音を聞くと、いつもほっとする。電話は普通、持ち主が瓦礫の下敷きになると壊れてしまう。電話がまだ使えるのなら、彼女は生きているのだろう。結局、三度目のトライで彼女は電話に出た。「おはよう」と彼女が言う。この言葉さえ聞ければそれでいい。これで息がつける。彼女は前夜の恐怖について説明し、果てしなく続く爆発の連続が終わるのをどれだけ待ったかを語った。隣近所の建物が燃えるのが見えたが、ミサイルが着弾したのは家のどちら側か、近すぎてわからなかった。最初の夜明けの光が壊れた窓から差し込んだとき、ようやく自分は助かったのだと気づいたという。「次の夜明けが見られるかどうかわからないわ、アーティフ」

昨日、私はタッル・アル＝スルターン通りをラファの中心に向かって歩いた。雲が消え、日差しを楽しむことができた。社会開発省の事務所で、ガザ地区担当局のロアイ・マドゥフーンと打ち合わせをした。数分後には、五人の同僚が加わって、話し合ったり分析したりした。ロアイは、ガザ地区における避難民への福祉と支援の分配を担当している。彼は一日の大半をラファ検問所で過ごし、ローリーの物資を受け取り、配給を監督している。彼によれば、これまでガザに入ってきた物資は、必要な量の一割にも満たないという。ガザ地区の他の場所から大量の避難民が流れ込み、主にハーン・ユーニスに殺到しているため、ガザ地区の他の地域から人々が殺到しているため、もっとも差し迫った問題は、この人たちをどこに宿泊させるかだ。一晩一晩が挑戦だ。彼らのほとんどは、ＵＮＲＷＡの学校か政府の学校に避難しているが、もうずっと前からどこも満杯だ。カレッジや大学でさえ避難所に使われている。もうこれ以上は、どこにも場所がない。

寝る前に、大叔母のヌールとおしゃべりをした。ヌールは私の祖母サルワの姉妹だ。彼女はおそらく家族の中では唯一存命の、実際にナクバ以前のヤーファで生まれた人物である。彼女は母親や父親と一緒に、彼らの美しい家から逃げ出して、ここから数マイル北のテントでその後の子ども時代を過ごさねばならなかった。彼女の父親は、ヤーファのムフタールという、部族の長のような、たいへん名声ある地位の人だった。それが突然、無一文で家もない難民になったのだ。そして今度は、彼の娘のヌールも、新しいキャンプに逃げなければならない。私は生まれてからずっと、彼女から、テルアビブから砲弾が飛んでくる音が聞こえたとき、教科書を捨てて家を飛び出し、通りを逃げなければならなかった日の話を聞かされてきた。そのときに教科書を持って出なかったことをどれだけ後悔したかを彼女は今でも覚えている。彼女はヤーファの学校が大好きだったが、二度と他の学校に行くことはなかったからだ。昨夜、彼女がまたその話をしてくれたとき、数週間前に急いでジャバリアの家を出たときのことと、細部がごっちゃになっているのがわかった。それはまるで映画のモンタージュのようで、七五年という歳月をまたいでシーンが行ったり戻ったりしていた。どんな優秀な映画編集者でも、彼女が混乱してやったよりも上手にカットをつなぐことはできなかっただろう。

昨夜、イスラエル軍はガザ市のシュジャイヤ地区を標的にした。数百人の民間人が死亡したと報じられ、旧市街の一部を含む約五〇棟の建物が破壊された。今日もハーン・ユーニスから多くの人々が到着し、ラファは今にも爆発しそうだ。すでに崩壊寸前だ。市場の人だかりはすごく、人込みをかき分けて進むこともできない。もう買うものはほとんど残っていないのだが、人々はただ、歩く必要があるから、外の空気を吸うために出てくるのだ。赤新月社の友人によると、これから数日のうちに、新参の人たちのためだけでも何千という新しいテントを配らなければならないそうだ。食料がなくても三日、四日、五日は過ごせるだろうが、雨が降れば、路上では一夜たりとも過ごすことはできない。

Day 59
12月4日（月曜日）

実家のことが頭から離れない。あの家を失ったことで、私は自分の一部を失った。

あの質素なコンクリート造りの家で、祖母アーイシャの足元に座って、私は初めて物語を聞いた。私が成長して作家になったのは、祖母の物語を世界に送り出し、かつてヤーファの豪奢な屋敷で彼女が送っていた生活を再訪するためだ。それは一九四八年のナクバ以前のことで、彼女がジャバリア難民キャンプで私の実家となった狭い小さな家に住むようになる前のことだ。彼女は幼い子どもたちを連れて、何千人もの人々に交じって熱い砂の上を歩いて、そこにたどり着いた。

私が初めて短編小説を書いたのもあの家だ。もちろん出版されることはなかったが、それは一人の老人の話で、彼は物語を語るのが大好きだが、いつも結末を忘れてしまうのだ。一三歳のとき、私は一冊のノートにすべての下書きを書きつけ始めていた。私の物語のほとんどは、あの小さな家をもとにした魔法の王国が舞台だった。週に一度、周辺の路地から集まってくる母親たちの広範囲に及ぶ会話やゴシップ、ジョークといったような、私たちの生活の日常的な出来事を捉えていた。

一〇〇平米にも満たない小さな平屋だったが、その家は私たちの安息の地だった。寝室が二つと、もう一つ小さめの部屋、リビングルームのようなものがあった。弟たちと私が成長すると、父は二階を増築し、私たちのための遊戯室をこしらえた。そこに行くには木の階段を上るのだが、壁にちゃんと固定されていなかったので、一段ごとにぐらぐらと揺れた。その子ども部屋で、私は初めて小説を読み、音楽を聴き、両親の詮索好きな目を盗んで初めてタバコを吸った。その隣の屋上スペースでは、小さなヒヨコをケージに入れてペットとして飼っていた。

大学を卒業した後、私は結婚する予定だったので、私たちは今ある家にコンクリートの屋根をかぶせ、新しいフロアを増築した。そのフロアは二つの部屋に分けられ、片方は未来の私の家族のために、もう片方はイスラエルの監獄から釈放されたばかりの弟ナイームのためのものだった。この部屋で、ハンナと私は家庭を築き、最初の子どもの泣き声を聞いた。新しいフロアには共有ルームがあり、みんなで集まって長い夜を語り合い、トランプをしたり、水タバコを吸ったりした。最後にナイームに会ったのも、そこだった。私がフィレンツェの欧州大学院（EUI）で博士号を取得するためにイタリアに発つ前の夜だった。ほんの数カ月後、彼はイスラエル軍の銃弾に倒れ、私たちから奪われた。その部屋に一人でいると、彼の声がまた聞こえてくる気がした――冗談を言って笑う声、牢屋で見た夢など。

ここ数年は、高齢の父を訪ねるためこの家によく立ち寄った。私たちは玄関に座り、おしゃべりをしながら、たくさんの本や写真に目をやり、思い出にふけり、子どもの頃に聞いた声を思い出し、亡くなった人たちに思いを馳せた。この年月のうちに、たくさんの人を失った。

作家が育った家は、素材を汲みだす井戸である。私のどの小説でも、キャンプ内の典型的な家を描きたいときは、私たちの家を思い浮かべた。家具の配置を少し変えたり、通りの名前を変えたりしたが、ごまかしはよそう。それはいつだって、私たちの家だったんだ。

ジャバリアの家はどれも小さい。適当に建てられ、行き当たりばったりで、長持ちするようにはできていない。これらの家は、私の祖母アーイシャのようなパレスチナ人が、一九四八年の強制移住後に住んでいたテントの代わりに建てられたものだ。これらを建てた人たちは、自分たちはすぐに、歴史的なパレスチナの町や村に残してきた美しく広々とした家に戻れるものと思っていた。しかしその帰還は決して実現しなかった。それでも私たちには、古い実家の鍵を大切に守る、というような希望の儀式がたくさんある。未来は私たちを裏切り続けるが、過去は私たちのものなのだ。

私たちの家のまわりにあるのは、多くが親戚縁者の家だった。アブー・サイフ家はかつてヤーファでも屈指の大家族だった。今でも親戚の一部はイスラエルの一部となったその場所に住んでいて、連絡を取り合っている。ナクバの後、一家は他のパレスチナ人家族と同様、中東各地に散らばっていった。ある者はガザに、ある者はヨルダンやレバノンに、またある者はエジプトに移り住んだ。こんなふうに、私たちの家族は、もっと大きなヤーファのアブー・サイフ家の一部であり、その中で私たちは、中東各地から親戚を迎え入れており、彼らにまつわる話も共有している。

私たちの家が一〇〇平米にも満たなかったと考えると、その数字が疑わしく思えてくる。もっと大きかったに違いない。私には、宮殿や巨大な城のように感じられたのだ。こんなすごい建物は、いまだかつて建てられたことがない。

私は世界じゅうの多くの都市に住んだことがあり、訪れた都市の数はさらに多い。だが、あの小さなみすぼらしい住居が、私にとって唯一の安心できる場所だった。友人や同僚はいつもこう尋ねる——なぜヨーロッパやアメリカに住まないの？ チャンスはあるんだから。教え子たちも、口を揃える——なぜガザに戻ったのですか？

私の答えはいつも同じだ。「それはね、ガザには、ジャバリアのサフタウィ地区の名もない路地に、世界のどこにも見つからない、小さな家が建っているからさ」

もし世界の終末の日に、神が私にどこに送られたいかと尋ねたら、私は迷わず「あそこ」と答えるだろう。

もはや、「あそこ」はない。

Day60
12月5日（火曜日）

昨夜、義父と義母を見舞いにヨーロッパ病院へ行った。ウィサームがようやくエジプトの病院に車で運ばれ、二人は取り残されてしまったのだ。私は病院の責任者と話す必要があった。彼らを引き続き入院させてもらえるように頼むのだ。義母は運動能力が非常に衰えており、自分の面倒がみられない。二四時間の介護が必要で、世話をしてくれる人が必要だ。ウィサームが入院していたときは、彼女の姉のウィダードが二人の面倒も見てくれた。二人が最初に到着したとき、病院側は一部屋をすっかり空けて彼らを受け入れてくれた。全員がウィサームの付き添いとみなされたのだ。だが彼女が出て行った（ウィダードも一緒に）今、この二人も退去しなければならない。私は彼らに、キャンプの私たちのところに泊まることもできると提案した。いつも選択肢があることは必要だ。何十回と電話をした結果、彼らは病院にもう一泊してよいことになり、滞在の希望は翌朝に検討されることになった。

ヤーセルが、二人と一緒に病院に泊まれないかと私に聞いた。突然追い出されたときのことを心配していたのだ。私は、もしそうなったら、彼にできることはほとんどないだろうと言った。だが結局、ヤーセルはここに残るという主張を曲げなかった。義父の顔に心配そうな表情が浮かんだので、私は彼を勇気づけた。最悪のシナリオはキャンプに行くことだろうが、そこには頼りになる親戚がたくさんいるよ、と。

ウィサームからは何の消息もない。出発の朝、最終目的地はポートサイードの病院だと聞かされていた。しかし、彼女が連れ出された後、何時間経っても私たちと連絡が取れなかった。ハンナがようやく彼女と話せたのは、その日の夜だった。それによれば、一行はすでに国境検問所の行列を通り抜けてエジプトに入っており、これからシナイ半島北部を横断するとのことだった。ウィダードとウィサームの二人の少女は、生まれて初めてガザの外を旅している。両親も、きょうだいも、どんな形の支援も奪われ、そしてウィサームの場合は四肢のうち三つも奪われた状態でだ。彼女たちは、ガサを囲う境界フェンスの外側がどんな世界なのかも知らない。やっと監獄から脱出したわけだが、こんなふうにとは決して望んでいなかったはずだ。

午後七時の時点で、携帯の電波はもうつながらなかった。キャンプの外の世界との唯一のつながりは、遠くの爆発の音と閃光、そしてハーン・ユーニスめざして北東に向かうF16戦闘機の轟音だった。テントの中には一二人が座り、状況を分析しようと話し合い、これからどのような展開になるのか推測しようとしていたが、F16戦闘機の轟音にかき消され、互いの声を聞き取るのにも苦労した。

「ハーン・ユーニスは、ひどい夜になるぞ」とファラジュがおごそかに言う。「ハーン・ユーニスへの地上侵攻の始まりだ」と誰かが推測する。だが本当のところは誰にもわからない。テントの中では、三本のナルギールに火がつけられていた。煙がテントの天井に向かって立ち上り、雲のように集まった。これが今の私たちの、南部での生活なのだ。快適に過ごそうとするに越したことはない。しばしの間、私たちはみな、心ここに在らずで、何千マイルも遊離したようだった。みんな、北に残してきた大切な人々のことを考えていたのだ。イブラーヒームによると、現地の友人から電話があり、ジャバリアのいたるところに「炎の環」が落とされたという。戦車がファルージャ地区に進入し、キャンプの中心に向かって進んでいるという。「もう何も見えない。見えるのは死と闇だけだ」と彼の友人は言ったという。

弟のムハンマドとイブラーヒームは、今朝五時半頃に起きて火を起こす。彼らはお茶を用意し、ムハンマドは子どもたちのためにミルクを沸かす。午前八時頃、朝食が出てきた。今日はパンもある。奇跡だ。やがて子どもたちはテントのまわりでかくれんぼを始める。キャンプはすぐに活気づく。ムハンマドの四歳の息子アフマドを見て、この子の祖父、つまり私の父も、彼の年頃にはこんなふうにテントのまわりで遊んでいたのだろうかと思う。

人の話によると、サラーフッディーン通りには、再び人の流れが川をなしているという。ハーン・ユーニス東部から逃れてラファに向かっているのだ。昨夜、ハーン・ユーニス市とその難民キャンプへの攻撃の音が聞こえてきたが、少しもやむことはなかった。今でもまだ爆発音が聞こえている。とても近くのように感じる。今では、ラファに入る車をつかまえるのは非常に難しい。一週間前はもっと簡単だったが、ラファに到着する避難民の数が激増しているため、車もトラックも三輪荷車も、あらゆるものが不足している。ロバやポニーに牽かれた荷車が、他のどの交通手段よりも活躍している。車は贅沢品で、つかまえるのに一時間ほども待たなくてはならない。道端に立って荷車を待っていると、友人のイマードが車を停め、降りてきて私を抱きしめた。車には彼の家族やその荷物が満載されている。彼らは、ハーン・ユーニス中心部にある自宅から退避して、海岸沿いのアッ＝ラシード通りを下ってきたところだった。イマードはパレスチナ大学の元学長である。彼は友人の家に避難したいと望んでいるが、そこにはすでに他の五家族が避難しているのだと言う。

車の中で、私は日課となった「電話セッション」を始める。ガザ地区にいる近親の家族や親しい友人たち一人ひとりに電話をかけ、無事を確認するのだ。まず父に電話するが、ジャバリアでは誰とも連絡がつかない。次にハーン・ユーニスに移った妹のハリーマに電話したが、彼女もつながらない。友人のマアムーンもハーン・ユーニスにいるが、連絡がつかない。それから病院にいる息子のヤーセルに電話した。彼は大丈夫で、祖父母と一晩過ごせて幸せだと言う。とはいえ、日が沈む前に迎えに来いと言う。デイル・アル＝バラフにいる妹のアーイシャとは、この二日間、連絡が取れなかった。何度か電話をかけてみた後、ようやく彼女の声で返事が聞こえた。彼女はここ三日間パンが手に入らないと言う。彼女の子どもたちは毎日パンを欲しがる。赤新月社で働く友人のマフムードによると、国連を含む国際機関は、（デイル・アル＝バラフのある）中央行政府やハーン・ユーニスへの援助物資の輸送を拒んでいる。そうした地域への輸送はイスラエル軍の許可が下りないので安全ではないというのが理由だ。ということは、すべての援助物資はラファにとどめ置かれることになる。

またも同じ手口の繰り返しだ。イスラエルは、ガザ地区を「北」と「南」に分断するためにやったことを、今度は「南」を分断するためにやっている。ハーン・ユーニスはもはや「安全ではない」ので、みんなラファに逃れなければならない。彼らがやっていることは見え透いたことだが、それでも世界の指導者たちは一言もそれに反対しようとしない。まるで凍りついたように、それを言えば一線を踏み外すかもしれない、彼らのちっぽけなキャリアを危うくするかもしれない、そういう恐怖で身動きが取れなくなっているのだ。一方、ガザ地区では、破壊のサイクルが継続している。繰り返すたびに、どんどん速度を上げていき、私たちが避難できる場所はますます狭まっている。

Day61

12月6日（水曜日）

子どもたちがお菓子を欲しがる。弟のイブラーヒームの子どもたちのことだ。特に息子のナイームは、昨日は一時間も泣いて、イブラーヒームに「食料品店に行って」チョコレートやビスケットや、お菓子を買ってきて、とせがんだ。イブラーヒームは答えに困っていた。最初は子どもたちに、食料品店は閉まっていると言った。厳密に言えば、それは嘘だ。私たちが家と呼ぶテントでできた新しい街には食料品店はない。それでも子どもたちはうるさくせがみ続けるので、彼はうっとおしくてたまらなくなり、子どもたちを連れ出してキャンプを歩き回り、見つかるはずのない食料品店を探すことにした。やがて子どもたちが歩き疲れてしまうと、「ここではお菓子を売ってる人はいないんだ」と彼は説明した。

「わかったよ、お菓子はいいや」と一人の子が言った。「でも、何か買ってよ、何でもいいから」

「買えるものは、何もないんだよ」と父親は答えた。お母さんに手作りのお菓子を作ってもらったら、と私は提案した。しかし、それを言う前から気づいていたが、お菓子を作ろうにも材料がない、買うところもない、焼きあげるオーブンもない、しまっておく冷蔵庫もない。イブラーヒームはしかたなく、戦争が終わったら必ず果たすという約束をまた追加した。私たちは皆、自分自身や親族の者たちに対して、こんな約束ばかりしている。今日はお菓子はないけど、うまくいけば明日にはきっとたくさんある。

昨日、無形文化遺産保護のためのユネスコの政府間委員会の会議で、パレスチナの伝統的な舞踊であるダブケがユネスコの「無形文化財」の公式リストに登録された。私はこの戦争が始まる前、ボツワナのカサネで開かれた委員会に参加することになっていた。ダブケの登録申請は私の責任で行なった。パレスチナの文化の豊かさを強調し、それがこの地方全体の伝統文化に貢献し、そして人類一般にも貢献してきたことを示すのが目的だった。ダブケは、何千年にわたって生き延びてきた、世界最古の伝統舞踊の一つだ。二年前に種を蒔いたことが、ようやく実を結んで嬉しかった。パレスチナの伝統的な刺繍も、二〇二一年にリスト入りしている。だから、たとえその場に行けなくても、私にとっては素晴らしい瞬間だった。来年は、同じく申請中の伝統的なナブルスの石鹸もリスト入りを果たすことを願っている。ナブルスはオリーブオイルから作った石鹸で有名だ。このようなことは、見かけ上は取るに足らないもののようだが、私たちの民族的なアイデンティティの一部であり、占領や戦争によって人々が故郷を追放される中で、存続が脅かされ、失われる可能性のあるものの一部なのだ。ダブケはパレスチナ人の結婚式には欠かせないダンスだ。パレスチナ人は世界のどこでも、一九世紀半ばに南米に移住した人々の子孫でさえ、結婚式や祝いの席では今でもダブケを踊っている。

現在、すべての避難民の主な心配事は、食料と水、経済的支援の確保である。ほとんどの人はほぼ無一文で家を離れているし、たとえお金を持っていても買うものがない。赤新月社で物資の配給を担当しているマフムードがここ数週間（一〇月二一日から一一月四日まで）にガザ地区に入った援助物資のトラックの数についての内部報告書を見せてくれた。全部で三〇六一台しか入らなかったが、そのうち一四一六台（半分以下）は支援の食料を積んでいた。次に多かったのは毛布とベッドカバーで三二九台。次いで医療品が二四八台。どこを見ても、救援物資の配給を待つ人だかりができている。たとえ小さな小包であっても、彼らにとっては大きな意味があり、寒さと飢えを乗りきれるどうかの分かれ目となるかもしれない。しかし、マフムードの説明では、いま一番必要とされているのはテントと毛布なのに、それらは十分な数が届いていない。冬が急速に近づく中、人々には暖かく過ごす手段が必要だ。

「一週間だけ、テントと毛布を積んだトラックだけ入れるようにしてはどうだろう」と私はまるで自分が決定権を持つかのように提案する。「もちろん、その前に食料の搬入を強化して、余りが出るくらいにしなければならないが」。しかし、住居のない人がどんどん増えるにつれ、状況は悪化するばかりだ。

私たちが知っているラファは、どんどん小さくなっていく。街を取り囲んでいたテントが市内にも侵入し始め、通りや公共空間に広がっているからだ。人道支援物資の危機的状況は、域内に入れるトラックの台数が制限されているうちは解消しないだろう。さらに、通常の状態に戻るまでには、一日に何百台ものトラックが荷物を運び込むようになっても数カ月はかかるだろう。支援セクターで働く人々から話を聞けば聞くほど、国際支援の政策はラファと南部という目前の地域の目先のニーズを満たすことを基本としていることに気づかされる。ガザ市や北部に取り残された人々のことは、もう誰も口にしない。

今朝、私はファラフェルを買うだけのために四〇分も列に並ばなければならなかった。ヤーセルの朝食にするためだ。彼が朝食をとるのは一週間ぶりになる。選ぶ余地はあまりない。順番を待っている間に、二人の若者がファラフェル団子を油に放り込む。目の前では三人の子どもたちがあくびをしている。一人はおもちゃをぎゅっと胸に抱きしめている。姉に疲れたと言い、脇で座っていてもいいかと聞く。ファラフェル屋に、この子を優先してやってくれと言う。女の子たちは朝の仕事を終えて嬉しそうだ。食べ物の調達が最後の仕事だ。ようやく、私はファラフェルを手に入れて、道端に立ったまま、イブラーヒームがヤーセルに渡したパンにそれを詰め、ヤーセルにとっては久しぶりのファラフェルサンドを作ってやった。私が食べるのは一日一食だ。六〇日も経って、それが普通になった。最初の頃は、一日三食に慣れていた私には非常につらいことだったが、パンや食べ物が不足する中で、一食だけで十分だと自分を納得させる、いや、胃袋を納得させることを学んだ。

Day62

12月7日（木曜日）

昨日のジャバリア難民キャンプへの戦車攻撃で、義父の家がやられた。家の壁はすべて崩れ落ちた。砲弾が建物を直撃し、肉の削げ落ちた骸骨だけが残った。ハンナは電話で私に、幼い頃の思い出を語りながら嘆いた。「僕らは二人とも、彼の古き良き時代の巣を失ったんだ」と私は言う。あの家から老夫婦（私の義理の父母）を引っ越させたことが、いかに賢明であったか、今になって思い知った。老いた義母は歩くことができないので、砲弾が落ちたときにそこにいたら間違いなく死んでいただろう。運が良かった。私はこの知らせを彼らに伝えなかった——家がなくなったことを。伝えるべきでないニュースもある。戦車は家の数メートル西のところまで来て、家を吹き飛ばした。ハンナの叔父のマンスールとその家族は近くの学校に引っ越したが、もう一人の叔父マムドゥーは家に残ることにした。あの家が攻撃されるなら学校も攻撃されるだろう、というのが彼の持論だった。そこに何の違いもない。イスラエル軍が標的を決めるにあたって、その背後にロジックなどないのだから。さて、この七〇代の夫婦（私の義理の父母）にはもう、戦争が終わっても、泊まる場所も、家と呼べる場所もない。ハンナは、下の階はまだ寝室として使えると言う。少なくとも、それだけは彼らに残されている。

たいていの人にとって、失った家の代わりに残されるのは思い出だけだ。しかし戦争では、思い出だけでは足りない。思い出は助けにならず、暖めてくれることもない。銃が眠りにつけば、思い出もゆっくりと役に立ち始めるかもしれないが。最後に義理の両親の家に行ったときに、家族の書類やアルバム、証明書を一切合切かき集めてきたことが、どれだけ幸運だったかを私は思い知った。小さな黒いかばんの中に、ガザ地区での私たちの財産がすべて入っている。

昨夜、ニュースでジャバリアの私たちの家の近所で「炎の環」が発生したと知らされた。私は父を思ってパニックになった。何度も電話をしてみた。ニュースでは、六八人ほどが死亡したそうだ。標的になったのは私たちがよく知っている家々で、父が滞在している場所の近くだ。私たちはみな、そこにいる親族の安否を知ろうと、その地域の誰かに連絡を取ろうとし続けた。

今朝になって、ようやく父と連絡がついた。ムハンマドがキャンプに残っていた親戚のウマルに電話をかけたときだ。電話をかけるのは朝の六時でなければならない。電波が安定しているのは、一日の始まりのときだけだからだ。ウマルは父が滞在しているアパートに行き、携帯電話を手渡した。「大丈夫だよ」という声が聞こえた。いつも通りだったが、声の調子は不安げだった。「今すべきことは、安全の確保だ」と私が言うと、「戦車隊はこの通りの西の端にいる」と父は答えた。まだキャンプに残っているのは、ほんのわずかの人だけだ。この三日間で、さらに多くの人が去った。イスラエル軍はジャバリア難民キャンプを三方から包囲し、戦車は今まさに中心部に迫り、行く手にあるものすべてを破壊している。父にはもう運だけが頼りだ。

ガザ地区のどこへ行っても、人々は裏切られ、見捨てられたと感じている。誰も私たちのことなど気にかけていないようだ。誰も救出に来ないし、支援の提供さえない。イスラエルがどんな戦術を使っても、どんな新しい残虐行為を実行しても、誰も反対の声を上げない。私たちは見捨てられてしまい、運命に直面して甘受しろといわれるが、私たちはそこに何の発言権もない。私たちが何を感じようが、何を考えようが、誰も耳を傾けない。私たちは見捨てられている。

ラファの通りを歩いていると、たくさんの旧友に出会う。何年も会っていない友だちだ。ひっきりなしに立ち止まっては、握手したりハグしたりする。ジャバリアの大半が、今はラファに越してきたかのようだ。私たちの新キャンプがあるタッル・アル＝スルターンと町の中心部を結ぶ長い通りに、新しい市場が出現した。この戦争が始まる前は、市場は町の中心部だけだったが、今ではこの通りの端から端まで市場が続いている。この通りには、学校もたくさんある。昨日は、詩人の友人オスマーン・フサインに会えて嬉しかった。ラファ南東のショーカ村にある彼の家は破壊され、ヨーロッパ病院の近くの娘の家に移ってこざるをえなかったのだという。オスマーンは二〇一四年の戦争で以前の家を失い、ようやく建て直したところに爆撃機が飛んできて再び破壊されたのだ。

「私たちが建てるから、彼らは破壊できる」と彼は言う。「あるいは、彼らが破壊するから、私たちは再建できるのかもしれない」

家が破壊されたときは二度とも、彼の個人蔵書が一緒に失われた。最後に彼に会ったのは、ラッマーラのブックフェアだった。「二〇一四年以降に買い集めた本も、全部なくなったよ」と彼は言った。

一方、国連貯蔵基地のキャンプでは、新しい隣人ができたようだ。私たちの隣に新しいテントが出現し、毎日、話し声や喧嘩の声が聞こえてくるようになった。私は彼らの声や顔を認識するようになり、名前も知るようになった。時間が経つにつれて、私たちは互いに自分たちのことを語り始め、双方が相手の歴史を知るようになった。こうして歴史が交じり合うことで、新しいコミュニティが誕生する。

Day 63

12月8日（金曜日）

ハーン・ユーニスにあるヨーロッパ病院から義父と義母を移動させなければならない。場所が足りないからだ。ハーン・ユーニスとその東部地帯にこれまでもっとも激しい攻撃が仕掛けられた後、病院は収容能力を超えている。新たな負傷者が何百人も担ぎ込まれてくるが、病院の受け入れ能力は、すでに滞在している人たちによって制限されている。そこで病院側は、私の義理の両親が滞在できる別の場所を見つけてほしいと要請してきた。廊下や病院の敷地に泊まることもできると言われたが、義理の両親にはベッドがどうしても必要だ。とはいえ、病院はスタッフも医療機器も不足しているので、テント小屋で親族からサポートを受けられるのなら、私たちに合流したほうがよいかもしれない。少なくとも、テントでは家族の中で過ごせる。義父はまた、病院の近くには食料を調達する場所がないと不満を漏らしていた。すぐ近くには店も屋台もなく、食料を調達できる場所はほとんどない。ハーン・ユーニス東部への軍事作戦が激化してからは特にそうだ。多数のミサイルが病院周辺の建物を直撃し、お馴染みの瓦礫の海が病院の周辺を取り囲み始めている。日を追うごとに地域全体が危険になっている。私は、自分がヤーセルを連れてガザ地区を去ったとき、どういう結果になるかを考えずにはいられなかった。もし私に脱出する機会があったとしたら、そのときはこの老夫婦の面倒をどこかで見てもらわなければならない。そう考えると、最良の選択肢は、彼らを新キャンプに移すことだ。そこでは、弟のイブラーヒームとムハンマドが彼らの面倒を見ることができるし、何百人もいる遠い親戚たちも喜んで助けてくれるだろう。

そう決めると、次の仕事は彼らを病院から新キャンプまで運ぶ車を見つけることだった。赤新月社が救急車を一台回してくれるのを待っていると、午後六時半になった。夜間に移動するのはもちろん危険が大きい。私は車椅子に乗った老女を運ぶために、二人のボランティアに助っ人を頼んだ。救急車の運転手、二人のボランティア、ヤーセル、そして私の五人が待機していた。救急車が到着すると、この地域への戦車の攻撃が始まり身動きが取れなくならないように、私たちは素早く動いた。大急ぎで義母を車椅子ごと持ち上げて救急車に乗せ、彼女のマットレスと毛布を取りに駆け戻った。思ったより早く作業が完了した。いったん発車すると、義母を車椅子に安定させておくため、比較的ゆっくりと運転しなければならなかった。「できるだけ速く、できるだけ遅く」というパターンだ。

新キャンプに到着し、老夫婦をイブラーヒームのテントに移した。彼の妻と子どもたちに面倒を見てもらうためだ。長期的には、彼らのために独立したテントを立て、イブラーヒームがハジャ（老女）のためにベッドを作り、彼女がより快適に過ごせるようにする予定である。

今朝も私たちのテントのまわりでささやかな集まりがあった。妹のハリーマが訪ねてきたのだ。彼女の夫のイスマーイールは昨夜、私たちと二時間ほど過ごしていた。彼は、戦争が始まった最初の週にベイト・ラヒアの西部にある自宅が戦車に攻撃されて以来、現在の住まいが八カ所目の引っ越し先となるまでの経緯を話してくれた。これまで身を寄せた場所には、親戚の家、学校、病院などがあり、安全を求めての長い旅だったと言う。私たちは、ハリーマと一緒にきょうだい四人でお茶を飲んだ。世界じゅうに散らばったパレスチナ人家族に思いを馳せた。私たちもこの戦争の間、散り散りになっていた。でも、ほんのひととき、私たちは集まって団欒《だんらん》することができた。

だが、いつまで？　この状態は、いつまで続くのだろうか。年の終わりが戦争の終わりになると言う人は多い。溺れる者は藁をもつかむというが、ここの人々は、気分を高揚させ、希望を与えてくれそうなものなら何でも信じたいのだ。クリスマスまでには、あるいは大晦日までには、イスラエルは停戦するだろうと言う人もいる。その根拠として持ち出されるのが、きたるべきアメリカ合衆国の選挙だ。バイデン大統領は支持基盤を固める必要がある。私のほうは、戦争が終わる理由なら、どんなものでも大歓迎だ。

ジャバリアにとどまっている友人のアンマール・アル＝グールから電話ごしに聞いたところでは、戦車によって住宅はほぼ完全に破壊されたため、事実上、誰もが学校に移らなければならなくなったようだ。父のことを尋ねると、彼も学校に移ったと言う。「彼を見たのか？」と聞くと、「いや、見たわけじゃないが、移動したはずだ」という答えが返ってきた。これでは気休めにもならない。彼はまだ元の場所にいるのかもしれない。イスラエル軍が昨日発表した、ガザ地区北部で捉えられた捕虜の映像は、屈辱的で野蛮なものだった。男たちは両手を縛られ、下着一枚まで衣服を剝ぎ取られ（冬の寒空に裸同然だ）目隠しをされて地面に座らされている。何百人もの男性がこのような屈辱的な姿勢で写されている。私は、その中に私の父がいないことを祈りながら、注意深く写真に目を通した。この映像は私たちに衝撃を与え、民族全体として怒りの気持ちを抱かせた。ほとんどのジャーナリストが南部に拠点を置いているため、ガザ市やジャバリアからのニュースはほとんど入ってこない。友人のムハンマド・モカイアッドは、攻撃によって麻痺状態になった妻を、何とかガザ中部のデイル・アル＝バラフの病院に移すことができた。彼は子どもたちと一緒にアル＝シファー病院に移ったと私に電話をかけてきた。イスラエル人は毎日、彼らにガザ市内のあちらこちらに移動するように指示する。彼らはヤルムーク運動場の近くの学校で二日間過ごした後、今度はさらに西のアル＝シファーの近くに移動するように求められた。

ラファの東にある小さな町、ヒルバト・アル＝アダスの赤新月社の事務所は、私が一日の大半を過ごす場所だが、ここにはますます多くの人々が詰めかける。彼らは援助や支援を求めてやってくるのだ。一部の避難民、とりわけ激しい砲撃にさらされて、突然避難を余儀なくされた家族などは、家を出てから何も食べていない。この人たちは街中や新キャンプをさ迷い歩き、助けを求めている。飢えずに一日を終える助けになるなら、どんなものでもありがたいのだ。

Day 64

12月9日（土曜日）

初めて、ラファへの地上侵攻の可能性について人々が話しているのを耳にした。ハーン・ユーニスで進行中の軍事行動や、その東部に戦車が進入して中心部に近づきつつあることから見て、次はラファに攻めてくるのではないかと心配しているのだ。今朝、テントの狭間で小さな焚火を囲んでいると、いつものようにさまざまな説が飛び交った。

「軍事的な理由などない。やつらはガザ地区のすべてを破壊したいだけだ。次にリストにあがるのはラファだろう」と誰かが言った。

「じゃあ、次はシナイか？」別の者が意気消沈して尋ねた。

「俺たちはどこへも行かない」と三人目が言葉をはさむ。「北へ、故郷へ帰るんだ」

「やつらはそれを許さないよ」と、みんなのカップにお茶を注いでいる男が言った。

私たちは互いの顔を見つめた。誰の顔にも心配が浮かぶのが容易に読み取れた。多くの者にとって、ここで過ごすのはこれで七週目だ。二～三週間の避難生活だと思っていたものが数カ月になった。私たちは未知のものばかりの森に投げ込まれ、道案内人もいないし、闇を照らす光も見えないままだ。その日の雨で濡れた服を少しでも暖めようと、私たちはじりじりと焚き火に近づいていく。それでも凍える寒さは、みなが感じている喪失感と同じように、私たちを蝕んでいく。

私たちのキャンプが大きくなり、テントの数が増えていくと、これは一時的なものではないのだと感じざるをえない。だが、もっと悪くならないとも限らない。自宅での生活からテント生活へ、カーペットを敷いた床からラファの冷たい砂地へ、毎日のシャワーから何週間も身体を洗えない生活へ。いったい、これ以上に悪いことなんてあるのだろうか？ 今日ハンナが電話をしてきて、エジプトのポートサイードの病院にいるウィサームが事故以来初めてシャワーを浴びたと嬉しそうに教えてくれた。戦争が始まって以来、私が初期の頃に浴びた数少ないシャワーは、いつも水のことを気にしながら大急ぎで済ませるものばかりだった。今朝、赤新月社の事務所にお湯の出るトイレがあるのを見つけた。誰も見ていない隙に、私はそこに忍び込み、服を脱ぎ、水道のお湯をペットボトルに入れ、自分にかけた。これを六回繰り返した。トイレの石鹸で身体を洗った。それが贅沢なことだったと私は気づいた。

ハーン・ユーニスでの作戦が続くにつれ、伝わってくるニュースはどんどん悪くなっている。もう一週間もマアムーンと連絡が取れない。彼の住む地域も攻撃されたところの一つだ。今朝は午前五時に目を覚まし（電波の強い時間帯だ）彼に電話をかけたが、返事はなかった。つながらないことが続くと、それだけもっと心配になる。妹のサマーにも電話をかけてみたが、またしても出ない。彼女とは二週間も連絡を取っていない。妹のアスマーにもかけてみた。最後に話したときには、彼女はジャバリアのファルージャ地区にある自宅を出てナズラの町に移ったと聞いた。他の家族の者についても私は彼らの消息を追っており、どれも安心できる知らせではないが、少なくともまだ生きていることはわかっている。

イスラエルの国防相はこの戦争が始まったとき、ガザを五〇年前に引き戻してやると言っていた。当初から彼らの目的はすべてを破壊し、できるだけ多くのパレスチナ人を殺すことであるのは明らかだった。私が統括するパレスチナ自治政府の文化省は、これまでに標的にされた数多くの史跡について報告書をまとめた。その中には、ガザ市の旧市街地域にある一四〇以上の建物が含まれており、そのいくつかは一〇〇〇年以上の歴史を持つ建物だ。パレスチナで四番目に古い教会、ギリシャ正教の聖ポルフィリウス教会（内部にいた一七人が死亡）や、ガザでもっとも古いモスクの一つ、カーティブ・アル＝ウィラーヤ・モスクも含まれている。また、預言者ムハンマドの曽祖父が埋葬されているサイエド・アル＝ハーシム・モスクも大きな被害を受けた。昨日、ウマリー・モスクも被害を受けた。これは、第一次世界大戦中の一九一七年にイギリス軍によって被害を受けたのと同じモスクである。市内の高層ビルはすべてなぎ倒され、広場は破壊され、庭園は砂と塵と化し、公共のモニュメントは、ガザ広場にあるイヤード・サバーフ制作のフェニックス像を含めてすべて消滅した。ガザ市は瓦礫の荒野と化している。瓦礫の街。これが占領のもたらしたものだ。今朝、火を囲んで話したことを思い出しながら、男たちの一人が私に尋ねた。「俺たちに、何が残っているんだ？」。何もない、という意味だ。失うものが何もなくなり、そこに築くべき土台となるものが何もないとき、人々が何を選択するかは予測できない。

今日は、第一次インティファーダの勃発から三六周年である。私は当時、一四歳だった。私たちは学校を出て、ジャバリア難民キャンプの中央にあるイスラエル軍の建物に向かった。占領軍の本拠地である。驚くべき一日だった。インティファーダは私たちのキャンプで、私たちの目の前で始まったのだ。最初の殉教者、ハーティム・スィースィーは私の隣人だった。彼が撃たれたとき、私は彼から一〇メートルしか離れていなかった。数百人の生徒が兵士たちに石を投げたことから始まったこの事件は、パレスチナの歴史に残る瞬間となった。「インティファーダ」という言葉さえも世界じゅうの言語の辞書に載った。このインティファーダの間に、私は三度、怪我を負い、数カ月にわたり刑務所に入ったり出たりを繰り返した。それでも高校の勉強は一生懸命にやり、最終試験に難なく合格して大学に入ることができた。親しい幼馴染みも何人か失ったが、いま失っているほどではない。この戦争では毎日のように、友人がまた一人失われたという知らせが届く。毎日、悪い知らせがあり、毎日、私は夜を見つめる盲人のように、未来を見つめる。

Day65
12月10日（日曜日）

昨夜は空襲の音がとても近く感じられた。真夜中過ぎ、私たちの周囲で一連の攻撃が炸裂した。とりわけ大音響ですさまじいのは北のほうらしかった。ハーン・ユーニスとラファ（グッシュ・カティーフ）を結ぶ西側の道路が破壊され、ラファのさまざまな場所を狙った攻撃もあった。朝になって、これらの攻撃のいくつかは、ヒルバト・アル＝アダスにある赤新月社の事務所の近くだったことを知った。また、一部は私たちの新キャンプの近くだった。ハーン・ユーニスは次第にガザ地区の他地域から切り離されていった。わずかな道路がまだハーン・ユーニスと近隣の村々を結んでいるが、日に日にこれらの連絡路は損傷している。イスラエル軍の戦車は町の中心部に接近していて、現時点では町の中心部と古城に直接つながるアブー・ヒマイド交差点にまで近づいている。さらに多くのジャーナリストが、この町のナーセル病院から逃げ出した。アル＝シファー病院で起きたのと同じことが繰り返されている。同じ筋書き、違う劇場。私たちは役者や観客にすぎず、毎年毎年、同じ作品を再び演じ、再び鑑賞している。演出家は私たちの傷がお気に入りなのだ。

ニュースはもはや、追いかけるべき重要性を失った。死は常態化し、待つことも常態化した。懸念も常態化した。私たちは一日じゅう何もしない。今日は昨日のコピーであり、明日も同じだろう。今日が何日なのかも忘れてしまう。戦争が何日続いているかを数えるのもやめてしまう。最初の頃は、戦争がカレンダーを彩り、私たちは毎日を戦争カレンダーの数字で記していた。だが今ではもう、何日目でも、何週目でもなく、月単位で語るようになった。戦争が始まってから三カ月目、それしか言えない。今までのどんな戦争でも、こんなことはなかった。たぶん、五〇日というのが、それを過ぎると気にならなくなる節目だったのだろう。戦争が続いていること、その中で毎日を生き延びること、それ以外はもうどうでもよくなってしまう。多くの人が、もうやってられないと公然と話している。人生は美しいが、それにはまず人生が必要だ――こんなのではなくて。私たちの生き方は人生ではない。それはサバイバルであって、人生ではない。今朝、私は二時間ほど新キャンプを散策した。目にし、耳にするのは、心配と苦しみだけだ。人々は、これまで経験したことのない、そして予想もしなかった状況と生活条件に必死で対処しようとしている。火を焚くための薪を集め、自力で起こした焚火でパンを焼き、砂の上で眠ることに慣れ、空腹に慣れなければならない。

アーイシャは子どもたちのパンを作る小麦粉がないとこぼす。「マーケットで買おうとしたけれど、ぜんぜん見つからないの」と私に言う。彼女は支援や補助も受けていない。避難所になった学校に滞在していない限り「援助支給対象者名簿」に登録されず、「生活困窮者」には分類されないのだ。何千もの家族が親戚の所有する家に滞在しているため、支援システムの恩恵を受けられない。それ以外にも何千もの家族が、難民キャンプとして公式に認められた地域の外にテントを張って生活している。そのため彼らも登録されない。アーイシャと彼女の家族は、一日に一個の小さなパンのローフを分けて食べる。

妹のサマーがようやくラファに着いた。エジプト国境近くのテントで二日前から暮らしていると、メールを送ってくれた。だが、彼女は正確な場所を私に示すことはできなかった。

ジャバリアから入ってくるニュースはおぞましい。イスラエル軍はそこらじゅうを標的にしており、攻撃の責任は、脱出せずに隠れ続けることを選んだ人々にあると言い放っている。今朝、ジャバリアのナディ地区にある建物が攻撃され、数十人が死亡した。ジャバリア難民キャンプの人々は、キャンプ内の路地に散乱した数十人の死体を埋めるため、集団墓地をつくらなければならなかった。この集団墓地が掘られた場所は、中央スークの空き地だった。瓦礫から取り出した石に埋葬者の名前を書き、石が見つからないときは段ボールの切れ端を墓石として使った。

昨夜、私たちはテントに座り北部から届いた動画や画像を共有した。みんなが何十年も前から知っていた場所が跡形もなく消滅したのを、私たちは黙って見ていた。三時間ほど、これらの攻撃について映像を見たり、知っていることを話し合ったりして過ごした。これらの場所に対するノスタルジアがはっきり漂っていた。しばらくの間、私はすべての亡命者が、帰ることのできない祖国を思い出すときに感じるであろう気持ちを味わった。私の祖母が、ヤーファで過ごした古き良き時代を語ったときに感じていたことだ。

アーイシャによると、デイル・アル＝バラフで彼女が身を寄せている場所の近くにあるヤーファ・モスクが、二日前に攻撃されたそうだ。それはまるで、私たちがジャバリアで経験した、あの夜間の攻撃のようだった。みんながベッドから飛び出し、子どもたちは怯えきっていた。これで二つの「ヤーファ・モスク」が破壊されたことになる。ジャバリアにあったものは、まだ私がいたときに爆撃され、今度はデイル・アル＝バラフにあったものも無くなってしまった。

私の娘のヤーファは、自分と同じ名前のものがたくさんあるのを見ていつも誇りに思っている。スーパーマーケット、催事会場、自動車教習所、図書館、書店、学校、美容院までも！　彼女はよく、笑って言った「どこもかしこもヤーファ、ヤーファ、ヤーファ！　みんな私の名前が大好きなのよ」。それもそのはず、ナクバ以前のこの美しい海岸沿いの町の思い出は、すべてのパレスチナ人の心の中に大切にしまわれているのだ。パレスチナの町や都市圏で、その地名にちなんだ場所がないところは一つもない。

あと二週間で、娘のヤーファは一二歳になる。「私の誕生日には来てくれるの？」と、ずっと私にメールで聞いてくる。「ああ、行くよ」と返事をするが、はたして嘘になるのかまことになるのかわからない。

Day 66
12月11日（月曜日）

昨夜、自分がどれだけ新キャンプに慣れているかを試すことにした。ラファからの帰り道、バスにずっと乗るのではなく、新キャンプに一番近いラファ郊外のタッル・アル＝スルターンで下車し、そこから先は歩いてみることにした。降りてみて初めて、その日はいま降りたバスしか走っていなかったかもしれないと気づいた。ほどなく、アル＝クッズ・オープン大学のガザ分校と思われる場所にたどり着いたときは嬉しかった。自分の進む方向が間違っていないことを示すサインだと思ったからだ。しかし、そのわずか一分ぐらい後、私はすっかり迷ってしまった。自分が堂々巡りで歩いてきたことに気づいたのだ。あたりは暗く、どの道も同じように見えた。誰かに助けを求めてみたが、ここの人のほとんどは私と同じ、この地域にやってきたよそ者だった。弟のイブラーヒームに電話してみたが、電波が届かない。引き続き道行く人々に尋ね続けたが、返ってくるのは同じ「わかりません」。三〇分ほど歩いてようやく、国連貯蔵基地の明かりが見えた。どの方角になるのかはわからなかったが、とにかく明かりに向かって進んだ。

この災難にもかかわらず、私はラファの中心部の主要な通りの名前を覚え、主な広場、ほとんどの学校、そしてもちろん大半の市場やさまざまな地区も覚えたことに満足していた。また、タッル・アル＝スルターン地区についても、私たちの新キャンプに向かう車両が通る大きな通りは把握するようになった。よく知られているモニュメントについても詳しくなったし、水路についても、まだ正確に全部がどうつながっているのかは把握できていないが、ある程度はわかるようになった。私はヤーセルに、じきにこの場所が自分の手のひらのようにわかるようになると言った。でも、そうすると、いつものあの疑問が浮かんでくる——いつまでここにいるのか？　いつになったらカイロに発ち、我が家に帰れるのか？　私に答えはなく、すべてを神の手に委ねる以外にない。「アッラーの思し召し次第」。この答えが、何かの役に立つのだろうか。

自分のテントにたどり着くと、疲労のあまり座っていることもできなかった。間に合わせのベッドで一時間ほど横になった後、ようやく義父のテントを訪問した。彼はこの場所に満足していた。「新しい我が家！」と彼は言ったが、義母は一言も発しなかった。彼女はナクバの年にガザ地区の北方にある小さな町、アル＝マジュダルで生まれた。母親は彼女を連れて南へ逃れ、新天地に住み着いた。それがジャバリアだ。

「ウィサームはどうしているの？」と尋ねると、

「目の手術を受けることになっている。まぶたの裏に小さな砲弾破片が残っているのが見つかったんだ」

義父はそう答えると、ジャバリアから入った最近のニュースに話題を転じて、「戦車が我が家の前まで来ている」と言った。ジャバリア難民キャンプでは、ほとんどの人が学校やUNRWAの福祉センターに移り住んでいる。今も毎日、数百人が殺されている。

「まるで撃たれる順番を待っているような気持ちになるそうだ。イスラエル軍は学校や福祉センターに入るたびに、何人か撃つんだ。何の理由もなく、ゲームをしているだけだ」と義父は言う。私の父と最後に電話で話したとき、彼はとても落ち込んでいるようだった。そうでないふりをして、大丈夫、きっと何とかなると彼は言っていたが、そんなふりをして見せるだけでも、すごいガッツだと私は思う。痛みと苦しみの砂漠に希望を植え付けることは、並大抵のことではない。義父は、フェイスブックに掲載された救援の呼びかけを、声を出して読み上げた。福祉センターの裏の通りに住むオカーシャ家が、戦車からの無差別の砲撃が降り注ぐなか家族を避難させるために助けを求めている。砲撃を浴びて二日目だが、誰も助けに来ないと言っている。

昨夜、F16戦闘機とF35戦闘機が、アンヌッス通りにある一軒屋の貸しフロアを破壊した。そこはタッル・アル＝スルターンでもっとも重要で混雑した通りの一つで、六人が死亡した。今朝、私はまだ開いている床屋を探そうとして、その場所を通りかかった。攻撃の標的は三階だったが、建物全体が損傷している。すべて建て直さなければならないだろう。

昨日のデイル・アル＝バラフへの攻撃で五〇人が死亡した。ジャバリアとマガーズィーにも攻撃があり、数十人が殺された。デイル・アル＝バラフに滞在しているアーイシャに電話して、無事を確認した。もちろん、本当に大丈夫な人なんていない。ガザでは大丈夫じゃない。生きてはいるが、大丈夫じゃない。

ようやく散髪してくれる店を見つけた。そこに行くのにとても早く家を出なければならない。午前のうちに、どこもお客でいっぱいになるからだ。私は床屋に、ひげは残しておいてくれ、戦争が終わったら剃るから、と言った。

「じゃあ、膝まで伸ばすんだね？」と、床屋は笑った。

Day 67

12月12日（火曜日）

昨夜、ラファ北部のアル＝ズフールと呼ばれる地域で、六人の子どもを含む二〇人が殺された。私が眠りにつこうとしていたとき、空を横切る赤い閃光が見え、ミサイルが飛んでくる金属音が聞こえた。そして爆発が起こり、砂地を伝わってそれが感じられた。一瞬、光が夜を夜明けに変えた。テントの柱が揺れた。母のいとこのジュンマは、テントの柱に吊るしていたシャンプーのボトルが頭の上に落ちてきて、危うく怪我をするところだったそうだ。時刻は午後一〇時近くで、この攻撃は、その後に続く一連の攻撃の序曲であることが判明した。ずっと北のハーン・ユーニス方面に向かって攻撃が続いた模様だ。このところ、夜間にはラファでますます多くの攻撃がある。この戦争のこれまでの経験に照らせば、これはラファに身構えよと促すサインだった。事態は悪化の一途をたどるはずだと。ラファはイスラエルの第一の敵になるだろう。それをベイト・ラヒアとベイト・ハヌーンで見たし、それからガザ市、それからハーン・ユーニスでも見てきた。次はラファだ。今ここにいるのは民間人ばかりだが、そんなことはお構いなしだ。イスラエルの将軍たちは、攻撃を進めるたびに新しいロジックを編み出す。

ジャバリアに残してきた親族たちを思い出すことは私たちにとって一種の儀式となっており、それを通じて自分自身の心配の気持ちを表現する手段でもある。父はイスラエル兵の命令に従って、旧鉄道エリアの近くの学校に移らなければならなかった。父によれば、戦車がある地域から撤収したときに初めて、人々は学校を出て、通りに転がっている死体をすべて集めて埋葬することができるようになるそうだ。また、自分の家に戻り、衣服や食料などを持ち出してくる人もいる。隣人の中には、リマール地区のような遠く離れたところの学校に移ることを強いられた人もいる。そこに行くのに、二時間も歩かなければならなかった。異母妹のアミーナは、夫と子どもたちと一緒にリマールの学校に行ったと父から聞いた。この決定もやはり、イスラエルが彼女に代わって行なったものだ。

友人のムハンマド・ディヤーブの兄弟ユーセフは、あの写真の中の一人だった。先週メディアを通じて拡散された、ガザ北部で数百人のパレスチナ人の男性が裸にされて写っている写真だ。彼はあのとき、自宅の近くの学校に移転させられていた。真夜中に、イスラエル軍が正門を爆破して、学校に突入した。この占領下では、標準的なやり方だ。ノックをして待つようなことはしない。そして、将校は一五歳から五五歳までの男たち全員に一方の側に並ぶように命じた。ユーセフらはそれから、他の者たち全員の前で服を脱ぐよう命じられたが、下着はつけたままでいいと言われた。その後、将校と助手が縦横に歩き回り、何十人もの男たちを選び出して逮捕したという。選別の基準はただ、裸でどう見えるかだけのようだった。そして、残りの半裸の男たちに、タッル・アル＝ザアタル地区近くのナーセル交差点に向かって歩くように要請した。私は、父がこんな目に遭わなかったと聞いて安堵した。父には耐えられなかったに違いない。陽が昇ると、半裸の男たちは旧鉄道エリア近くの学校に移動してよいと告げられた。ユーセフはそうはしないで、危険を冒して数人の隣人とともにシェイフ・ラドワーンに向かい、そこでやっと衣服を着て、身ぎれいにすることができたという。一方、学校では女性や子どもたちは逃げ出すように言われ、そのすぐ後で、イスラエル軍は学校の教科書や文房具に火をつけるなど、校内のすべてを破壊し始めた。今朝も、さらに北のベイト・ハヌーンにある別の学校が戦車によって破壊された。

夜中に、義母が寒さを訴えた。もっと毛布が欲しいと言う。彼女はすでに二枚の、手に入る最上の毛布に覆われていた。私は義母とヤーセルに私の毛布をあげた。朝四時半にも、テントが寒いという義母の声で、私は目を覚ました。今晩だけだよ、と彼女をなだめた。朝になったら、もっと暖かくなるようにナイロン生地を追加して、テントの隅のすき間も塞ぐから、と。でも彼女の言う通り、テントはとても寒かった。それから後は眠れなかった。朝、私は紅茶をいれ、彼女に熱いカップのまわりに身体をくるんで暖まるように勧めた。

ラファに向かう途中、私は新キャンプを実質的に管理しているラファ・キャンプ民生委員会のメンバー、アブドゥル＝ラウーフ・バルバフに会った。彼は他の二人の委員と一緒にいて、援助物資が分配される方法について大いに不満を漏らしていた。彼らの委員会も意思決定の一部に参加できないものかと打診された。私は福祉省の担当大臣と話すことを約束する。「もっと毛布とテントが必要だ」とアブドゥル＝ラウーフは声高に言う。「さもないと、寒さで死人が出始めるだろう」

街へ向かう途中、自分が疲れきっているのを感じる。私たちが食べている食事は不十分で不健康だ。身体が弱ってきており、今朝起きたとき、背中と脚に痛みを感じた。ハンナはマルチビタミンの錠剤を買ってくるよう勧める。こんなときになんて無茶な提案だ。まわりで人がばたばた死んでいるときに、絶対に外せない必需品でないものなど考えられない。「でも、これは必需品よ。あなたの健康なのよ！」。彼女は怒って言い返す。

昨日、ソーシャルメディア活動家で親友のムニールが、私が新キャンプのテントの前で、焚き火でお茶の準備をしている写真をSNSに投稿した。あちこちの友人から何十ものテキストメッセージや電話がかかってきた。私はそのことで彼を責めた。悲しみや屈辱の場面はシェアされるべきじゃない。これはすべて私たちへの試練だと感じることがよくある。人生は試練だ。だが、それは合格するとか失敗するとかではなく、ひたすら耐え忍ばねばならない試練だ。

Day68
12月13日（水曜日）

ついに恐れていたことが起こった。一晩中雨が降り続いたのだ。何百ものテントに水が侵入した。人々は寒さで目を覚まし、濡れて、怯えていた。いくつかのテントは風で根こそぎ倒れてしまった。それほどの強風ではなかったのだが、適当な造りのテントを揺らし、なぎ倒すには十分だった。ひどい夜だった。自然の力は、根無し草になった哀れな人々に苦しみをもたらす武器の一つとなった。彼らの罵声や叫び声は、まるでハリケーンに襲われたかのような騒ぎだったが、ここまで生活が危うい状態になっていれば、ハリケーンなど必要ない。人々はテントを張り直し、小さな砂の敷地から雨水を迂回させ、濡れた寝床を取り替えなければならなかった（代わりがあればだが）。こうした作業をしている間も、まだ雨は降り続き、風が身体に吹き付けてくる。

国連貯蔵基地の格納庫内では、下水道から水があふれた。下水道管の詰まりが解消され、再び水が流れるようになるまで、人々は外に出て雨の中に立っていなければならなかった。雨は誰にとっても大迷惑だった。通りや友人の家の近くにテントを張っていた人たちは、テントが浸水してしまい、再びテントなしで路上に放り出されることになった。ラファは南部の都市だが、シナイやネゲブの砂漠に近く、気候は砂漠に似ている。冬の夜は極寒になる。砂が寒さを吸収し、一晩中放射するのだ。

騒々しさに目が覚めた。ありがたいことに、私たちのテントは無事だった。ただ、義父のテントのドア側に細い筋のように水が垂れている。私は出入り口のキャンバス地を引き締めて、そちら側から水が入ってくることがないようにした。イブラーヒームのテントでも同様に、頂上からいくつかの水漏れが見つかった。彼は、テントのポールの一本が地面にしっかり固定されていなかったことに気づいた。ポールは外れてしまっていた。真夜中のことで、私たちは何とか埋め直そうと全力を尽くしたが、雨と風には勝てなかった。あいにく雨は一日じゅう降り続いており、やむ気配はまったくなかった。

「朝は眼を持っている」と私は言った。これは、朝になればすべてが明瞭になり、対処が楽になるという意味の慣用句である。今は眠ろう。朝になったら、今夜修復できなかったところを直そう。

今朝の六時頃、私たちは活動を再開した。何度も紐を締め直したり、補修したりしているうちに、そろそろ休憩してお茶を飲みたくなってきた。イブラーヒームが焚き火で紅茶を用意し、義父のテントでみんなが座って、熱い紅茶で手を温めた。

誰にとっても悲惨な一夜だった。この経験は、これからの数日、数週間がどんなものになるかを教えてくれる。新キャンプでの初めての冬に遭遇したのだった。そしてこれは始まりにすぎない。

本格的な嵐が来たらどうなるの？」ヤーセルが尋ねた。「テントが飛んでいくかもしれないよ」

「そのときは、テントに乗って飛ぶんだ。アラジンが絨毯に乗って飛んだように」と、私はからかった。「夢に見ていたすべての国や都市に行くんだよ」

「そしたら僕は、ラマッラーに行ってママに会えるね」

空想的な喩えが彼を元気づけているると思ったので、私は付け加えた。

「もちろんさ。でもその後はガザに戻ってくるんだよ」

「嫌だ。戦争が終わるまでは」と彼は言った。

昨夜、毛布や布団が十分になかった人たち、テントなしで夜を過ごさなければならなかった人たち、覆いのない地面で寝なければならなかった人たちのことを考えた。何千人もの人々が、見捨てられたまま、無防備に悪天候や運命に立ち向かわされている。

朝の七時半、赤新月社で働く運転手の一人アブー・リヤードが電話をかけてきて、ヒルバト・アル＝アダスにある事務所まで送ろうかと言ってくれた。なんとありがたい。この厚意を断ることはできない。私は大通りに出て、彼が待っているのを見つけた。車にはパレスチナ赤新月社（PRC）の職員が五人乗っている。彼は西へ向かい、パレスチナ赤新月社が設営している野戦病院へと車を走らせる。病院の横には、他の地域から避難してきたパレスチナ赤新月社職員のためのテントが張られている。五人の職員はここで降りた。代わりに、昨夜ずっと野戦病院の設営に従事した別の職員たちが乗り込んできた。車は、彼らを降ろしながら市中を走り回った。私にとっては、朝の市内観光のようだった。街は今日、いつもよりゆっくりと目覚めつつある。多くの人々が夜中テントで忙しくしていたためだ。幸運にも、誰かの家で一夜を過ごすことができた人たちでさえ、雨漏りの問題に直面していた。ほとんどの家は、攻撃によって窓が吹き飛ばされたり、屋根が破損したりしているため、そこから水が侵入してくるのだ。シャーブーラのスークでは数軒の店が開いている。私たちが通りすぎたファラフェル屋の前には長い行列ができていた。店主はさらに薪をくべている。薪を束ねて売っている人々をよく見かけるようになった。

甥のハムザが、サフターウィーにある私たちの実家の破壊された後の写真を二枚送ってくれた。ヤーセルは、自分のインスタグラムのアカウントに、この家の生活の写真をたくさん投稿し、その家がどう記憶されるべきかを示していたが、そのアカウントにもう入れなくなってしまったらしい。彼は家に帰ったらアカウントを復元し、写真をダウンロードすると約束している。この戦争において、写真やビデオは大きな意味を持っている。私は、サリーム・アル＝ナファール（先週火曜日に家族とともに殺された）が私たちの最後のミーティングで詩を朗読している短いビデオを何本も海外に住んでいる友人たちと共有したが、今そのファイルを送り返してくれるよう頼んでいる。アーイド・アブー・サムラも、彼の家で私たちが一緒に写っている写真をたくさん持っていて、それを私と共有してくれた。残されたものは記憶であり、私たちが生き続けるための闘いの一部は、起こったことを忘れないという責任を果たすことだ。感情的には、私たちはみなまだ保留の状態にある。生き続けるために闘っている間は、悲しみは先送りにしなければならない。それまでは、私たちの写真やビデオは安全に保管しておかなければならない。時がくれば、私たちの心の糧となるものだからだ。

Day 69

12月14日（木曜日）

年末までにイスラエルが避難民の一部が北部の自宅に帰還するのを容認し始める、という噂がテントの中で広まっている。「戦争が終わるってことか？」と、いささか疑わしげに尋ねる者もいる。一部の報道では、北部からの避難民の一部（全員ではない）が帰還する可能性が語られている。サワーというジャーナリストは、自動車は許可されないと言う。「車はだめ、車はだめだ」と別のジャーナリストが同意した。

て帰るのか」

「それで結構、歩いて帰ればいい。それで行こう」

「だけど、たいていの者は、歩いて帰る先の家がないよ」と私は冷やかす。「瓦礫の山に歩いて帰るのか」

いくつかの壁が残っていればまだ幸運だ。少なくとも足掛かりがある。弟のイブラーヒームは異を唱える――もちろん車は必要だ、それなくしてどうやって毛布や衣類を運ぶのか？瓦礫の中で再建に取りかかる最初の数週間を生き延びるために必要なものだ。「財産はみんな焼かれたり、瓦礫に埋まったり、そうでなければイスラエル兵に略奪された。戻ったとしても、ゼロからのスタートだ。ここで持っているものより少ないだろう。北部には店もパン屋も残ってやしない」。彼の言いたいことはわかるが、すべては無意味な議論だ。噂やちょっとした政治的ゴシップにもとづくものにすぎない。

父の消息を最後に聞いてから五日が経とうとしている。ジャバリアからのニュースはほとんど途絶えている。あちらの電波状況は最悪だ。今朝は五時に起きて父とその妻に電話したが、無駄だった。まだジャバリアやガザ市西部に残っている人に連絡を取ろうと、私はいろんな親戚や近所の人たちにも電話してみた。「心配なんだ」とイブラーヒームに言う。心配の一つは、父が定期的に薬を飲まなければならないことだ。もしみんなと一緒に学校に拘束され、外に出られなくなったら、父はパニックを起こすだろう。おまけに、実家が破壊されたとき、父の手許に残った薬は、ポケットに入っていたものだけだった。それが十分な量であり、まだ使い果たしていないことを祈るのみだ。最後に話したとき、父は私たちの質問に、すべて大丈夫と答えた。しかし、この「大丈夫」はいつまで続くのだろうか？

昨夜、ドローンは私たちを眠らせてくれず、すべてのテントの上空を大音量でホバリングした。私たちの体内時計はドローンに支配されているらしい。ドローンが眠れば私たちも眠り、ドローンが稼働すれば、私たちも目を覚まして横になったままその音を聞き、ドローンが任務を終えるのを待つ。ドローンの仕事は私たちを観察し、操縦士が要求する数だけ私たちを殺すことだ。おそらく他の多くの者たちも同じだろうが、私は、ガザ国境の向こうのどこかでスクリーンを見つめる若い殺し屋たちが、私たちを監視し、まるで家に帰ってプレイステーションで遊ぶように、この仕事を楽しんでいるのだと考えずにはいられない。「猛烈な夜になりそうだ。ドローンが徘徊している」と私はイブラーヒームに言う。前の夜は曇っていたので、ドローンが上空をホバリングすることはなかった。それに、雨粒がテントの屋根にリズムを刻む音が、私たちに別のものを聞かせてくれた。しかし昨夜は違った。眠りに入るのに一時間以上かかった。大丈夫、これが普通なんだ、今の生活では普通の音なんだ、と自分に言い聞かせなければならなかった。自分が納得したかどうかは定かでないが、やがて私は眠りに落ちた。

昨夜、イスラエル軍のミサイルがまたラファを直撃した。一晩中、爆発と砲撃の音が何度も聞こえた。今朝運転手のアブー・リヤードから聞いた話では、イスラエル軍の攻撃目標はラファァの北部、ハーン・ユーニスの方向だったそうだ。ハーン・ユーニスから届くニュースは心配なものだ。最近はガザ地区の全部のニュースに目を通すことはできなくなっている。パン、水、火にくべる薪、インターネットなどを探し求める日々の格闘に追いまくられ、ニュースを追う余裕はほとんどない。もはや関心がないというのではなく、私たちの視野がこうした基本的なニーズに狭められているのだ。唯一の機会は、一日の終わりに私のテントに集まって、その日にあった出来事を話すときだけだ。ときどきは、朝にストーブを囲んでその日最初のお茶を飲むときに最近の情勢について感想を述べあうこともある。でもそれ以外は、みんな生き延びることに精一杯だ。またもやラファへの攻撃があったことに友人たちが驚いた様子を見せたので、私は、これは当たり前のことであり、当たり前でないのはイスラエル軍の言うことを信じることだ、と言ってやった。ラファだけはガザ市やハーン・ユーニスが受けたのと同じ扱いを免除されている、などと信じたことはない。

昨日、ジャバリア墓地で撮られた画像を見た。イスラエル軍の戦車が墓の上を走り、大量の遺体を整然と掘り返して露出させていた。新しく埋葬されたものも、七〇年前から地下に眠っていたものもある。ガザの人々に、永遠の眠りはないらしい。破壊の規模はほぼ完全なもので、ジャバリアにはもう墓地はないといってもいい。野ざらしで死体を腐敗させるただの置き場だ。イスラエル軍がなぜこのような行為をするのかについては、さまざまな説がある。最近の死者から臓器を採取しているという噂もあるが、それは筋が通らない。臓器提供には適切な冷蔵保存が必要なはずだからだ。戦利品を集めているという説もある。CIAが主導した過去の侵略や政治家の暗殺では、重要な仇敵は処刑後に首を切られ、その首はアメリカにあるCIAの軍閥の金庫に集められている、というのだ（カダフィ大佐やモーリス・ビショップ［一九八三年に殺されたグレナダの人民革命政府の首相］など）。もしかしたら、イスラエル人も自分たち独自のコレクションを始めたのかもしれない。私にとっては、単なる屈辱でしかない。彼らは、こうした画像がパレスチナ人にとってどれほど不愉快なものかわかっていてやっている。私たちを脅かそうとしているのだ。

しかし、そういうこと以前に私が思うのは、この墓地を神聖な場所とする、故郷のジャバリアのことだ。これらの画像を見て、私はすでに多くの人が言っていることを繰り返すことになる——ジャバリアはもう存在しない。ガザもない。南へ向かう前の数日間、車で通りを走りながら、この街がどうなってしまったかを見たとき、私の知っているガザはもう存在しないのだと悟った。戦争によって時計の針が何十年も逆戻りし、この町はゴーストタウンと化し、失われたものばかりの空っぽの迷宮と化したのだ。

Day70

12月15日（金曜日）

昨夜、ラファの中心部の近くにいる友人のソヘイル・ムーサーに会いに行った。タッル・アル＝スルターンの社会福祉省事務所から彼の家まで、友人のアブドゥル＝ラウーフ・バルバフと一緒に歩いていった。一時間ほど歩いたが、その間中、私たちは目に入るものについて考察せずにはいられなかった。ラウーフは救援活動や新キャンプの運営に携わっているので、たくさんのことを語ってくれた。

疲れ果ててソヘイルの家に着くと、彼はコーヒー豆を火で炙っていた。豆が半分黒くなると、彼はそれを砕き、お湯を沸かしてコーヒーをいれ、私たちのカップに注いでくれた。自家焙煎のコーヒーなんて、贅沢の極みだ！　混ざりものの入った低品質の挽いたコーヒーを買う代わりに、生のコーヒー豆を買ってきて最初から全部自分でやっている。ソヘイルはエンジニアで、戦争が始まる一カ月前に自治体職員を退職したばかりだ。話が今のラファの現状のことに移ると彼は悲しそうな顔をした。

「再建には何十年もかかるだろう。瓦礫をどこに置くかという問題でさえ難しい。置き場所がないのだから、どうにかしてリサイクルするしかないかもしれない」と彼は言う。

「瓦礫を撤去するだけでも、我々にはない道具や設備が必要だ」と私は付け加えた。ラファのインフラは、現在ここに身を寄せている一〇〇万という人口に対応できるようには設計されていない。戦争前のラファの住人に対応するのがやっとなのだ。届けられる救援物資はほとんどが緊急援助であり、長期的なニーズを満たすようにはできてない。「例えば食料だけがすべてじゃない」と私は言う。「今、人々は寝るためのマットレスが必要なのに、援助にマットレスは入っていない。食料はもちろん重要だが、まずは滞在する場所、寝るためのマットレス、くるまる毛布が必要だ。たとえポケットに一〇〇万ドルあっても、今は何の意味もない。買えるような生活必需品がないからだ。必要なのは寄付だけではない。国際社会が圧力をかけて国境を開放させ、さまざまな物資が入り、通常の取引が再開できるようにすることも必要だ」

ソヘイルと一時間半にわたって話した後、私は以前にも増して悩ましい思いを抱いた。パレスチナ人が直面する課題は、私たちの想像をはるかに超えて困難だ。私たちの課題が、「今日をいかに生き延びるか」だけでなくなった瞬間、将来の苦難の世界が一気に目の前に広がるだろう。北部にいた頃、「本当の戦争は軍事作戦が終わったときに始まる」と考えたことを思い出した。本当にそうだ、政治的にも、人間ドラマのレベルでも。銃が沈黙したとき、普通の人々の痛みや絶望が表面化するだろう。そのときに人々は気づくのだ。自分たちが被った損失と、これから生きていかなければならない新しい状況の、両方に。その意味で、明日のことを考えるのは、今日を考えるよりも難しい。

ソヘイルの家を出て、西の新キャンプまで今度は一人で歩いた。一時間二〇分ほどかかった。昨日は歩くための日だったようだ。携帯電話は終日電波が届かず、ハンナとイブラーヒームに電話しようとしても、すべて失敗した。後で知ったのだが、その日はガザ地区のどこでも携帯電話やインターネットの電波は届いていなかった。一日じゅう何も食べていなかったので、歩き疲れた。帰宅すると、私は火を起こしてパンを焼き、缶詰のひき肉を焼いた。こんな基本的な食べ物でも、火にかければ美味しくなる。

今朝、ヒルバト・アル＝アダスの赤新月事務所に向かう途中、マルヤム叔母さんの息子の一人に会った。彼は戦争勃発時にイスラエルで働いていた多くのパレスチナ人の一人で、イスラエルの警察に自動的に逮捕され、拷問を受けた後、ガザに送還された。マルヤム叔母さんは、サフターウィーの自宅からナズラの町に引っ越したそうだ。彼女の息子の一人は足を失った。どの家にも、このような犠牲者がいる。私の母にはファーティマとマルヤムという二人の姉妹がいた。マルヤムが生まれて数カ月後に、私の祖父は一九六七年の戦争でガザを守って殺された。幼かったので彼女は父親を知らず、彼を知るための墓さえもなかった。祖父が戦死したことを彼の戦友から知らされたとき、誰も祖父を埋葬することができなかった。祖父の遺骸はイスラエル軍によって運び出され、処分されたと思われるが、どこで、どのように処分されたかは誰にもわからない。

今日は暖かいとは言えないが、晴れている。ヒルバト・アル＝アダスへ向かうトラックの荷台で、二人の男がハーン・ユーニスへの地上侵攻の状況について議論している。イスラエル軍の戦車がどこまで到達したかについて、大声で言い争っていた。三人目の男が口を挟み、「やつらがどこにいるかなんて問題じゃない。重要なのは、俺たちがどこにいるかだ」と叫んだ。そして、もう少し落ち着いて、トラックの荷台の人々を指さし「俺たちはここだ」と言う。私と一緒に五〇人ほどが立ったり座ったりしている。トラックが道をのぼると、私たちの身体は左右に揺れたり、上下に揺れたりする。「俺たちは羊のように、ここにいる」と彼がしめくくると、まわりはみんな押し黙った。この真実に突然、気がついたかのように。

いまだに停戦の話はない。和平交渉も、すべてを終わらせる努力も何もない。「クリスマスに休戦はあるのかな？」アブー・リヤードが今朝、彼のトラックから降りた私に尋ねた。「たぶん」と私は答えた。彼はこれを聞いて嬉しそうだった。「もしそうなるとしても、まだ九日も先の話だ」と私は言うが、彼はまだ浮かれている。「九日なんてすぐさ」たとえ短い一時休止であっても、この悪夢の中ではないよりましだ。

ラファのバユーク地区で攻撃があった。アブー・リヤードが救急車の運転手にそこへ向かうよう頼む。昨日、ラファ各地が攻撃され二〇人ほどが殺された。死傷者の数はもう把握できなくなった。今となっては、死さえも普通のことになってしまった。この数字は世界を震え上がらせ、衝撃に立ちすくませるはずだ。それなのに、すべてが普通なのだ。そして誰も何も言わない。

今日は戦争の七〇日目だ。なんという数字だろう！

6章——避難の民

Day 71 12月16日…………Day 85 12月30日

Day71

12月16日（土曜日）

今朝、若い母親がテントの前に座って息子にアルファベットを教えているのに出くわした。よく晴れて、二日前の雨で濡れていた砂が乾き始めている。この子は今年が学校の最初の年で、初めての登校日は、戦争が始まるちょうど一カ月前だった。その短い期間では、何も学べなかっただろう。ガザの子どもたち全員にとって、今年の一年は教育上、帳消しにしなければならないだろう。たとえ戦争が数週間後に終わったとしても、誰もすぐに学校に戻ることはできない。乾いた木の枝で、女性は砂の上に一つひとつ文字を書いていく。「アリフ」（A）、「バー」（B）、「ター」（Th）。そして彼女は息子の小さな手を握り、彼が初めての文字を書くのを助ける。息子は砂の中に自分の書いた字があるのを見て喜ぶ。彼女も微笑む。私はその光景を見るために近づいていく。自分が学校に初めて行った日のこと、電気のないジャバリア難民キャンプで勉強しなければならなかったときのことを思い出す。小さな突風が吹いて、砂の表面を吹き飛ばす。文字が消え、子どもは自分の偉大な業績が消されてしまうことに寂しさを覚える。女性は微笑み、「もう一度やりましょう」と言う。もう一度、息子の手を握り、彼女は文字を書き始める。もう一度、彼は自分に満足する。彼の笑顔が彼女を励まし、次のアルファベットに進む。

昨夜ファラジュに会いに行った。彼は三日前から体調を崩している。彼の妻マザルは、自分の知っている唯一の薬局に行ったが、薬は切れていたそうだ。供給が途絶えているので、医薬品は徐々に一つひとつ切れていく。私は彼女にレモンを絞って飲ませるよう勧めた。ファラジュに、立ち上がって私と一緒にキャンプ内を少し歩けるかと尋ねた。彼は頷いたが、その後はやってみることもしなかった。数えきれないウイルスや感染症が、キャンプや学校や、その場しのぎの収容センターに蔓延していた。センターでは、避難民が過密な空間で生活し、基本的な医薬品も不足している。ガザ地区の南部には保健センターが一つもなく、何十万人もの人々を診療するところがない。多くの人が病気になり、治療も受けられずに苦しんでいる。ファラジュは毛布を三枚かけていたが、それでも激しく震えていた。妻はとても心配そうだ。私たちは、地面に敷かれたマットレスに横たわる彼のまわりに立っていた。私たちには、祈るより他にできることがない。

マザルは、もう戦争のことは考えていないと、後ろめたそうに打ち明けた。頭の中は日々の困難でいっぱいなのだ。かまどの薪をどう確保するか、洗濯の水をどう確保するか、濡れた服を速く乾かすにはどうするか、パンの小麦粉をどう手に入れるか、援助物資を受け取るための行列にいつどこで並ぶか。「時々、戦争がまだ続いていることさえ忘れてしまう」と彼女は言った。そしてまわりを見回し、こう続けた。「前の生活のことさえ忘れているの。昔の家や、昔の生活のことはもう考えない。今このときの苦しさが、他のすべての考えや記憶を追い出してしまうの」

今日もまた、ジャーナリストがイスラエル軍に殺害された。アルジャジーラのカメラマン、サーミル・アブー・ダッカがハーン・ユーニスのファルハート学校で殺害された。ドローンによる学校爆撃の後、彼は応急処置も受けられず、出血したまま五時間も放置された。救急車も到着できなかったと報道されている。これまでに五〇人以上のジャーナリストがイスラエル軍に殺されている。私はアブー・ダッカを知っていた。彼には何度も会う機会があった。彼の死は皮肉だ。彼は、この戦争で続いている不当な行為を世界に示そうとしていて殺された。もはや世界がそれを見ることはないだろう。

私たちはこの敵に貧乏くじを引かされ続けてきた。彼らは国境というものを知らず、国際法も尊重しない。パリを拠点とする「国境なき記者団」は最近の報告書で、この戦争においては多くの場合、ジャーナリストが意図的に標的にされているわけではないと主張した。しかし、もしイスラエルが軍事用の精密なソフトウェアを持っていて、アル＝カッサーム旅団がどこに隠れているかを正確に知ることができるというのであれば、当然ながらその技術を使って、「PRESS」と書かれた真っ青なブルーのジャケットを着ているジャーナリストを探知できないはずがないではないか。彼らは爆弾が四方八方に飛び散ることも知っているはずだろう？

むろん、ミサイルの破壊力がどこまで及ぶかも知らないはずはない。いつから「見て見ぬふり」が「意図しない結果」にすり替わったのか。このような報告が招く結果は、イスラエル兵をつけあがらせて、さらに多くのジャーナリストを殺させるだけだ。その際にこのパリで書かれた報告書を引用すればよいのだから。

二日前から、電話をかけるのに十分な電波が届いていない。ハンナはメールで、北部の電波は大丈夫だと言ってきた。彼女は二人の叔父、マムドゥーとマンスールと話すことができたという。二人とも無事で、夜は学校に避難しており、昼間は兵士が十分遠くまで退くのを見計らって、こっそり家に戻って睡眠を取っている。「僕の父のこと、何か言ってた？」と私はメールを返した。「別の学校にいるのかもしれないって言ってたわ」と彼女は答えた。

昨日、ジャバリアで最後に父と撮った写真をフェイスブックに投稿した。息子のヤーセルと弟のイブラーヒームが一緒に写っている。父はシャツを直し、カメラに向かって微笑んだ。その日は私が北部で過ごす最後の日で、この写真を撮ったとき、私は出発の準備をしていた。私がセルフィーを撮ろうと提案するまで、私たちは一時間ほどおしゃべりをしていた。私たちが立っていたのは小さな路地の入り口近くで、そこは、破壊される前の私たちの家に続く場所だった。私の携帯電話には、この直前に撮った別の写真がある。彼がシャツを直しているときに撮った、アクションフォトだ。彼がいなくて寂しい。私たちはみんなそう思い、彼の無事を祈っている。

ファルージャ地区のシャディア・アブー・ガザラ学校で、八人の死体が発見された。目撃証言によると、イスラエル兵に処刑されたらしい。毎日こんなふうに多くの死体が発見されている。恐ろしいことだ。これだけ多くの大量処刑が行なわれているのに、どれひとつ報道されない。北部への帰還が許可され、こうした犠牲者のほとんどが発見される頃には、遺体は腐敗し、大量殺戮の証拠は永遠に失われているだろう。

神よ、どうかこの恐怖を終わらせてほしい。継続しているということ自体が、私たちの力を奪う。

Day 72

12月17日(日曜日)

ガザは見捨てられた。誰も気にしていない。私たちは毎日、現地で数多くの虐殺が行なわれ、民間人が殺されていると聞くのに、誰もそれを報告さえしない。残念なことに、ガザ市と北部から決して離れてはいけないはずの二つのグループの人々が真っ先に逃げ出した。ジャーナリストと国際機関のことだ。ジャーナリストたちが南へ向かったとき、彼らが後に残してきたのは、すぐに引き金をひきたがる集団虐殺モードの若いイスラエル兵が、見張りも、監視もされないままに最低の振る舞いをする街だ。初期の数週間は、ジャーナリストたちはみな、主要な病院に詰めて仕事をしていた。いわゆる「現場から」取材していたのはごく少数だった。彼らが南へ逃げた後は、「市民ジャーナリスト」だけが自分の携帯電話で撮影した画像を発信していたが、彼らはもちろん機動力も取材力も限られている。確かに、北部を去る前にすべてのジャーナリストが支払った犠牲とリスク、彼らがどれだけ苦しんだかを思い出すことは重要だ。だが、真実は彼らとともに去ったのだろうか？　今はラファで、すべての記者が町の西部にあるクウェート病院に拠点を置いている。それは理解できる。記者たちは仕事をしているときは安全でいたいのだ。しかし、仕事をする「代わり」に、安全でいようとするのは違う。

国際機関はといえば、ジャーナリストたちよりも前に北部を離れた。赤十字がガザ市の事務所から撤退した日のことを覚えている。戦争の第二週のことだった。私たちはプレスハウスから通りに出て、赤十字の車両が列をつくってアル＝シャハーダ通りにある事務所を出ていくのを見た。彼らは、海外からのスタッフだけでなく、現地採用の職員とその家族も全員避難させた。当時の噂では、デイル・アル＝バラフの施設のほうが安全なので、そちらに移転するとのことだった。これは非常に早い時期のことで、イスラエルが民間人に退去を要求し始める前のことだった。他の国連機関も同じように行動した。彼らはみんな去っていった。みんな逃げ出して、ガザ市を見捨て、自力で何とかしろとばかりに放り出したのだ。赤十字の任務は戦争時に民間人の保護を保証することなのに、彼らは民間人が戦争で殺されるままに放置した。国連も同じことをした。この状況で、罪のないものがいるのか？　他の戦争や、世界の他の地域では、彼らは持ち場にとどまり、仕事を続け、報告を出し続けるのに、なぜだ？　他の場所は保護され続けるのに、なぜガザでは急速に姿を消してしまうのか？　いざというときになったら逃げ出すというのであれば、いったい何のために彼らはここにいるのか？

これが、ラファのパレスチナ赤新月社の事務所で、友人たちと交わした長い会話の内容だった。みんな怒っている。ある職員は腹立たし気に説明した。「我々でさえ休戦の間に、ガザ市や北部に食料を届けようと試みたくらいだ。我々の管轄はラファなのに」。今、ガザ市や北部の民間人は毎日のように虐殺されているのに、誰も彼らのことについて知らない。それを報道する者が誰も残っていないからだ。そこにいるのは、私の父のような民間人だけで、毎日何百人もが人質としてイスラエル軍に連れ去られている。毎日、数十人が殺されている。治療可能な傷なのに、もう誰も助けに来ないので、出血死してしまう人たちもいる。それがどうした、誰も気にしちゃいない。

まだジャバリアにいる父と二人の弟、ムーサーとハリールのことが頭から離れない。それに他の親戚たちや残してきた大切な人たち――ファラジュの母親、近所の人たち。家のあった一帯はほとんど破壊され、そこに残っている人たちにも見分けがつかないだろう。だが、地区が無くなってしまっても、隣人たちが生きている限りは、どうということはない。北部から漏れてくる画像の中には、路上に放置された死体が捨て犬や捨て猫に食べられているものもある。何百もの死体が埋葬されることなく何週間も剝き出しのまま放置されている。この画像は、私たちの近所から数百メートルのところにあるカマール・アドワン病院で撮られたものだ。この悪夢が終わること、私たちが愛する人々が安全であることだけが、すべての望みだ。

昨夜、さらに攻撃があった。真夜中から明け方まで、空襲はやむことがなかった。主に東の方角だと思われた。後から判明したのだが、攻撃された場所の一つはラファのジョナイナ地区だった。今朝、被害にあった場所を通りかかった。生き残った男の子が、コンクリートの柱に、瓦礫の下にいる家族の名前を書き記していた。「父さん、母さん、弟のアフマド、妹のライラー」と書いてあった。私は涙をこらえきれず、こぼれ落ちるに任せた。ニュースでは、来るべきハーン・ユーニスの「大決戦」について語っている。ということは、いま起きているのは「ウォーミングアップ」にすぎないのか。毎晩数百人が殺されているのだが、それはただのウォーミングアップなのか。「大決戦」が始まるのは、イスラエル軍がジャバリアとシュジャイアでの作戦を完了してからだ。私はまだ、ハーン・ユーニスにいる友人のマアムーンと彼の家族のことを心配している。この二週間、彼と話せていない。一抹の希望は、ある若者から最近聞いた話だ——ラファとハーン・ユーニスの間は、まだ行き来ができる。海岸沿いの道路が通れる。赤新月社の運転手アブー・リヤードも、今朝、海岸沿いの道路を運転したと言っていた。

今朝、ラファを歩いていると、ガザ中部のデイル・アル＝バラフ行きの乗客を呼び出す男の声が聞こえた。私はヤーセルを見た。彼は、私の妹のアーイシャに会うチャンスだと理解したようだ。デイル・アル＝バラフに行って昼間はアーイシャとその子どもたち（私たち二人とも会いたがっている）と過ごし、夜は友人のジャーナリスト、アフマド・サエドと過ごそうと提案した。ヤーセルにとっては、日々の単調な生活から解放される素晴らしい休暇になるだろう。私の衝動はそれに飛びつこうとしたが、やがて少しためらいが生じた。パレスチナ赤新月社の事務所で、ある青年が、彼はデイル・アル＝バラフから来たばかりで、他にも大勢がそこに行ったり来たりしていると教えてくれた。海岸で泳いでいる者もいると言って、私を驚かせた。「まさか」と私が言うと、「本当だよ。中には歩いて沖のほうまで行き、魚を捕まえて、それを売っている者もいる」。ヤーセルの表情がすべてを物語っていた。私は彼に言った、「たぶん、ここ数日のうちにね。でも、気をつけないと」。魚を食べたり、浜辺を歩いたりするなんて天国のように聞こえるが、自分の欲望に惑わされてはいけない。必要がまっさきでなければならない。

パレスチナ赤新月社は負傷者と連絡を取れなくて困っている。通信手段がすべて遮断され、地域の中でも連絡が取れない。攻撃の音を聞くと、救急車を現場に出動させて、光と音を頼りに走り、被害はないかと路上を確認する。多くの場合、攻撃が避難指示区域で起きた場合、正確な場所を知る術はない。南部がガザ地区の他の地域や全世界から遮断されて今日で三日目になる。私はハンナとも誰とも話せていない。私たちの孤立がメディアで語られることもない。

Day 73

12月18日（月曜日）

「ラファは今日、もっと混雑するよ」と、運転手がキャンプの外で私を拾ったときに言った。私の顔に大きく「なぜ？」と書いてあるのを見て、彼は続けた。「イスラエル軍が、東側のいくつもの地区の住民に避難を命じた。イスラエル軍はゆっくり、地区から地区へと町の中心部に向かって移動している。避難民の大半が町の西側に到着するのは午前一〇時過ぎだろう」

「どこに行くのだろう。ここはもう人でいっぱいだ」と私は言った。歩道や路地のどんな隙間にもテントが張られている。彼は微笑んだ。

「海岸のほうならまだ場所はある」

「歩くには遠いよ」と私は言う。

「死から逃れるのに、遠い道なんかない」と彼は答える。

私たちの後ろでは、五人の女性が自分たちの状況を嘆いていた。その一人は「家畜のようにトラックの荷台に座っている」と表現していた。すべてが夢のようだと、年下の一人が言った。「たった今まで、いつものように夫や子どもたちと夕食をとり、おしゃべりして笑い、これから寝るところだったのに、突然、家がミサイルに攻撃され、逃げ出さねばならなくなった」。彼女の目に涙があふれてきた。語り終わると、彼女は横に座っている小さな娘の髪で顔を隠そうとする。娘に、おばあちゃんがいなくて寂しいかと尋ねる。女の子は微笑んで、「とっても！」と言う。彼女は娘にささやく。「今日は、おばあちゃんに会いに行くのよ！」

別の女性は、たとえ壊れた家の瓦礫の中で眠ることになっても、喜んで北部に戻りたい、と言う。その若い女性の娘が、チョコレートはまだあるかと尋ねる。「明日、家に戻ったらね。またチョコレートを買うわ」

女たちの会話をもれ聞いたところから判断すると、彼女はジャバリア難民キャンプの北にあるカマール・アドワン病院の近くに住んでいたようだ。イスラエル軍は今、その地域で負傷者も死者もろとも生き埋めにしていると報道されている。病院の近くでは、何十人もの人々が血を流しているまま集団墓地に埋められた。監視する国際機関やジャーナリストが不在のため、こうした犯罪は追跡されないままで、何の波紋も起こさない。病院の周辺は完全に破壊された。ガザの他の場所と同じだ。すべての人が死に、すべてのものが粉々になった。病院がイスラエル軍の基地となり、ガザの人が拘束され、処刑されている。

昨日、ジャバリア全域のさまざまな襲撃で約一〇〇人が死亡し、数十人が負傷した。シバブ家への攻撃では複合住宅が破壊され、数十人が命を落とした。ジャバリアでの殺戮はますますひどくなるばかりだ。軍隊は日に日に暴力的になり、何百人もの民間人が人質に取られ、イスラエル軍の命令に従っている。通りを歩くような無謀な者はスナイパーに狙撃される。戦闘服に身を包んだ若造たちが、アメリカの資金で賄う軍備に守られて、楽しそうに遊んでいるのだ。男性は集団で屈辱的な扱いを受けている。警備兵の命令で裸で歩かされたり、基地の中で何時間も立たされ続けたり。イスラエル人が彼らの生活の隅々までを支配し、援助や食料が届くのを許さず、家から出ることを許さず、警告もなしに無差別に突入してきて男たちを処刑する。こんなことが平気でできるようになるなんて、いったいどんな社会で育ったのだろうと思う。

友人のハイサムがジャバリアから電話をかけてきた。彼は今、私の父と弟のハリールの近くでジャバリア難民キャンプのＵＮＲＷＡ福祉センターに身を寄せていると教えてくれた。父は薬がなくて苦しんでいるという。ハイサムに、薬局で新しいものを手に入れられないのかと尋ねた。しかし、薬局はどこも閉まっているそうだ。北部にはもう営業している医療センターはない。昨夜、父は呼吸が苦しそうで、ハリールと二人で二時間ほど介護したそうだ。新鮮な空気が必要だったのだ。ハイサムは父のために最善を尽くすと約束した。私は彼の親切に感謝した。

最後にハイサムに会ったのは、戦争が始まる二日前だった。サフターウィーの私のアパートで、ファラジュやムハンメドと一緒に座っていた。私がガザを訪れたときには、いつもそうしていたように。ハイサムと彼の家族は、タッル・アル＝ザアタル地区にあった屋敷が被害を受けたため、ＵＮＲＷＡ福祉センターに移らねばならなかった。ハイサムは今、センターの前の大通りを歩きながら私と話しているので、父を出してもらうことができない。今晩、父と一緒にいるときにもう一度電話してくれないかとハイサムに頼む。そうすれば父と話すことができる。

今朝、友人たちと二時間ほどキャンプのまわりを散歩した。本当のキャンプ、つまりジャバリアでも、よくこんなふうに朝の散歩をしたものだ。この新キャンプで知り合いが増えるにつれ、散歩は挨拶や手短な情報交換でいそがしくなる。友人で隣人のアブー・アヒドは、今では杖を使って歩いている。

「戦争では、年をとるのが早い」と彼は微笑む。「おまえも自分を大事にしないとね、アーティフ」どういう意味だろう？　私はこの戦争が始まる数週間前に五〇歳になった。時の流れは思っているより早い。

Day74
12月19日（火曜日）

「テント生活ってどんな感じ？」と友人からメールが来た。「なんにも感じないのさ」と返した。ひたすら我慢するだけで、朝から晩まで奮闘するのだ。テントだろうが、宮殿だろうが、死は簡単に捕まえに来る。テントに暮らしていると、いま起きていることは永遠でないことに気づく。すべては一時的だ。テントの中には喜びも、慰めも、明るい希望もない。私たちみんなが経験させられる苦しみの一部でしかないのだ。このテントも、風にさらわれてしまうのだろうか、私の実家がそうなったように。じきに、これもまた過去の一部となるだろう。そしていつか、振り返って自問する日が来る――本当に自分はこんなことを乗り越えてきたのか？

雨や風から身を守ってくれるテントがあることを、幸運だと思わなければならない。こんな時代には、テントは自分の城、自分の宮殿なのだ。ガッサーン・カナファーニーはかつて、小説『ウンム・サイード』の中で、「あるテントは、別のテントと同じではない」と書いた。つまり、強制移住と屈辱のテントが、抵抗運動であるフェダイーンを守るテントと同じのはずがない、という意味だ。今、私たちは屈辱に甘んじている。しかし、いつか私たちが別のタイプのテントに入るときが来るだろう。

弟のハリールがジャバリアのUNRWA福祉センターの状況について電話で話してくれた。食料もパンも足りない。小麦粉もない。援助物資も届かない。まだ家が爆撃されていない者たちの蓄えに頼っているのだという。私の父とその妻ムーサー、弟、異父妹のアミーナとその夫、二人の子どもたちは今夜、今のところ損傷していないイブラーヒームの義父の家に全員泊めてもらう予定だ。この段階では、どんな家だって贅沢品だ。

北から恐ろしい映像がさらに届く。さらなる虐殺だ。ジャバリアで攻撃があったという記事を読むたびに、ジャバリアの連絡先リストにあるすべての番号に電話をかけ、何か情報を得ようとする。何時間もかかることもある。心配と緊張が続く。虐殺は父が滞在している場所の近くではないと請け負ってくれる者がいて、初めて私はリラックスできる。今日、ロバ荷車の写真が送られてきた。ロバは撃たれて床に倒れており、荷車の人たちも死んでいる。血の色と死体の細部は見るに耐えない。

日を追うごとに、国際メディアの関心は薄れていく。ガザは次第にニュースのテロップから消えていく。死者や負傷者の数さえも重要ではなくなる。ガザで今日、数百人が殺されたと聞くのが普通になったからだ。目新しいことは何もない。イスラエル軍は北部を好き放題にパトロールし、さらに多くの人命を奪い、さらに多くの家を破壊しているが、どれもニュースにならない。私はヤーセルに、破壊された家の数よりも、残った家の数を報道すべきだと言った。

イスラエル軍はベイト・ハヌーンの作戦が完了したと発表した。別の報道では、北部から避難してきた人々の一部を帰還させる可能性があるという。「一部？　じゃあ、全員じゃないんだね」。この問いがテントの中を飛び交うなか、私たちは座ってサワーが作ってくれたポップコーンを食べている。時にはイスラエル軍の次の動きを推測することが、私たちの唯一の楽しみとなる。大晦日までには、自分の家に（あるいはその残骸に）帰れるかもしれないという希望は消えつつある。

「ながーく引き延ばされた、くじ引きゲームになりそうだな。誰が帰り、誰が帰らないかを決めるためのさ」と誰かが言う。突然、会話がポップコーンにそぐわなくなった。「わかるもんか。いつものことさ」と、私は意気消沈して言う。「いつの日か、俺たちは帰る。いつの日か、いつの日か、いつの日か。それは未来のポケットの中にある」

北部を離れて四週間が経った。四年のように感じることもあれば、四秒のときもある。ああ懐かしい。あそこでは毎日を生きるのが命がけだったが、それでもここよりましだった。北部では、どの道路も、どの路地も知りつくしており、退屈することなど決してなかった。いつも、やるべきこと、会うべき人があった。ここでの生活の徒労感、この不安定さに適応するため抑えてきた苦痛を考えると、もう何年もここで過ぎたような気がする。しかし、四六日間の生存をかけた闘いの思い出にふけり、心をさまよわせると、それはつい一分前のことのように感じる。

毎朝、顔を洗うのを忘れる。最後に歯を磨いたのがいつかも覚えていない。一〇日もシャワーを浴びずに過ぎることもある。ついに私は自分あてのメモを書き、身分証明書と一緒にポケットに入れることにした。「今日、シャワーを浴びる」と。それはシャワーを浴びるのを忘れないようにというのではなく、浴びられる場所を探すのにもっと努力しろという意味だ。先日、運転手のアブー・リヤードが赤新月社事務所のトイレにそっとバケツいっぱいのお湯を用意し、私にシャンプーのボトルを渡して「今日は、シャワーの日です」と厳格な声で言った。「でもタオルがない」と私が言うと、「かまいません、濡れたままでいい」。

Day75

12月20日（水曜日）

私たちの通りのジュース売りワフィに、大丈夫かとメールした。三時間後に返事が来た。「いろいろ大変だけど、今のところ大丈夫」。ワフィはジャバリア難民キャンプを出てジャバリアの町の南にあるザルカ地区に移っている。イスラエル軍は昨日の昼と夜に、ジャバリア難民キャンプとジャバリアの町のさまざまな場所を、いくつもの「炎の環」で攻撃した。父の安否を確かめようと友人や親戚に電話をかけてみたが、北部は電波が届かないようだ。今日の午後、ハンナがフェイスブックのメッセージで、デイル・アル＝バラフに多数の攻撃があり、姪のワファアによれば、アーイシャが滞在している地域に近かったらしいと知らせてきた。ハンナは、アーイシャに電話して様子を確かめるよう勧める。もちろんかけてみたが、電話網は五時間も切れている。遮断政策が復活したのだ。ミサイルが降り注ぐ中、世界から遮断されていく。

昨日、友人のムハンマド・アブー・サイーダと彼の三人の息子がドローンから発射されたミサイルで殺された。四人はキャンプの北にある自宅から、こっそり道を伝って給水所に向かい、ガロンサイズのボトルに水を補給しようとしていた。彼らは何日間も家の中で水なしで過ごしていた。再びそれを味わう前に、ドローンのミサイルが彼らを切り刻んだ。「アブー・シャフィーク」と呼ばれていたムハンマドに最後に会ったのは、戦争が始まる三カ月前だった。彼は手作りのデザートがあるので食べに来いと呼んでくれた。私たちは、また会う約束をするはずだった。「俺のお菓子が恋しいだろう？」と彼は電話で言った。私は、彼が恋しい。二度と会えなくなってしまった。

今朝は、数人の友人と新キャンプを三時間ほど歩き回った。今では、誰がどの格納庫に住んでいるのか、それぞれの格納庫の番号もよく知っているし、テントとテントの間を走る路地や、キャンプ内の最短ルートまで熟知している。散歩の後、私はかまどの口に竹串や段ボール片を詰め込んで、火をかきたてた。しばらくの間、私はこの場所に、心の底から馴染んだ気がした。まるで自分の一部になったようだ。私はそう感じた。もう、ここに属しているのか？　その考えに、恐怖を感じた。

街の中心部へ向かうバスの中で、一人の青年がペプシの小瓶を買ったことに大満悦だった。「小学生の頃から、ずっと夢に見ていた！」もちろん、誇張だ。彼は五シェケルを支払ったが、元値はせいぜい一シェケルだろう。彼は一〇シェケルでも支払うつもりだったと言う。年配の乗客は、「我々は、お互いを食べ合ったほうがいいかもしれん」とつぶやいた。バスの中では、乗客のほとんどが疲れた表情で、ここでの新しい生活についての意見を交わしている。気に入っている者は一人もいない。別の若者が、三週間も家族と連絡が取れないと嘆く。「生きているのか？」と誰かが聞くと、「わからない。そう願う」と彼は答える。彼は家族をガザ市の西側のアル＝シャーティ難民キャンプに残してきた。別の乗客の情報では、ありがたいことに物価は下がっていくようだ。ここ数日、カレム・アブー・サーレムの国境検問所で物資の搬入が許可されているためだ。商人たちは、初めて商品の輸入を許可された。食料が中心だ。市場に出回る商品が増え、すぐに価格も下がり始めるだろう」。彼は微笑みながら「ペプシ」君に向かって、明日にはこのボトルの値打ちは二シェケルになるだろうと言う。

今日、同僚のパレスチナ自治政府住宅大臣ムハンメド・ズィヤーラが、ラファから出国できるエジプト側のリストに名前が載った。リストを監督しているのはイスラエルだ。彼はもう、カイロに向けて出発した。今朝そのニュースを聞いたとき、ヤーセルはもの問いたげな眼差しで私を見た――私たちはいつ出発するのか？　私たちの名前も、もうすぐリストに載るだろう、と私は言った。

「彼の名前があったのに、なぜ僕たちのはないの？」とヤーセルは尋ねた。私は答えられない。

「もうすぐだ」と私は繰り返した。

実際、私はハンナにせっつかれて何日も前から出国申請を出している。でもヤーセルは納得しない。

「本当だよ。ズィヤーラが今日出発したんだったら、私たちは明日かもしれない」と私は言った。ヤーセルは私に電話をかけるよう提案した。

「そんな必要はないんだよ。彼らのほうから電話してきて、リストに名前が載ったと伝えてくる」。これで彼は納得したようで、出発が間近に迫っていることを意識して、新しくできた友だちと、一緒に過ごせる残された時間を有効に使う計画を立てていた。

「明日を待つのはそんなに長くない」と私はラファに向けて出発する前に言った。

またもや休戦の可能性が報じられた。これもバスの中での人気の話題だ。通りが人でごった返しているため、ラファの中心部にたどり着くのに一時間近くかかる。ある老人は異を唱えた。

「これだけのことを経験したのだから、完全な戦争終結が必要だ。休戦なんかじゃだめだ！」

私はヒルバト・アル＝アダスの事務所に着いて、それほどしないうちに、その日の日記を書き上げた。すると、廊下の奥の部屋からスタッフの一人が飛び込んできた。

「爆撃はどこでした？」

「爆撃？」と私は言った。

「たった今です。建物が左右に揺れたでしょう！」

驚いたことに、私には何も聞こえなかったし、何も感じなかった。彼と一緒に窓際に行くと、救急車が西に向かって走り去るのが見えた。

イブラーヒームの娘、サージャは最近、世話をする猫が欲しいと何度もせがんでいる。父親は、この願いを叶えることができないことを知っている。このご時世では、ペットなんて売られていないからだ。そこで父親は、友人に猫を売っているところがないか聞いてみると娘に言った。

一〇歳の女の子は嬉しそうに声を上げる。「一緒に、おうちに連れて帰るわ」と彼女は言う。「もう帰る家はないんだよ」と私は言う。彼女はそれを知るべきだ。「でも、どこへでも連れていけるよ」

私はビラールが世話をしていた猫のことを思い出した。隣家の屋根に取り残されていた猫だ。あいつはまだ生きているのだろうか？

今日もラファに「炎の環」が降り注いでいる。隣室の男性に、どの地域が狙われているのか聞いてみた。「救急車が戻ってくればわかるでしょう」と彼は言う。それまでは、ヤーセルや新キャンプにいる兄弟や家族のことを心配しながら待つしかない。

Day76
12月21日（木曜日）

昨夜は寒かった。手足が痛みを感じるほど冷えきり、胃まで痛くなってきて、身体が震えて眠れなかった。床につく前に、テントの中に座って戦争の話をしているときも、すでに毛布が必要だった。イブラーヒームは私が震えているのを見て、毛布をもう一枚用意してくれた。マットレスの上に横たわると、身体の奥底から寒さの痛みを感じる。私は頭まですっぽり毛布をかぶった。何も見えなかったので、ただ風の音に耳を傾けた。テントのナイロンシートが風で前や後にはためく音が聞こえた。風の音は、このときばかりはドローンの音よりも大きかった。眠れずにいるうちに、朝の祈りのコールが聞こえてきた。午前四時四五分頃だ。もう日の光が差してきたかと、テントから頭を突き出してみた。まだ暗闇が広がっていた。見えたのは、風がすべてを揺らしていることだけだった。テントから遠くないところにある小さなオリーブの木が気の毒だった。今にも根こそぎ倒れてしまいそうだ。

これまで体験した寒さのうち、もっとも印象的でつらかったのは、三二年前にイスラエルの刑務所にいたときのことだ。当時私は一八歳、一九九一年の一二月だった。まだビルゼイト大学の最初の一学期を終えておらず、ガザの監獄からネゲブ砂漠の監獄に移されたばかりだった。私は管理当局から支給された、たった一枚の毛布にくるまっていた。そのときも、今と同じように、砂漠の真ん中でテントの中に収容されていて、頭まですっぽり毛布をかぶっていた。とても寒くて風が強かった。毛布を頭までかぶると、足がむき出しになる。足を覆えば、頭がはみ出す。全身を覆おうと、何度も何度も無駄な努力をした。毛布は短すぎて役に立たなかった。寒さが緩むまでの数週間、私はこの厳しい寒さとの戦いに明け暮れた。それ以来、私はいつも冬が嫌いだ。寒さ恐怖症になってしまったようだ。寒いという考えが浮かぶだけで、私は凍りついてしまう。

ラファの気候はネゲブ砂漠と似ている。南はシナイ、東はネゲブで、ラファは砂漠の玄関口と呼ばれている。冬はまだ始まったばかりだ。砂漠の玄関口でテント生活を送る一〇〇万人にとって、厳しい冬になるだろう。

今朝は、みんなが昨晩の寒さについて話している。私は手をこすり合わせて、「これは序の口だ」と言った。

ラファへの攻撃は次第に頻度を増している。毎晩、周囲から爆撃音が聞こえてくる。昨日の晩は、ヘリコプターが東に向けてロケット弾を発射するのを見た。夜中には、ロケット弾の閃光が見え、爆発音が聞こえた。ラファのあらゆる場所が標的となり、毎日のように攻撃される。ガザ北部やハーン・ユーニスで起きたことの完全なコピーだ――地上侵攻の「展開地域」になる前の、慣らし運転なのだ。よく知られたやり方だ。しかし、混雑をきわめるこの街への地上侵攻など想像がつかない。大勢の避難民に、次にどこに行けというのか？　最近の噂にもかかわらず、人々を北に戻す計画について確認された情報はない。パレスチナ赤新月社の事務所でこの日記を書いていると、一定間隔で爆発音が聞こえ、しばらくすると救急車が急いで現場に向かう音が聞こえてくる。ここに来る途中のバスの中で、運転手は破壊されたモスクを指さし、「大きな攻撃だったよ、昨晩は」と言った。私たちが走り過ぎる間にも、人々は瓦礫の下から犠牲者を、生死を問わず掘り出そうとしていた。モスク周辺の道路に駐車してあった車のほとんどは押しつぶされたり、破損したりしていた。事務所に着くと、パレスチナ赤新月社の主任が、国境で新たな襲撃があったと言う。国境警備職員が殺された。「事態は急速に悪化している」と彼は言う。毎日、新たな場所が標的とされ、町の一部が瓦礫となる。北部で体験したことが私に追いついてきて、第二ラウンドが開始される気がした。

今朝、ヤーセルが家に帰ることについてまた聞いてきた。「私たちは家にいる」と私はせっかちに言った。彼がラッマーラのことを言っているのはわかっていた。「もうすぐね」と付け加えたが、この「もうすぐ」が一日先かもしれないし、一カ月かそれ以上先かもしれないと内心わかっていた。ウィサームがイスマイリアの病院に移ったという知らせが入った。「カイロに行くとき、途中で寄ることができるね」と彼は言う。

私は街に向かうバスがとても好きになった。午後になると、私は特定の通りまで歩いていき、そこから運転手が出発するのを待たなければならない。今日は二〇分待った。昨日は三〇分だった。バスに座って窓から道路の景色を眺めるのはいいものだ。しばしの間、何もかも普通なのだと思わせてくれる。だが、普通なものは何もなく、バスの中でさえ寒さを感じる。

Day77

12月22日（金曜日）

真夜中頃、爆発音を聞いた。一瞬、夢によく出てくる爆発音なのか、それとも現実なのかわからなかった。起き上がってあたりを見回すと、みんな寝ていた。私は自分のマットレスに戻った。隣のテントから義理の母が寒いと訴えているのが聞こえた。彼女のところに行ってみると、毛布が三枚かかっていたが、それだけでは足りないと彼女は訴える。私は自分の毛布を一枚持ってきて、彼女の三枚の毛布の上にかぶせた。

午前四時半、家族や親戚の安否を確認するための、電話による巡回を始めた。午前七時、友人のマアムーンから折り返しの電話があった。彼はラファの国境におり、息子のイブラーヒームを連れてエジプトに向かうところだ。イブラーヒームはカイロの医科大学で最終学年を迎えている。ようやく、彼は学業を終えるために出国することを許された。このことを聞き、マアムーンの家族が無事であることがわかって安堵した。

「ハーン・ユーニスは今、すごく危険だ」と彼は言う。

「南へ移る予定はないのか」と尋ねると、

「わからない」と彼は答えた。正午になって、イブラーヒームが国境を渡ることができたか確認しようと、もう一度電話をした。彼はまだ待っていると言う。「検問の流れは鈍い。今のところ、数名しか入国できていない」とマアムーンは言う。

戦争中、ガザでは一九の学術機関が攻撃され、全壊または半壊した。アル＝アズハル大学、イスラーム大学、アル＝クッズ・オープン大学のような有名大学も、ガザ市やワーディー・ガザ近郊にある校舎がほぼ完全に破壊された。約八万八〇〇〇人の学生が教育を受けられなくなっている。たとえ明日、戦争が終わったとしても、数カ月、あるいは数年は再開できないだろう。研究室、図書館、ITラボのすべてをゼロから再建する必要がある。リモート学習もほとんどの学生には役に立たないだろう。たとえネットワークが復旧しても、たいていの人はラップトップやパソコンが自宅の瓦礫の下に埋もれている。イブラーヒームのように、留学先から家族を訪ねてきただけで、一学年度をすべて失うことになる学生が何百人もいる。もっと年下の低学年の生徒たちの場合、影響はもっと深刻だ。一学年度をまるまる失うことが、その後の教育すべてに影響を及ぼし、長期的な打撃を与えることになる。どうすればこのトンネルから抜け出せるのか、誰にもわからない。

ファラジュは、私たちの近所でさらに多くの死者が出たことを報告してくれた。この一週間で、さらに多くの友人が殺された。これ以上悪いニュースを目にするのが嫌で、携帯電話の電源を入れるのもソーシャルメディアにアクセスするのも、だんだん怖くなってきた。夜、テントの中で毛布にくるまっているときに、ファラジュやイブラーヒームから「今日、誰が死んだか聞いた？」と聞かれるのすら嫌になった。昨夜、二人にもうたくさんだと言ってやった。もう聞きたくない。

その代わりに、私はその日の幸福なイメージを思い浮かべた。小さな女の子や男の子たちがテントの近くのブランコで遊んでいる姿だ。ブランコは高く舞い上がり、彼らの楽しそうな歓声も大きくなり、ドローンの音さえ凌ぐほどだ。恐怖とないまぜになった笑いは、完璧な解毒剤だ。たとえ死があっても、私たちは生を愛する。他の少年や少女たちは地面に座り、寒さにも負けず、砂の上でゲームをしている。テントの間でかくれんぼをする者もいる。これが子ども時代のあるべき姿だと思った。二〇分ほど彼らの姿を眺め、まわりの者たちがなごむ様子を見ていた。子どもが子どもであることを妨げるものは何もないようだ。

昨夜、日が沈むにつれて、私は空の色に魅了された。空の半分（南西側）が真っ赤に染まっていた。まるで火山が炎の雨を降らせているかのようだ。その部分の空は、不思議な赤いブロックに切り分けられていた。この数日間に流されたすべての血を思い起こさせるような絵画を、その喪失感を裏切ることなく、純粋に美的に鑑賞することができるものだろうか？　空は赤く、怒りに燃えているが、同時に美しい。もう半分の空（北東側）には薄雲が広がり、その隙間から月がくっきりと輝いている。私は空の赤い半分を携帯電話で撮影したが、まわりの人たちの関心をもっと引いているのはテントの横に座り込んでしまったロバのようだった。一〇代の少女が月を指さし、なんてきれいなんだろうと妹に言った。

ラファに向かう道すがら、学校の壁の落書きに「私が大統領だったら、君の笑い声を国歌にする」と書いてあった。愛に満ちたシンプルな感情だ。かつて私が愛読したジャバリア難民キャンプの壁の落書きを思い出した。私の未完プロジェクトの一つは、それらを集めた本を出版することだ。ちょうど一〇年前、何百もの落書きを写真に収めたのだが、携帯電話が壊れたときに紛失してしまった。今日私は一日じゅう、この愛の表現と、恋人の笑い声に夢中になり、それを国歌にしたいと思った青年のことを考えている。この言葉を読んだとき、何となくその響きを知っているような気がした。第一次インティファーダの間、壁がコミュニケーション装置として機能し、国政政党が国民に語りかけたり、またその逆があったりしたことを思い出した。壁に書かれていたことから、衝突がエスカレートするのか、労働者のストライキがあるのかなどを知ることができた。

今日は、自分の見たすべてのイメージに祝福されたと感じる。

ジャバリアの町とナズラに攻撃があったというニュースが入った。すべて住宅街だ。ハンナは電話で、サエド・ディビスの所有する家が数時間前に標的になったと教えてくれた。妹のアスマーが滞在しているところだ。私は何度か電話をかけてみたが、安否を確認できたのはハンナで、彼女の義理の兄弟をつかまえることに成功した。アスマーは無事だが、彼の叔父のサエドは家族とともに殺されたとのことだった。

Day78
12月23日(土曜日)

昨日、古くからの親友のハイラ兄弟、ムハンマドとアフマドを亡くした。二人はマーヘル(私の妹アーイシャの夫)の叔父にあたる。私の昔の日々に彼らが登場しない日は思い出せない。幼児の頃から、彼らは私の人生の中にいた。私たちの家は数メートルしか離れておらず、私はアフマドといつまでも遊んでいた。彼が私の生活から消えたのは、アフマドがインティファーダに参加してイスラエルの刑務所に入れられたときだけだった。彼の釈放はオスロ合意の数少ない奇跡の一つであり、昨日の死はその崩壊がもたらした多くの結果の一つにすぎない。兄のムハンマドは私たちより二歳年上だった。彼もまたイスラエルの刑務所で何年も過ごし、オスロ合意の後は自治政府の役人になった。インティファーダの一時期には、彼らの母親がイスラエルの刑務所に四人の子どもたちを訪ねていたこともある。

ムハンマドは釈放後、人生を最大限に活用した。彼は息子二人をドイツに留学させ、彼らは今もそこで暮らしている。ムハンマドにとって、これは平時における投資だった。その息子の一人、ハリールはフェイスブックで私にメッセージをくれた——「あなたの旧友が亡くなりました。貧しかったが親切な人だった」

一方、アハマドのほうは「近所の宝」、地域を盛り上げる人気者だった。彼のいないこの場所は考えられない。帰郷したときにはいつでも、まっ先に私が様子を尋ねるのは彼だった。彼の家の前や、食料品店の前で、何時間も立ち話をしたものだ。彼と話していると、私たち二人が生まれたこの通りから、一度も出ていないような気がした。

私たちがジャバリアを出て南に向かったとき、二人とも移動するのを拒んだ。出発の朝、アフマドは兄のシャウキー（アーイシャの義父）を、ワーディー・ガザに近い交差点まで送ってくれる車に乗せるのに忙しかった。私は、その車が彼らを送り届けてから、私を乗せに引き返してくるのを待っていた。「脱出したいと思わないのか」と彼に尋ねると、「まだ、ここは安全だ」という答えが返ってきた。たぶんそのときでさえ、彼はそれが真実ではないことを知っていたのだろう。四人兄弟の末っ子のアフマドは、私が知る限り、いつも実家にいることを好んだ。三人の兄たちは結婚すると新しい家に引っ越したが、彼は実家に残った。シャウキーの一家が南部に向かったとき、弟のムハンマドが実家に戻って一緒に暮らすようになった。その後、戦車が入って四方八方に無差別に砲弾を浴びせ始めると、状況は耐えられなくなり、彼らはナズラの町にある姉の家に身を寄せた。それが安全を求める彼らの旅の終着駅だった。ナズラの西端からジャバリアの町はずれまで続くその通りは、狭いながらも、ガザ北部でまだ建物が残っている最後の一画だった。F16とF35戦闘機が、この三日間の夜襲でそれにとどめをさした。

アフマド、ムハンマド、彼らの姉のフダーは家族とともに全員死亡した。これまでに三〇の遺体が瓦礫から取り出されたが、まだ見つかっていない遺体もたくさんある。私の失った大切な人たちのリストは、耐えがたいほど長くなっている。昨夜は眠れなかった。アフマドと過ごした子ども時代のことで頭がいっぱいだった。自分の過去が、この戦争によって徹底的に抹消されようとしている。

朝の四時頃、アーイシャと電話で連絡を取ろうとする。午前六時頃、マーヘルから折り返し電話がかかってきた。彼らは二人とも話しているうちに泣き出してしまった。アーイシャによれば、息子のムハンマドは、あまりに多くの友人を失ったことで恐怖に怯えているという。アフメドやムハンマドやフダーの子どもたちは、彼のいとこたちだ。どんな言葉も彼らの気持ちを伝えることはできないし、どんな哀悼の言葉も彼らの苦悩を和らげることはできない。

昨日は数カ月ぶりにテーブルの上に料理を出してもらった。ソブヒー・シャカリーフが、引っ越し先のヒルバト・アル＝アダスの家で夕食に招待してくれたのだ。ソブヒーはパレスチナ赤新月社の職員で、私の親友だ。私はよく彼の家を訪問したり、彼が西岸地区を訪れたときはラマッラーの私のオフィスで会ったりしていた。ヌセイラートにあった彼の家は一カ月前に破壊されたので、今は妻の妹の家に身を寄せている。ヤーセルと私はおいしいライスと肉とサラダをごちそうになり、デザートにはコーヒーも出た。こういう当たり前のことが、今の状況では、何かとても不思議に思える。ヤーセルは私たちがテーブルを囲んで食事しているという事実に驚きを隠せない。私だって忘れかけていた。椅子に座り、自分の皿、自分のナイフ、フォーク、スプーンを持つときの気分。あるいは、テーブルの真ん中に置かれた鍋から自分の皿に料理を取り分けるときの気分。あるいは、食事の後にデザートやコーヒーをいただくときの気分。ソブヒーとその妻、彼女の妹のおかげで、私たちは一晩だけ昔の生活に戻ることができた。私は彼らと二時間にわたって語らい、より広い情勢について論じ合った。イスラエル軍は、ブレイジュ難民キャンプとヌセイラート北部の全住民に、中部のデイル・アル＝バラフへ移動するよう命じた。この地域は「戦場」であると、リーフレットには書いてあった。ソブヒーの抱える課題は、父親と母親をラファまでどうやって移動させるかを考えることだ。「道路は安全ではない」と彼はコーヒーをすすりながら言った。

今日は娘のヤーファの誕生日だ。ラマッラーの家に帰って一緒にお祝いするという約束は果たせなかった。ヤーファに会えないのはとても寂しい。彼女の笑顔。彼女のハグ。今日、彼女は一一歳になった。彼女は末っ子で、四人の男の子の後に生まれた、たった一人の娘だ。ずっと娘が欲しかった私たちにとって、彼女の誕生は天からの贈り物だった。女の子から「パパ」と呼ばれることのない人生なんて想像もできなかった。彼女が学校に行く前に電話をかける。彼女の声は嬉しそうだ。彼女に、すまない気持ちを伝え、次の誕生日には盛大なパーティーを開くからと約束した。我が子を幸せにできないと感じるのは、つらいことだ。今回の誕生日について最初に話し始めたときの計画では、家族みんなでガザに来て、ヤーファの叔母のフダーや従姉妹のウィサームとウィダードと一緒に盛大なパーティーを開くはずだった。だが、もうフダー叔母さんはいないし、ガザすらもない。そんな再会は二度とできない。「誕生日おめでとう、ヤーファ」と私は言う。「フェイスブックに書いたのを見たわ」と彼女は答える。「ヤーファに会いたい」と私は書いたのだ。ヤーファを恋しがらない人がいるだろうか。この女の子にしても、私の一族全員が追われたヤーファの町にしても。ただし今日は、この娘の話だ。

Day 79

12月24日（日曜日）

午前二時頃、ロケットの閃光が走り、爆発音がした。標的になったのはタッル・アル＝スルターンのアブー・アローフ一家の屋敷で、私たちのテントからほんの数百メートルしか離れていない。二人が亡くなり負傷者も出た。その後、別のロケット弾が夜空を照らし、地面を揺らした。ロケット弾が近づいてくるのか、それともここまでで終わるのか、わからなかった。私は寒さとの戦いに戻り、何とか眠ろうとした。

昨日、ベドウィンの老女がパレスチナ赤新月社の事務所に入ってきて、援助を求めた。彼女は、国境近くの家を離れて以来、何の援助も受けていないと訴えた。誰も手を差し伸べてくれない。「他のものはなくとも、夜にくるまる毛布ぐらいは欲しい」と彼女は泣いて訴えた。ベドウィン訛りは紛れもなく、刺繍のドレスが彼女の素性を物語っていた。家を追われたとき、何も持ってくることができなかったと彼女は説明する。今は寝る場所もない。あちこちを転々としているだけだ。「死んだほうが、こんな屈辱よりましだ」。アブー・リヤードは、ついてくるようにと彼女に言った。この事務所に援助物資は置いてなかったが、彼は自分の四枚の毛布を彼女に分け与えた。毎日このような話を聞いている。このすぐ後に若い男がやってきて、生まれたばかりの子どものために紙おむつが欲しいと言った。彼の妻は戦争が始まった最初の週に出産した。ガザの家から避難したとき、持ち出せたのはこの最初の子だけだった。「赤ん坊のものが何もない」と彼は嘆く。「妻でさえ十分な食事がとれず、母乳が出ない」。いったい何と言ったらよいのだろう。

今朝、妹のナイーマから電話があった。彼女は父を訪ねてきたところだ。彼は歩けないらしい。栄養不足で身体が弱っているのだ。彼らは一週間以上もパンを食べていない。「トイレにさえ行けないのよ」と彼女は言う。だいぶまいっているようだ。ナイーマはジャバリアの学校に滞在しているが、そこの状況もたいしてましではない。みんな飢えている。電波の使える電話も少ない。彼女の電話を聞けて幸運だった。北部はどこにも援助物資が届かない。休戦が終わって以来、食料はどんな形でも北部に届いていない。

私はひとりテントの中に座り、もう何週間もこの中で過ごしてきたことに思いをめぐらせた。寒さは身にしみるが、野外にいるよりはましだ。プライバシーはまったくないが（通りかかった人は中が見える）それでも自分だけの場所にいる感覚が持てる。枕や毛布が、我が家にいるような錯覚を与える――自分の場所と呼べるような場所なのだと。ここは自分で選んで来た場所ではないし、戻りたいとは決して思わぬ場所だが、それでも私のものだ。なんだか自分が祖父のイブラーヒームになったような気がしてきた。たぶん見かけも似てきただろう。祖父は約七五年前、私と同じ年齢のときにヤーファを追われ、ガザ北部の砂地でテント生活をしていた。

私は大叔母のヌールを尋ねて彼女のテントに行った。彼女は朝食をとっていた。何週間も同じ朝食を食べている。「こういうことになって、ナクバの後のテント生活を思い出すんじゃない？　ヤーファから追い出された後のさ」と聞くと、彼女は当時の話をいくつかしてくれた。彼女にとっては、すべてが同じだった。同じ安全な場所の喪失、同じ希望のなさ。暇乞いをした後、彼女の人生について考えた。二つの避難生活に挟まれた歴史。子ども時代をテントで過ごし、八〇代を別のテントで過ごす。「お聞き、私はテントが好きだったことなんか一度もないよ。誰がテントなんか好きなもんか。最高級の絨毯を敷きつめ、最高級の家具で飾っていても、それでも嫌っているのさ」と彼女は言った。

昨晩、私たちはヌールの三男、アフメドの誕生日を祝おうと思った。たまたまヤーファの誕生日と同じ日だ。彼のために、焚き火でポップコーンを作った。大きなお盆にポップコーンを盛り、次の誕生日は彼の家で祝えますようにと祈った。「バーベキューにしようよ」とアフメドは言った。私はババ・ノエル（サンタクロース）とガザのパレスチナ人キリスト教徒のことを考えた。サンタは、そりからガザを見下ろして、何を思うだろう。家にいる子どもはいない。家らしいものもない。彼は子どもたちを探して瓦礫の下にもぐったり、テントからテントへと子どもを探し回ったりしなければならない。彼が子どもたちにあげるプレゼントは、休戦の希望以外にありえようか？

ガザの旧市街にある教会に家族で身を寄せている友人のフィリペに、メリークリスマスと言いたくて電話をかける。しかし、ガザ市は相変わらず電波が届かない。ババ・ノエルは今年はガザに来ないだろう。そんな危険は冒さない。そりに乗った瞬間、頭を撃ち抜かれるだろうから。

Day 80

12月25日（月曜日）

昨夜、マガーズィー難民キャンプへの空爆による大殺戮が行なわれ、七五人もが死亡した。ブレイジュ難民キャンプでも「炎の環」が降り注いだ。両方の攻撃を合わせると、死者は九五人になる。ベッドに横になっていてばらばらに引き裂かれた子どもたちの映像や、悲鳴を上げる生存者の動画が私たちの携帯電話を埋めつくしている。朝になると、死亡者全員の遺体が近くの病院の門の外の地面に並べられ、鎮魂の祈りがささげられた。なぜ子どもたちがベッドで眠っている間に殺されなければならないのか、誰も説明できない。その子たちの上に、なぜビルを倒壊させなければならないのかも、説明できない。このジェノサイドの蛮行から私たちを守るものは何もない。コンクリートの建物も、このテントも。どこもかしこも脅かされている。どこであろうと、それが最後の逃げ場になるかもしれない。

戦車はブレイジュ難民キャンプに向かっている。すでに住民の多くは脱出し、徒歩で西のヌセイラート難民キャンプに向かって移動しているらしい。しかし、ヌセイラートのほうが安全なわけではない。最近では、ブレイジュと同じくらい頻繁に砲撃にさらされている。イスラエル側の計画は、サラーフッディーン通りより東に住む住民をすべて西側に移動させることだ。これが意味するのは、ガザ地区の東半分全体、つまりブレイジュ、マガーズィー、アバサーン、バニー・スヘイラー、フザーア、ショーカなどの地域はすべて立ち退かせるということだ。この戦略は明らかに、イスラエルがまだ公式に「戦場」と宣言していないラファとデイル・アル＝バラフに大きな圧力をかけるものだ。イスラエル軍が配布したビラの多くは、この二つの地域に移動するよう住民に求めているが、だからといってそこが攻撃されない保証はない。多くの報道が、イスラエルの意図はガザ地区の東側に沿って「安全地帯」を設定し、また北側の国境沿いにも「安全地帯」を設定することだとしている。その狙いは、ガザ地区を再占領し、その内側で彼らが活動できるようにするための連続したアクセスの確保にある。今日はどの友人と会っても、最初の話題はいつもブレイジュとマガーズィーでの新しい軍事作戦のことだった。ラファのスークでばったり出会った友人のファーディーは、私たち全員がビーチの近くの非常に狭く細長い場所に収監されることになるだろうと言う。「今どこにいるの?」と聞かれたので、「国連貯蔵基地の近くだ」と返事した。「そりゃ、よかった。それなら十分西側だ。何はともあれ、西に行け」と彼は微笑む。

父のことが気になる。かなり長いあいだ彼の声を聞いていない。ジャバリアにとどまっている親戚のイマードは、キャンプ内で電波の届くエリアに行くことができ、私への電話で今朝父を見たと教えてくれた。「彼は大丈夫だ」と言う。それはまだ生きているという意味だ。直接父と話をしたのかと尋ねると、「連絡を取る方法はないんだ。この近所はどこも電波が届かない。電話するには、西へ一マイルほど歩かないといけないんだ」と彼は答える。

新キャンプに戻る途中、アル゠クッズ・オープン大学を通り過ぎたあたりで、みんなが空を見上げているのに気づいた。何を見ているのだろうと私も見上げると、一機のドローンが普通より低い位置でホバリングしており、このときだけははっきりと姿をあらわした。大音量で再生される録音済みの音声は、アラビア語で、攻撃が迫っていると告げている。おそらく、いま私が歩いているこの通りのことを言っているのだろう。七九日間にわたって体験してきたすべてを生き延びたあげく、八〇日目に殺されるという皮肉な考えが突然わいてきた。私は歩くペースを速めた。

この戦争は終わらない――今日の午後、私のテントの中では、そんな考えが会話を支配していた。外は寒く、風が強い。クリスマスか新年までには終わるという噂は希望的観測にすぎなかったことが明らかになり、新しい噂に取って代わられた――ラマダン（今年は三月だ）までには終わるだろう！「ラマダンが来ても、まだここにいるっていうのか？」イブラーヒームが信じられないという調子で聞いた。その言葉は、爆弾のように降ってきた。この新説には、皆を黙らせる何か現実的なものがある。何か希望を示さねばならない。「ただの憶測だ。その前に終わっているよ、きっとね」と私は言う。イブラーヒームは納得していない様子で、「本当にラマダンをここで過ごすことになるのか」と再び尋ねる。

私は、今こうしている間にもカイロで話し合いが行なわれていること、それが停戦や取引につながるかもしれないことを話した。この都市の名前に、ヤーセルの耳がピンと立った――「カイロ？」

「もうすぐだよ」と私は言う。

Day 81
12月26日（火曜日）

ハーン・ユーニスにあるヤーファ文化センターの管理者マイスーンが、朝六時にメールで、電話をくれといってきた。電話してみると、彼女は衣服が必要な子どもたちを知らないかと私に聞く。マイスーンは現在、人道支援活動に携わっており、避難民に食料や衣服を支給している。二週間前、彼女は避難民への心理的支援のためのプログラムで文化省と協力した。彼女たちのチームは、避難所の学校で娯楽の催しや子ども向けのゲームを行なったり、映画を上映したりするようになった。だが現在、彼女は別の仕事に追われている。救援物資や食料を受け取り、困窮している人々に配給する仕事だ。今のような時代には、優先順位というものがある。人々は食料や衣服を必要としている。もちろん、他の方法の支援も必要だ。だが、まずは基本的なニーズが優先される。

私はイブラーヒームに、他の四家族と一緒にマイスーンから服を受け取りに行くよう頼んだ。ファラジュの妻マザルは、三人の子どもたちに新しい服を着せてあげられると、とても喜んでいた。帰り道、彼女が新しい服を着た子どもたちを連れてテントの間を歩いているのを見た。

昨日の夕方、私は友人の作家カマール・ソブフとラファの通りを歩いた。カマールは、ラファに避難している作家たちを支援する委員会を立ち上げ、食料、テント、衣類を確保する計画を立てている。今は生活が最優先だ。カマールは四冊の小説の著者であり、五冊目を執筆中だったが、そんな生活はもちろんすべて一時お預けになっている。今はとにかく、他の者を助けなければならない。カマールは先週、自分の家がすでに過密状態だったため、友人をもてなすことができなかったことに罪悪感を感じている。私はカマールの最新作を読み、それについて彼と少し話したいと思っていた。しかし、私たちは二人とも、この種の会話をするエネルギーが残っていないことに気づいた。結局のところ、作家といってもしょせんは自分の子どもの面倒を見たい男や女にすぎない。今は誰も芸術のことなど考えていない。画家たちは自分のアトリエから逃げ出し、残された絵筆や作品は瓦礫の下敷きになるに任せている。そんなことも今となっては遠い思い出だ。子どもたちの食事や衣服を買うカネもないときに、いったい誰が新しい絵筆を買うだろう?

「今は生活のことしか考えられない」と私は言う。

「でも芸術は生活の一部だ」とカマールは反論する。「芸術のおかげで生活をより深く理解することができるんだよ、たとえこんな生活でも」

私はカマールがフェイスブックに投稿した数多くの文章を思い出す。彼だけではない。多くの作家が言葉を通してこの体験を形にしている。カマールは、若手の印象的な俳優カリーム・

サトゥームが現在、避難所の学校で上演するためにいくつかの寸劇をまとめていることを私に思い出させる。「困難な時代であっても、芸術は大切だ」

私は薪を二本持ってキャンプに戻った。義母のためだ。彼女のマットレスの下に敷いて、砂からちょっとだけ浮かせ、少しは寒さを感じないようにする。「これでベッドができた」と私は宣言する。「まあ、ちょっと低めだけどね」。義父は微笑む。「これはベッドなんてもんじゃない、玉座だよ！」彼の目には愛が宿っている。彼らが結婚してから五〇年以上になる。難民キャンプで始まった二人の生活は、七〇代になった今も、そのまま続いている。義母のウィダードは、一九四八年に、ガザから北に一四マイルほど離れたアル＝マジュダル［現在はアスカランと呼ばれている］で生まれ、満一歳の誕生日を迎える前に母親に抱えられてテントにたどり着いた。彼女の母親が、七五年経った今も娘がテントの中にいるのを見たならば、どう思っただろうか？

今日は晴れているので、私は彼女を外に運び出し、車椅子に座って暖かい太陽を浴びさせてやった。私たちはお茶をいれ、彼女のまわりに座り、彼女がそこにいるのをよろこぶ。

新たに避難民となった大勢の人がハーン・ユーニスから到着している。イスラエル軍はハーン・ユーニス市と難民キャンプのより広い地域に、砲撃の威嚇によって避難を強制している。昼夜を問わず、避難を求める新しいビラが飛行機から落ちてくる。すべてのものがラファに向けて押しやられている。私たちの新キャンプは西に向かって拡大していく。イスラエルの元首相で陸軍の将軍だったイツハク・ラビンがかつて夢見たのは、目を覚ますと海がガザを飲み込んでいた、という日が来ることだった。今のところ、海もガザもまだそこにある。

ガザ市のタッル・アル＝ハワーにあるパレスチナ赤新月病院（ヒラル病院）の画像が携帯に送られてくる。そこにあるパレスチナ赤新月社センターは、ガザでもっとも美しい建物の一つだ。病院だけでなく、巨大な文化センターやホテル、NGOも同居している。私の戯曲、『サムシング・イズ・ゴーイング・オン』は、ここで二〇〇四年に上演された。受け取った画像は、このビルが爆撃され、炎上している様子だった。

Day82
12月27日（水曜日）

今朝は薪がないので、お茶がいれられない。テントの谷間に立って朝日の下で身体を温めながら茶をすすることもできない。幸いにも空は一部が雲に覆われているだけで、雨は遅くまで降らなさそうだ。調理用の主燃料である薪は、急速に貴重な物資となりつつあり、市場からはほとんど姿を消した。ハーン・ユーニスや中部地方（ヌセイラート、マガーズィー、ブレイジュ）から多くの人々がやってくるにつれ、薪の需要は爆発的に増加している。最近では、市場で目にするのは、伐採されてまだ湿っている新鮮な生木ばかりだ。こんな薪を燃やせば熱よりも煙が多く発生し、目にも肺にも有害だ。それでも、物乞いに選ぶ権利はないし、たとえ有害な煙が出ても、私たちを暖かくしてくれる。

しかし、今日はそんな薪さえもない。薪がなければ食事もできない。近くのテントの焚き火の煙が私たちを嫉妬させる。イブラーヒームは心配そうに、これから先どうやって薪を確保するか考えている。いつもは私が夕方に用意する一日一回の食事のことは、もう考えないようにする。今日は用意できるかどうかわからないからだ。イブラーヒームは、もし市場で何も見つけられなかったら、ジュンマと一緒に「薪ひろい」に行こうかと思うと言う。ラファの北側には、まだ少しの木が残っている地域もある。

国際支援の一環としてガザ地区へのガス搬入は許可されているが、その量は十分ではなく、分配の仕方もまったく不公平だ。優先されるのはラファの住民であり、避難民ではない。この戦争中に初めて市場で薪を買ったときには、一キロあたり一シェケルもしなかった。ラファに着いたときでも、小さな束を三〇シェケルで買うことができた。今は同じ束が一五〇シェケルもする。

ガザ地区に入ってくる救援物資の多くは無料で配布されるはずなのに、なぜかスークで売られることになってしまう。それを専門に扱う商人がいて、流通量と価格をコントロールしているのだ。

小さな薪の山がないだけで、一日の計画がすべて崩れてしまうというのは、納得しづらいことだ。ヤーセルが今日はキャンプにいたいと言うので、イブラーヒームと私はラファの中心街までの足を見つけるために、タッル・アル＝スルターンまで歩いた。電話には出ず、ただ歩きたかった。

イブラーヒームはジョナイナまで歩かなければならないので、町の中心部で別れた。私はヒルバト・アル＝アダスまで歩き続けた。パレスチナ赤新月社の事務所に着くと、ムハンマド・ハワージュリーとディーナー・マタルというガザ地区でもっとも著名な二人の若手アーティストに会った。一時間半にわたり、私たちは難民生活について語り合った。二人はつい昨日、戦車が彼らの建物に迫る中、ブレイジュから避難した。彼らが後にした共同スタジオには、二人のすべての絵画作品が収蔵されていた。ムハンマドの最近の作品では、動物がさまざまなポーズで描かれ、常に動いており、常に人間に注意深く見守られている。それと対照的に、ディーナーの作品は伝統的なドレスを着たパレスチナの女性を描いている。ムハンマドはガザ市のリマール地区でエルティカ・ギャラリーを経営しているが、このギャラリーは戦争の最初の月にイスラエル軍によって破壊されてしまった。さまざまなアーティストの多数の絵画も失われた。二人とも将来について、何ひとつ確信を持って考えることはできない。

昨夜、妹のサマーを訪ねた。彼女のテントはガザ地区の一番端にあり、片側は国境、もう片側は海に面している。この地点で地中海は西に曲がり、そこからはエジプトになる。地中海東岸の波が終わり、地中海南岸の波が始まる。アジアの海の最後の一滴であり、アフリカの海の最初の一滴である。サマーのテントは、何百ひしめくうちの一つにすぎない。私たちのキャンプの入り口から、彼女のテントに向けて左折しなければならないロータリーまでの道のりは、道路が混雑しているため、車で四五分ほどかかる。だが徒歩で歩いてみると、一〇分もかからない。ハーン・ユーニス、ヌセイラート、マガーズィーから数千人が避難してくる。こんな群衆は見たことがない。誰もがテントを張る場所を探している。ある意味、彼らは北部から来た私たちよりも少しラッキーだ。彼らがラファに移動してきたルートには検問所がないので、私たちよりも多くの所持品（キッチン用品や毛布、さらには家具まで）を持ってくることができるからだ。私たちはショルダーバッグしか持ってこられなかった。とはいえ、彼らをうらやむ気持ちなど今はまったくない。

Day83
12月28日（木曜日）

戦争はいつまでも終わらない。このテントが私たちの新しい家になる。このキャンプが新たな近隣社会だ。時は過ぎ、あと数日で、私が海で泳いでいるときにすべてが始まったあの朝から、三カ月が経とうとしている。待つ以外に何ができようか。それはまるで、自分の死が訪れ、どこかに連れ去っていくのを待っているようなものだ。私たちは未知のものを待ち、決してやってこないゴドーを待ち、援助を待ち、ニュースを待ち、食料を待つ。戦争が私たちの人生を食いつくしていく。私たちの日々は、垂れ込める暗雲の向こうにある太陽のように、姿を消していく。私たちは戦争が終わるのを待っているつもりだが、実際には私たちの人生が終わるのを待っているのだ。

運転手のアブー・リヤードは、ついに死が訪れたと観念した昨夜の恐ろしい体験を話してくれた。彼はボランティアを数人乗せて、ラファからハーン・ユーニスのアル・アマル地区にある赤新月社の本部に向かっていたが、突然、自分が戦車の攻撃の真っ只中にいることに気づいた。周囲には砲弾の雨が降り注ぎ、一万四〇〇〇人が避難していると推測されるナーセル病院が標的になっていた。まるでアル＝シファー病院で起きたことをそのまま再現したようだった。アブー・リヤードは、赤新月社の紋章をつけた医療サービス車両である彼の車の目の前で砲弾が炸裂するのを見た。戦車隊はジャラール通りからパレスチナ赤新月社ビルに向かって進軍し、四方八方に砲弾を撃ち込んでいた。後になって彼は二九人が死亡したことを知る。彼の唯一の選択肢は、全速力で引き返し、西に車を走らせることだった。自分が生き延びたのは奇跡だったと彼は言う。

彼は今日の午後、ヌセイラートに行かねばならないのだと言う。同じような旅になるのではないかと心配しているようだ。彼はパレスチナ赤新月社の労働者をヌセイラートのオフィスから連れてこなくてはならない。彼らも皆と同じようにラファに逃げたがっているのだが、アブー・リヤードはそこに車を走らせることに不安を感じている。私はアーイシャを訪ねたいので同行するかもしれないと伝えた。子どもたちに会いたいのだ。「本当にいいんですか？」と彼は驚いて言った。彼にとっては、連れができるのは大歓迎で、気持ちも落ち着くだろう。だが安全な旅ではないと私に警告する。

「わかるもんか」

「怖くないのか？」

「もちろん怖いさ。だけど、生きていかなきゃいけないしね」

昨夜、アーイシャから電話があり、三〇分ほど話をした。彼女の義父シャウキーは、二人の弟と妹、彼らの家族を失ったことをいまだ受け入れられずにいる。私は、タクシーを雇ってデイル・アル＝バラフにいる彼らを訪ねたいと彼女に言った。イブラーヒームは、その考えは危険すぎると言ってそのときは反対した。デイル・アル＝バラフに行く人はたくさんいると私は断言したが、彼は納得しなかった。

私たちがラファに向かって車を走らせていると、一台の車が反対方向から通り過ぎた。運転手は明らかにアブー・リヤードを知っているらしく、「国はおまえが必要だよ、アブー・リヤード！」と叫んだ。「国はなくなっちまったよ、ハビビ！」とアブー・リヤードも叫び返す。

三〇年前に刑務所で知り合った同志なのだと私に説明する。

車を降りた私は、もし彼がヌセイラートに行くと決めたら、必ず一緒に行くと言った。彼はうなずいたが、行く気になるかどうかわからない。昨晩のことで心から動揺していた。

そこらじゅうにテントがある。今朝、イブラーヒームを連れてキャンプの外に出ようと歩いていて、このキャンプには「外」がないことに気づいた。キャンプは四方八方に広がり、近隣の町にまで達している。そうした町は呑み込まれ、いまやこのキャンプの中に存在している。

昨夜、私がヤーセルと夕食の準備をしていると、ジャバリア時代の友人ユーセフ・シャヒーンの娘アスィールが母親と一緒にやってきて、テントの調達を助けてもらえないかと私に頼んだ。彼らはクリスマスイブに起きたマガーズィーの大殺戮は生き延びたものの、ラファに到着して眠る場所がなかった。幸いなことに、アーイシャたちが来たときのために取っておいた小さな予備のテントがある。アーイシャが到着したら、彼らをどこに泊めるかという問題はそのときになって考えればいい。

アスィールが言うには、マガーズィーのような危険な地域からラファまで移動するのに、車で運んでもらうお金を払える人はほとんどいない。だから、彼らに残された選択は、そこにとどまって死を待つか、無防備な状態で長距離を歩く危険を冒すかのどちらかなのだ。

テントはぼろ儲けできるビジネスになっている。多くの実業家がさまざまな区画の土地を借り上げて、そこにテントを設営し、避難民に貸し出している。アパートや住宅を賃貸する代わりにテントを賃貸するのだ。労働者たちが木材やナイロン・シートを使ってテントを張り、せっせと賃貸用に仕立てている光景は普通に見られる。こうして、林立するテントが、海に向かってじわじわと這い寄っていく。

Day84
12月29日（金曜日）

昨晩、私たちはヤーセルの誕生日を祝うことにした。本当は今日なのだが、昨日はみんながヤーセルを喜ばせたいと熱望していたので、その勢いでやってしまった。彼のために盛大な食事を作り、近所のテントの人をみんな招待した。火をおこして大きな鍋をかけ、その中でトマトと卵を混ぜた。スークで卵を見つけるのは至難の業で、しかもとても高価になっている。鶏はもうほとんどが差し迫った必要のために屠殺されてしまったからだ。卵の価格はとんでもなく暴騰している。昔は三〇個入りの卵が一五シェケルで買えたのに、今は八〇シェケルもする。二〇人ほどの男たちが鍋を囲み、女たちは別の大きな皿を囲んだ。一つのテントには収容しきれないほど大勢が集まった。イブラーヒームが買ってきた一二缶のポップコーンは、全部まとめて一つの鍋で温めた。ポップコーン・パーティーはヤーセルのために開かれた。一六回目の誕生祝いだ。彼のために願い事をするとすれば、どうか彼がこの戦争を生き延びますように、そして戦争がすぐに終わりますように、それ以外にありえようか？　誕生日パーティーは三時間続いた。私たちは笑い、冗談を言い合ったが、やがてテントの外の火が消え始め、私とヤーセルだけが残った。

昨日はまた、私たちの拡大家族のメンバーが新たに到着するのを迎えた。私のまたいとこにあたるムスタファーが、彼の母親と姉妹とともにマガーズィーから到着した。避難先の家がロケット弾に直撃されたため、そこを逃げ出し、二度目の立ち退きの憂き目にあった。この結果、私たち家族のテント群はマットレスや枕の不足に直面した。新しく来た人たち、特に女性たちが眠れるように、昨夜は三人が剝き出しの地面で寝なければならなかった。誕生日を祝ってもらったヤーセルもだ。私は微笑んで彼に言った。

「誕生パーティーの終わりとしては完璧だね。地面に頭をつけて寝るのさ。初期イスラームの聖人たちは、一日の終わりに頭を自分の靴の上に置いて休むことも厭わなかった」

ヤーセルは微笑んで、頭の下に靴を置くつもりはないと言った。

「上着はどうだ？」と私は申し出た。少しはましな案だったろう。月明かりの夜だった。パーティーが終わってテントを整える私たちの左手に、巨大な月が輝いていた。ハイサムは砂の上に薄い毛布を敷いて寝た。ヤーセルは、上着に頭を沈めて、一五歳最後の夢を見ただろう。

パレスチナ赤新月社のオフィスでは、ラファで支援活動を行なっているＮＧＯの責任者ブサイナ・ソブフが、拡大する一方のテント村に女性用トイレを設置したいが誰も助けてくれないと不満を訴えている。もっと多くのトイレが必要だと彼女は言う。女性たちは、水も生理用品もない極度に汚れたトイレの外で、何時間も列をつくって待っている。彼女はパレスチナ赤新月社のコーディネーターに、国際支援ルートを通じて携帯トイレを持ち込むのを手伝ってもらえないかと頼む。彼は嫌々ながら彼女に告げる。

「私たちは決めません。もらえるものを受け取るだけです」

「いらないものでも？」と彼女が言い返すと、彼は肩をすくめる。

「今はどんなものも必要です」

またしても、問われているのは優先順位の取り決めについてだ。だが今は、すべてが優先事項なのだ。ブサイナは、女性のニーズが見過ごされていると訴える。「女のもの」と彼女は言って、それを矮小化したがる者たちの語り口をあざ笑う。だが女性も、その矮小化を自分の中に取り込んでいる。こうした製品は市場に出回らないし、女性たちはそれを要求するのを遠慮したり、恥ずかしがったりするかもしれない。「それでも彼女たちには必要なものです。生活は小麦粉やコメの問題だけではありません。尊厳も大切です」

昨夜もまた恐ろしい一夜だった。夜が明ける前に、空が何度も明るく照らし出された。あるときなどは、月が落ちてきたかと思ったほどだ。それは巨大で、真っ赤だった。砂の上に寝ていたので、爆発音が鳴り響くと地面が揺れるのを感じた。これもみんなバースデーパーティーの一環なのだ、と心の中で思った。爆発音は、ハーン・ユーニスの東側あたりのように聞こえた。F16爆撃機のソニックブームの合間に、銃撃戦の音も聞こえた。最初はこの騒音のために眠れなかったが、その後は、この八三日間で上手になった適応ゲームで乗りきった。そのやり方は、この不協和音を、掃除機の音や、外の通りで車がクラクションを鳴らす音のように、まったく普通のものだと考えることだ。それを受け入れて、もはやそれなしでは生きていけないほど慣れてしまったかのように思うのだ。想像してみるとよい。すべてが静寂に包まれていたら、どんなに生活が退屈なことか！　バックグラウンドに流れるうるさい雑音が一切なくなったとしたら、どんなに気持ちが悪いだろう。その空白、その沈黙を、想像してみてほしい。騒音のない世界では誰も生きられない。

午前中にハンナがメールをくれて、ラファのシャーブーラ地区で新たな攻撃があり、ディヤーブ家の人々が二〇名ほど亡くなったと知らせてくれた。ハンナは、私の友人のムハンマド・ディヤーブが巻き込まれていないかと心配している。ムハンマドと彼の家族はゾローブ通りに滞在していると私は伝えた。「ええ、でも攻撃があったのはシャーブーラの北部、ゾローブ通りの近くなのよ」と彼女はメールを返信してきた。ハンナが遠くからラファの地理を勉強し、すべての地区と通りを覚えていることに感心する。これにより、ニュースをチェックして現場がどこにあるのか、それが私たち（彼女の母親、父親、ヤーセルと私）とどれほど離れているのかがわかるようになったのだ。私はムハンマドの携帯に電話をかけてみて、呼び出し音が鳴ったのを聞いて安堵のため息をついた。彼は無事だ。彼の親戚の何人かはヌセイラートから避難してきたそうだ。でも、そのうちの一人は、あちらで逃れた運命に、ここで遭遇することになった。

薪の燃える匂いは、テント生活の世界では朝が来たと知らせるサインだ。子ども時代には若い雄鶏の鳴き声がそうだった。今は、ほとんどの朝に最初に気づくものの一つが、テントの中に忍び込んでくる焚火の匂いだ。誰かがもう起きていて、子どもたちにお茶やホットミルクを用意している。今朝は遠くからその匂いがした。夜明けの祈りからほんの数分後で、まだ暗かった。祈祷は私の夢に混ざり込み、煙の匂いや、少年時代に路地で遊んだ記憶と一緒になった。もう、その匂いはキャンプ中に漂っている。起きる時間だ。午前六時。早く寝て、早く起きる。それがキャンプ生活だ。

Day 85
12月30日（土曜日）

戦争が始まって八四日目の昨日の朝、私は自分とヤーセルの名前が出国可能者のリストに含まれていることを知らされた。それは極めて唐突な出来事だった。正午には、私たちはラファ検問所に来ていた。国境ゲートの係官が私を前に呼び出し、リストの何番目かと尋ねた。「一三番と一四番」と告げると、私たちは中に入ることができ、他の人たちと一緒に、二つの国境の間の無人地帯を、とてもゆっくり走るバスに乗って横断した。エジプト側の建物の広間でたった二時間ほど過ごした後（通常はもっと時間がかかり、時には数日待たされることもある）、私たちはエジプト国境を通過した。エジプト側で戸外に出ると、空は曇っていた。だが私は北東を振り返らずにはいられなかった。ガザ地区の方向、故郷の方向を。そこでは何度も命を落としかけたが、どこかに私の魂が宿っている場所があるとすれば、今もそこがその場所だ。

ヤーセルは出発することに舞い上がっていた。「父さんだって、そうでしょ？」と聞かれて、答えに窮した。もちろん、ほっとしている。何とか生き延びた——私が何か英雄的な行為をしたおかげではなく、運が良かっただけなのだが。まったくの偶然だ。生き延びたことには義務がともなう。この物語を語らねばならない。しかし、そのことは同時に、なぜ自分が生き残り、他の者が生き残れなかったのかが最終的に理解できないことも明らかにする。毎日、数百人の人々が出国する。二重国籍の者、負傷者とその同伴者、留学生ビザを持つ者など。でも、それ以外の人たちは、なぜなんだろう？

西へ向かうタクシーの中で、私はぼんやりとこの八四日間の惨劇と恐怖を振り返っていた。あれはすべて夢だったのだろうかと、しばし考えた。どの日の出来事も、すべての細部に至るまで鮮明によみがえる。後に残してきた人たちのことを考えていると、いきなり、彼らを見捨てたことを恥じる気持ちに襲われた――父、兄弟姉妹、義理の親族、甥や姪たち。自分は本当に去らなければならなかったのだろうか、と自問する。それは、北部を離れるときに経験したのと同じ反省だった。私は、この間ずっと一緒に過ごしてきた者たちを裏切ったのだろうか？

戦争が終わるまで残るべきだったのだろうか？ 私は四六日間を北部で過ごし、親しい同僚たちが毎日殺されていくのを目の当たりにした。その後、三〇日以上をテントの中で暮らし、冷たい砂の上にマットレスを敷いて寝た。ハンナは、まだ国境が開かれていた戦争の最初の数日のうちに、私はガザを離れるべきだったと思っている。私は今、最後まで残るべきだったと思っている。

これは亡命者のジレンマだ。ここにいれば苦しみ、ここを去っても苦しむ。

今朝出発するとき、私はしばらく立ち止まって、四週間以上も私の家だったテントを眺めた。不思議なことに、このテントが恋しくなるだろうと私にはわかっていた。もちろん、寒さや、絶え間ない空腹が恋しくなることはないが、他の多くの人たちと避難民として一緒に過ごした時間を懐かしむことは間違いない。出発するとき、私はみんなを一人ひとり抱きしめて、再会を願い、約束した。その約束が果たせるかどうかは、誰もわからないのに。私は大叔母のヌールにキスをした。彼女は泣きながら、これが終わったら、そして彼女がまだ生きていたら、また会いに来ると私に約束させた。

北シナイを通り抜け、アリシュの郊外に出ると、爆撃で破壊された家が見えた。屋根は崩れ落ち、二つほどの壁だけがまだ立っていた。私は身震いし、一瞬、ここはまだガザ地区で、私が見ているのは最近の攻撃かと思った。その後、思い出したが、これは別の戦争なのだ。報道されてはいないが、エジプト人とベドウィンの戦争だ。私は目を閉じて忘れようとするが、同時にまた思い出そうとしている。私が生き延び、体験してきたすべてのことは、私の中に残り、私とともに未来に向けて旅立つのだ。

エジプトとの国境を出て最初に決めたことは、タクシーを雇ってウィサームを訪ねることだった。彼女は最初ポートサイドの病院で治療を受けていたが、その後、スエズ運河沿いの都市イスマイリアのすぐ郊外にある病院に移っていた。

到着したとき、病院の三階にある個室でウィサームが一人でいるのを見て驚いた。「ウィダードはどこに?」。私たちを親切に迎え入れ、彼女の部屋まで案内してくれた病院の責任者に、そう尋ねた。ウィダードはウィサームの傍にいて、妹の面倒を見ているはずだった。「残念ながら、姪御さんは神経衰弱に陥ってしまいました」と責任者は説明した。私が到着するとすぐに、ウィサームは姉を返してほしいと泣き出した。「私にはウィダートしかいないの。彼女が私の家族よ」。病室の雰囲気はほとんど耐えがたいものだった。私は、彼女たちの家が攻撃されたすぐ後の数日間に自分が試みたすべての励ましを繰り返した。ハンナは私へのメールで、ウィサームは私の言うことに耳を傾けている、と励ましてくれた。私は、おどけた調子で言った、「ウィサーム、おまえはアーティストだ。私は作家だ。私たちにはやるべき仕事がある」。彼女は左手を上げて言う、「片手の芸術家」。私は笑った。「これは魔法の手だ。地球の人すべての手よりも大切な手だ」

ウィサームは自分で車椅子を使いこなす訓練を受けている。まだ訓練途上だが、今のところ、少なくとも自分で部屋を出たり、廊下で他の患者と話したりすることはできる。

「いつになったら義足と義手をつけてくれるのかしら？」

私にその答えはわからない。病院の責任者は、彼女のケースを取り上げてくれる国を待っていると言った。ウィサームは微笑んで言う。

「覚えているでしょう？　アル＝シファーで、古いのよりもいい脚をくれるって約束したわね」

「自分でも何を言っているのかわからなかったんだ」と私はつぶやいた。

「プレゼントがあるんだ」と、私は話題を変えようとして言う。「脚を持ってきてくれたの？」と彼女は冗談を言う。

「きっと気に入るよ」と私は自信たっぷりに言った。国境で待機しているとき、私は南へ旅立つ前に義父の家から持ち出した書類やノートや写真の束に目を通し始めた。その中に、ウィサームの母親のフダーが結婚前に父親のハーティムに宛てたラブレターを書いた小さなノートを見つけた。そのノートの中にはハーティムから彼女に宛てた三五年前の手紙も一部入っていた。この愛の手紙の上に、家族が築かれたのだ。この手紙のことを話すと、ウィサームは狂喜した。この手紙は絶対彼女のものだ！　家族の誰も、この手紙のことを聞いたことがない。フダーが自分の両親の家に隠していたのだ。ウィサームが亡き両親から受け継ぐのは、この数枚の写真とラブレターだけだと、私は思い至った。

ウィサームは一日じゅう病院にいて、一人でいるのが退屈だと言う。外の世界が見たいのだ。三カ月近くにわたり、彼女は病室に閉じ込められている。攻撃以来、彼女が移った病院はこれで四つ目だ。

病院では約四五人のパレスチナ人が負傷の治療を受けている。私は病院を出る前に、そのうちの何人かを見舞った。特に心を動かされたのは、ウマルという腕と顔を負傷した五歳の少年との出会いだった。彼らの建物への攻撃で亡くなった兄弟や姉妹たちの話をたくさん聞かせてくれた。一人だけ生き残った彼は、幸運なのだろうか？　私はまた、二〇代の笑顔の少女と三〇分ほど話をした。彼女はたまたま通りかかったアル＝シャーティ難民キャンプの建物をイスラエル軍が爆撃したときに、片足を失った。美しい笑顔の持ち主だった。私が別れたとき、彼女はウィサームの部屋の外の廊下に母親と一緒に座っていた。「お母さんに連れ添っているの？」と私は尋ねる。「いいえ。負傷しているのは私よ」と彼女は答える。その晴れやかな笑顔は、イスラエルが私たちを脅すどんなものよりも明るい。

ヤーセルと一緒にポートサイドへ行く。ホテルに着いたときには真夜中になっていたが、ベッドを見るのは数カ月ぶりだった。私は何もせず、ただベッドに崩れ落ちて眠った。その心地よさに背中が喜ぶのを感じた。身体中の骨が普通の生活に戻ったことを祝福し合っているのが聞こえた。「私は普通に戻ったのか？」と自問しながら眠りに落ちた。

私が立ち去ったのは事実だが、私はまだそこにいる。私の思考はすべてそこにあり、すべての体験は、現在進行形で展開する記憶の中で、いまだにそこで起きている。未来についての私の考えでさえも、今そこで起きていることや、そこでこの先に待ち受けているものによって、既定されている。物理的にこれほど遠く離れていても、私の心はそこにある。

私は自分の父親、「アブー・アーティフ」（アーティフの父）と呼ばれるべき人のことを思う。北部では、飢えと医薬品不足のために何十人もが亡くなったと報道されている。最後に父の近況を聞いたとき、彼は自分で動くことができなかった。それから一週間以上が経つが、彼についての知らせは何もない。まだ生きているのだろうか？　最後に何か食べたのはいつのことだろう？　飲み水はあるのだろうか？　水は飲めるのだろうか？　私には彼の苦しみがわかる。そのすべてを思い浮かべることができる。

ジャバリアとラファに残してきた姉弟や兄弟のことを思う。テントの住人たちのこと、毎日の行列のこと、テントの谷間の路地や町に続く道を毎朝歩いたことを思い出す。毎朝、焚き火で沸かしたお茶の味を思い出す。そこに戻る日のことを想う――もし戻ることができればだが

——そのとき、誰が生き残っているのだろう。戻れたとしても、家族の者は誰も残っていないだろう。再開を約束した唯一の場所で、再びみんなで会うことはない。フダーも、ハーティムも、ムハンマド・アル＝ジャージャも、ムハンマドとアフマドのハイラ兄弟もいない。私は人生のパターンを変えなければならない。土曜日を一緒に過ごすビラールもいない。詩を語り合うサリーム・アル＝ナファールもいない。旧市街もない。サフターウィーもいない。私の知っているジャバリアもない。私が知っているガザは、もうそこにはない。何かがあるとすれば、それはゼロから建て直されたものになるだろう。街の紋章である不死鳥のように、炎の中から生まれ変わる必要がある。あらゆる困難、あらゆる可能性に抗して立ち上がらなければならない。

眠りにつくと、死者が歩くのが見え、生者が死ぬのが見え、アル＝シファーの廊下で母親を探す少年の姿が見える。「ママ、ママ」という彼の言葉が、瓦礫とともに宙を舞うのが聞こえる。樹木が根こそぎにされ、その果実がタンクローリーの下で泥にまみれて押し潰されているのが見える。建物の壁が空中で解体し、超スローモーションで、ゆっくりと回転しながら、ベッドに横たわり少しも動かない家の住人に近づいていくのが見える。彼らは、まるで眠れる森の美女のように、千年の眠りに囚われている。

人形をなくした女の子が泣きながら、戻ってこいと怒った声で人形に呼びかけているのが見える。一つの都市が、ビルが消えるごとに、世界の記憶から消されていくのが見える。公園や庭園に死が忍び寄るのが見える。私はそのすべてを目の当たりにしており、八四日間を経てもなお、そのどれもが起こったことが信じられない。すべては悪夢に相違ない、と夢の中で思う。すべては悪夢に違いない。

ウィダードが神経衰弱に陥ったのは、ウィサームとガザを出発してから数日後、ポートサイドに到着したときのことだった。二六歳の彼女は妹に同行して、この旅とその後の治療の間、世話をするはずだった。国境を越えたとき、彼女は突然目を覚ました。突然、現実に目覚めたのだ——母親、父親、兄弟たち、すべてを失ってしまい、両足と片手のない妹の面倒を見ながら残りの人生を過ごさなければならない。彼女は、このような形で自分自身の人生も失ったのだ。彼女は一生、家族の不在の代償を払わなければならないだろう。こうした現実の認識が一気にすべて押し寄せ、彼女を押しつぶしてしまった。戦争の只中にいるときは気がつかないが、それが自分の中に解き放った恐怖は戦争から抜け出したとき明らかになる。

今、ウィダードはポートサイドの精神科の施設で治療を受けている。今朝、私は三人の看護師の同席のもと、彼女の病室を訪ねた。彼女はずいぶん痩せていた。この三週間、彼女は薬を処方され、精神分析の面談も受けていた。もう耐えられない、死んだほうがいいと彼女は私に話す。

「何のために生きるというの？　ウィサームだって、生きるための何があるというの？　私たちはどうやって生きていけばいいの？　この世で唯一の善人は死んでしまった［彼女の両親のことだ」。二人がいないのに、私たちはなぜ生きていかなければならないの？　私にはできないわ」と彼女は断定する。

「生きなきゃいけないよ。アッラーが君を生かしたのには理由があるからだ。それはアッラーの英知だ。それは私たちの誰にも理解できないが、アッラーの正しさを証明するために、君は奮闘しなければならない」。彼女はうなずいた。二時間ほど私たちは話をしたが、彼女は決してまっすぐに私を見ることはなかった。眼差しは虚ろで、あちこちをさまよっている。何も、どこも、見ていない。このどこにもない場所に、いま彼女は住んでいる。そして突然、彼女は泣き崩れ、ウィサームがこんな目に遭わされるのは、本当に申し訳ないと言う。

「ウィサームは君よりも強いよ。本当は逆でなければならないのにね。ウィダード、今は君のほうが強くなって、彼女を支えてやらなくちゃ」

「できないわ。私は弱すぎる。ウィサームは、義肢を手に入れることで適応することを想像できる。でも私は何を待ち望めばいいの？　どうやって適応すればいいの？」

帰り際、病院の責任者から、彼女は良くなってきているので、数日後には退院できるかもしれないが、誰かが彼女の面倒を見る必要があると告げられた。私は、ウィダードが姉に付き添って、彼女の面倒を見るだろうと伝えた。病院を出るとき、私は涙をこらえることができなかった。この美しく、幸せで、快活なはずの少女が、こんなに多くの精神に問題を抱える高齢者と一緒に暮らしているのだ。彼女の今の親友がジェハーンと呼ばれるエジプト人の女性で、彼女の二倍の年齢で、気がふれているなんて信じられなかった。

　それがこの戦争の狂気だ。私は生き延びた。なぜかは誰にもわからない。ウィダードが生き延びるかどうかは、時が経たなければわからない。私の兄弟や姉妹、父や友人たちが生き延びるかどうかも、同じことだ。次はどんな恐ろしい知らせが私に届くのだろう。

　今こうしてポートサイドのホテルのバルコニーに座っていると、すべてが見えてくる。私が生き抜いてきた八四日間のすべてが見える。人々の声や悲鳴が聞こえ、瓦礫が見える。殺された人々の目の奥を覗き込む。エジプトでバルコニーに立っているにもかかわらず、私はまだそこにいる。自分のテントのほうに歩き、友人たちと一緒に座り、その日のニュースについて話す。イブラーヒームには、父の消息を知っているかもしれない人には誰にでも連絡してみるようにと何度となく口うるさく言う。焚き火の煙の匂いを嗅ぎ、沸騰した紅茶の湯気を吸い込む。私はまだすべてを見ている。

あとがき

もしもこの日記を本として出版するようなことになったら、それは君に捧げるとビラール・ジャダッラーに言ったとき、まさか彼がこの世を去り、その本を手に取って読むことができなくなるとは思いもしなかった。私はアラビア語版のサイン会を、彼の愛するプレスハウスで行なうと約束していた。そのときの最後の会話を鮮明に覚えている。彼はプレスハウスの裏庭で私と向き合って座っていたが、隣人が自宅の屋根に残していったひとりぼっちの猫のことのほうが気になるようだった。自分の屋根から猫に餌を投げてやるため、早めに帰宅しなければならないと彼は言った。暗くなってからでは、それができない。ドローンに見つかってしまうだろうし、誰かが屋根に出て何かを投げるという光景は、彼らの攻撃スイッチを入れてしまうだろう。「どうやって水を与えるの？」と、私は半信半疑で尋ねた。彼は、水の入ったボトルのキャップをゆるゆるにして投げてやると、着地したときにキャップが外れ、水が屋根の表面にこぼれるのだと言った。「で、献辞の案と、本のサイン会については、どう思う？」と、私は本題に戻って彼に尋ねた。そして、彼がわざとその話を避けていることに気がついた。彼が私のほうを向いたとき、その顔には、この本が出版されるであろう将来のある時まで自分がこの世にいるとは思えない、と書いてあった。

ビラールは、何万人ものパレスチナ人たちとともに死んでしまった。私は自分が経験したことを思い返すと、いったいどうやって生き延びてきたのだろうと不思議になる。義理の姉のフダーの家が爆撃され、彼女と夫、二人の男の子が死亡し、娘が身体の一部を失ったとき、私はそこに滞在していたかもしれなかった。また、いつも計画していたように、ビラールと一緒に南へ旅立っていたかもしれない。そうしていれば彼の隣で一緒に殺されただろう。他にも一〇カ所以上の場所が、攻撃されたときに私がいたかもしれないところなのだ。二〇一四年の「戦争」（このときも詳細に記録を残した）が終わり、和平が宣言されたとき、あるジャーナリストが冗談でこう尋ねた。「誰が勝ったんだ？」そのときの私の返事は「私だよ。私は生き延びただろう？」だった。今度の戦争が終わったときに、私が同じ返答をするかどうかわからない。私の損失はあまりにも大きい。

この日記を振り返ってみると、ここに残されていることを何一つ思い出したくないと自分が思っていることに気づく。戦争の前の生活がどんなだったかだけを覚えていたい。一回の食事から次の食事までどうつなぐかというストレスの日々は思い出したくない。これほど多くの親しい者たちが、みんな殺されたことも思い出したくない。私は彼らを自分の傍から離さず、まだここにいるふりをしたい。

今みなさんが手にしているものは、日記のつもりで書き始めたものではない。毎日これを書いたのは、何が起きているのかを他の人たちにも知ってほしかったからだ。自分が死んだ場合に備えて、日々の出来事の記録を残しておきたかったからだ。私は死の気配を何度も感じた。死が私の背後に不気味に姿を現し、肩越しに迫ってくるのを感じた。だからそれをかわす手段として私は執筆した。勝てないまでもそれに逆らう方法として、そして何よりも、気を紛らわす手段として書いたのだ。戦争は継続し、私は生き残ることしか考えられなくなる。死者を悼むことはできない。回復することもできない。悲しみは先送りしなければならない。今はそんなことを考えているときではない。しかし、この本の中で、私は自分が愛し、失ったすべての人々に会うことができ、彼らと話し続けることができる。この本の中でなら、彼らがまだ私とともにいると信じ続けることができる。

アーティフ・アブー・サイフ　二〇二三年一二月二〇日

Special Thanks

The publishers would like to thank: David Sue, Maaria Mehmood, Negar Azimi, Seth Maxon, Madjid Zerrouky, Luciana de Mello, Amagoia Mujica, Céline Lussato, Marco Imarisio, Jack Mirkinson, Rebeca González Izquierdo, María Rán Guðjónsdóttir, Shera Sihbudi, Haru Marui, Amy Caldwell, Tadeu Breda, Marcia Lynx Qualey, Asmaa al Ghoul, Dani Abulhawa, Delfina Llosa, Jeronimo Arambasic, Julia Pich, Makiko Nakano,Vibeke Har, Nadya Andwiani, Ayah Najadat, Tatiana Garcia, Dachiny Ewekengha, Meg Sears, everyone at Respond Crisis Translation, and especially Orsola Casagrande.

パレスチナ人をして語らしめよ

中野真紀子

アーティフ・アブー・サイフは、ガザ地区のジャバリア難民キャンプ出身の作家で、パレスチナ自治政府の文化相として通常は西岸地区のラマッラーに住んでいるが、たまたま息子を連れてガザを訪問中にイスラエルの爆撃が始まり、そのまま三カ月近くガザに閉じ込められ、親戚や友人たちとともにジェノサイドの恐怖を体験することとなった。

アーティフは早い段階から、日々の出来事を書きとめて外の世界に発信した。チャットアプリのWhatsAppやボイスメールを使って英国の彼の出版社に届けられた原稿は、ガーディアン紙やワシントンポスト紙など西側の主要媒体に掲載され、リアルタイムのジェノサイドの証言となった。まわりの者たちが次々と殺されていき、生死を分けるのはまったくの偶然、明日まで生き延びる保証はないという極限状況で描かれた戦時下の人間模様は、重大な一次証言として緊急に書籍にまとめられた。世界の一〇の出版社がこれに賛同し、世界的なキャンペーンに発展した。この一月に創業した地平社もその一員である。

アーティフは極めて優れた書き手であり、その才能がこの記録に惜しみなく発揮されている。ほんの数行の印象的な描写によって、その人物の人生がまざまざと浮かび上がり、その場所や建物の歴史や風情、そこに息づく人々の生活感が鮮やかに描き出される。それは多数の無名の人々が織りなす人間のドラマだ。だが、そのテーマは終わることない戦争を生きる人々の日常だ。彼らの大半にとって戦争と軍事占領は、生まれてからずっと続いている、人生のバックグラウンド・ミュージックなのだ。

アーティフ自身が、一九七三年の戦争（第四次中東戦争）の年に生まれ、人生とは戦争と戦争の合間に生じる一時的な猶予期間にすぎないと感じている。軍事占領の下では、人生の設計など無意味だ。すべての条件は占領者の気まぐれによって、いつ何時でも変更され、撤回されるからだ。人生どころか明日の計画さえも立てられない。不安定で、その場しのぎの、「今日を生きる」だけの人生は、途方もなく不条理で不公平だ。このような状況に屈服せず毅然と立ち向かうには、ブラックで辛辣なユーモアが欠かせない。その点でアーティフの文章はまさにこれぞパレスチナ人というべきウィットに満ちている。

だが、主体性を剝奪され、ドローンに監視されながら、命じられたままに生きる選択肢のない人生は、はたしてパレスチナだけのものなのか？　現代の日本で私たちが感じている不安や無力感と、どれほど違うのか？　もちろん彼らの恐怖は確固とした現実であり、私たちの不安は想像にすぎない。一般化することでパレスチナの悲劇を矮小化するつもりはまったくないが、いろんな意味でパレスチナの状況は私たちが住む世界のグロテスクなカリカチュアのようにも思える。そんな中でも、生きることを楽しむパレスチナの人々、思いやりと愛情の交換に多大な時間を費やしている彼らの姿は、現代の私たちが失っているかもしれないものに気づかせる。長期の占領でネオリベ的な個人の成功が拒否された中だからこそ残っているのかもしれない、人生へのいつくしみだ。

ここでの人間模様は一人ひとりの人生の断片が多くを語る。個人というより社会集団が描かれているのかもしれない。難民キャンプの社会が持つ、集合的な記憶と意思。それは今回の戦乱が「ナクバの再現」であると見抜いている。イスラエルの意図は昔も今も一貫して先住民の一掃であり、「安全のために退避せよ」という警告はまったく信用できない。そのことは、みんなが知っている。わかっているからこそ、危険を冒しても命令通りに移動することに抵抗する者たちがいるのだ。第二のナクバは起こさせないと。

日記の中で、現実に起きていることを、七五年前の出来事と重ね合わせる記述が何度も出てくる。アーティフの大叔母ヌールは、一九四八年のナクバでヤーファの美しい屋敷を捨てて両親とともにガザに逃れ、難民テントでの生活を余儀なくされた人物だが、彼女は今回再びジャバリア難民キャンプの家を捨てて、ガザ南部に逃れなければならなかった。彼女の記憶が混乱し、四八年のナクバと現在の退避をごっちゃにして語るのを、アーティフは完璧な映画のモンタージュ技法のようだと記している。

人々は「第二のナクバ」を起こさせないため抵抗するが、途方もない犠牲を払ったにもかかわらず、それを止めることができない。日を追うにつれて、どんどんまわりの人々が死んでいく。病院も学校もモスクも、社会インフラは意図的に破壊され、文化遺産のモニュメントも容赦なく破壊される。一つの社会と文化が計画的に抹消されていく様子を、それを守るべき役割の文化相が記述しなければならないのは皮肉なことだ。ジェノサイドを記述するとは、そういうことなのか。

そしてアーティフ個人は作家としての想像力の源泉である実家（home）を失った。物語を書く材料を汲み出す無限の井戸がなくなってしまったのだ。慣れ親しんだ縄張りともいうべき隣近所（ハーラ）も跡形もなく吹き飛ばされた。ジャバリア難民キャンプもガザ市も、ホームと呼べるところはことごとく失われた。この絶望的な喪失感に対して、いったい何が言えるのだろうか。少なくとも「西側」の一員としてジェノサイドに加担させられている間は、何を言っても自己欺瞞になりそうだ。ならば、彼らに語らせようではないか。彼らを代弁するより先に、まず彼らの声に耳を傾けよう。

特に今、パレスチナ人の声をかき消そうとする動きが強まっている中で、このことは強調されなければならない。一〇月七日以降、ドイツや米国や英国などを中心に、パレスチナ人アーティストが参加する展覧会やシンポジウムが相次いでキャンセルされているからだ。また今現在、世界じゅうの大学キャンパスでジェノサイドに反対する抗議が起こり、それに対して警官隊が導入され暴力的に鎮圧されている。まるで戦場が西側世界に広がったかのようであり、特にターゲットとされているのは言論と文化である。これまでにも増して、パレスチナ人の声を届けることが重要になっている。

この企画は地平社の発足と同時にスタートしたものだ。世界的キャンペーンで連携している一〇社には、米国のビーコン・プレス社も入っている。かつて『ペンタゴン・ペーパーズ』を出版したことで有名なこの出版社と肩を並べているのは大変に誇らしく、熊谷伸一郎社長の慧眼にあらためて敬服する。アーティフの日記について当初から注目されていた丸井春さんに編集を担当していただき、おびただしい人名や地名を整理していただいたことは、この短期間で出版に持ち込むことのできた最大の要因であり、感謝にたえない。また広島市立大学で教鞭をとられるパレスチナ文化の専門家、田浪亜央江さんが、アラビア語および現地情報のチェックを快諾してくださり、この貴重な現地ルポを正確なものにすることができたのは大きな幸運だった。大切な休日の時間を割いてくださったことに、心からお礼を申し上げたい。みなさんの思いに支えられ、このパレスチナ人の声が広く届きますように。

二〇二四年五月七日

中野真紀子

著者：アーティフ・アブー・サイフ（ATEF ABU SAIF）

小説家、作家。1973年パレスチナ・ガザ地区のジャバリア難民キャンプ生まれ。ビルゼイト大学で学士号、ブラッドフォード大学で修士号取得。欧州大学院で政治・社会科学の博士号取得。ヨルダン川西岸地区在住。これまでに6冊の小説を出版するほか、パレスチナ関連の執筆などを行なう。2019年からパレスチナ自治政府文化大臣。

訳者：中野真紀子（なかの・まきこ）
「デモクラシー・ナウ！ ジャパン」代表、翻訳者。訳書にエドワード・サイード『ペンと剣』（ちくま学芸文庫）、ノーム・チョムスキー『マニュファクチャリング・コンセント――マスメディアの政治経済学』（トランスビュー）、ナオミ・クライン『地球が燃えている――気候崩壊から人類を救うグリーン・ニューディールの提言』（共訳、大月書店）など多数。

協力：田浪亜央江

本書の収益は全額、パレスチナ支援に取り組む以下3つの団体に寄付されます。
Medical Aid for Palestinians, the Middle East Children's Alliance, and Sheffield Palestine Solidarity Campaign (Khan Younis Emergency Relief)

ガザ日記 ジェノサイドの記録

2024年5月29日――初版第1刷発行
2024年7月31日――初版第3刷発行

著者……………………アーティフ・アブー・サイフ

発行者………………熊谷伸一郎

発行所………………地平社
〒101–0051
東京都千代田区神田神保町1丁目32番 白石ビル2階
電話：03–6260–5480（代）
FAX：03–6260–5482
www.chiheisha.co.jp

デザイン……………赤崎正一

印刷製本……………中央精版印刷

ISBN978-4-911256-06-0 C0036

地平社